GUIDE DE LA FAUNE ET DE LA FLORE

Wilhelm Eisenreich
Alfred Handel
Ute E. Zimmer
Traduction et adaptation :
Michel Cuisin

Flammarion

Introduction

Ce livre présente une sélection des animaux et des végétaux les plus communs en Europe. Les groupes dont ils font partie sont brièvement décrits ci-après et, dans le corps de l'ouvrage, des pictogrammes les distinguent.
Les **champignons** diffèrent des végétaux ; ils sont dépourvus de chlorophylle et tirent leur subsistance de substances organiques prélevées dans le sol ou le bois. Leur partie permanente (mycélium), formée de filaments (hyphes), reste cachée et ce que l'on voit le plus souvent est l'organe reproducteur pourvu de tubes ou de lamelles, qui porte les spores (équivalents des graines).
Les **lichens** sont des organismes symbiotiques formés d'un champignon et d'une ou plusieurs mousses ou algues bleues qui effectuent la photosynthèse.
Les **mousses** et les **fougères** se reproduisent au moyen de spores, comme les champignons. Elles n'ont pas de fleurs.
À l'opposé de ces groupes très anciens, les **végétaux ligneux** (arbres, arbrisseaux, arbustes) et les **végétaux herbacés** font partie du vaste ensemble des plantes à fleurs. Les **résineux** (conifères), plus primitifs que les autres, ont des feuilles étroites (aiguilles), des fleurs peu apparentes sans enveloppe colorée et des graines nues. Par contre, les autres végétaux ont des graines incluses dans un fruit. Leurs fleurs, hermaphrodites ou unisexuées, sont solitaires ou réunies en inflorescences.
À la différence des arbres, arbrisseaux et arbustes, les végétaux herbacés n'ont presque jamais de tissus ligneux. Dans ce livre, ils sont groupés d'après la coloration et le type de symétrie de leurs fleurs.

Les quelques **cœlentérés** décrits ici font partie des animaux les plus simples. Leur corps a l'aspect d'un sac, qui peut être divisé en compartiments par des cloisons. En revanche, celui des **mollusques** comprend une tête, un pied et un sac viscéral ; celui des **lamellibranches** (moules), vivant en mer ou dans les eaux douces, est généralement comprimé latéralement et inclus dans une coquille à deux valves. Chez les escargots (**gastéropodes**), terrestres ou aquatiques, le sac viscéral a subi une torsion qui s'est répercutée dans la forme de la coquille. Dans l'immense ensemble des Articulés, les **vers annélides** se distinguent par leur corps segmenté divisé en nombreux anneaux ; ils vivent dans l'eau ou sur la terre.

Insectes

L'aspect et la structure des Arthropodes (animaux aux pattes articulées) sont très variés ; il suffit de considérer les **crustacés**, les **myriapodes** et les **araignées** (qui ont huit pattes), pour s'en convaincre. Les **insectes** forment le plus grand groupe du règne animal. Malgré leur extrême diversité, leur corps est divisé en trois parties : tête, thorax et abdomen. En outre, ils sont caractérisés par leurs six pattes insérées, comme les ailes, sur le thorax et par leur squelette externe formé de chitine. Enfin, leur développement comporte des métamorphoses incomplètes (chez les libellules, sauterelles, punaises, dont les larves peuvent ressembler aux adultes) ou au contraire, complètes (chez les coléoptères, hyménoptères – fourmis, guêpes, bourdons, abeilles – diptères – mouches, moustiques – et papillons) ; chez eux, les larves se transforment en nymphes (chrysalides des papillons), qui subissent des modifications avant de laisser place aux insectes adultes (imagos).
Les Échinodermes constituent le dernier groupe des **invertébrés** (animaux sans squelette interne). Leur corps a généralement une symétrie rayonnée, leur peau contient des éléments calcaires et peut porter des piquants. Tous vivent en mer.
Il y a cinq classes de **vertébrés** (animaux pourvus d'un squelette osseux). On sépare les **poissons** osseux de ceux qui ont un squelette cartilagineux. Tous respirent au moyen de branchies et vivent en mer ou dans les eaux douces. Les Amphibiens (**Batraciens**) sont terrestres et aquatiques ; à l'exception de la salamandre noire, tous se reproduisent dans l'eau. Salamandres et tritons (Urodèles) ont un squelette partiellement cartilagineux.
Les **Anoures** (grenouilles et crapauds) ont beaucoup de glandes dans la peau et peuvent sauter.
La peau des **reptiles** (lézards, serpents) est sèche et à peu près dépourvue de glandes ; elle est renforcée par des écailles ou des plaques cornées.
Afin de faciliter leur identification, nous n'avons pas toujours suivi l'ordre de classification pour décrire les **oiseaux**. Les passereaux, des hirondelles aux corvidés (corbeaux), se distinguent par leur appareil vocal ; leurs petits sont des oisillons nidicoles, c'est-à-dire nus ou presque et incapables de survivre sans les soins de leurs parents.
De nombreux caractères séparent les **mammifères** des autres vertébrés. Les plus importants sont la présence de glandes spéciales qui produisent le lait, première nourriture des jeunes, et celle d'un pelage formé de poils. Comme les oiseaux, les mammifères ont une température interne à peu près constante, sauf chez ceux qui hibernent comme les chauves-souris et le hérisson.

Glossaire

Acuminée : feuille terminée en longue pointe.
Akène : fruit sec, qui ne s'ouvre pas et contient une graine.
Anémogamie : transport du pollen par le vent.
Appliqués : poils parallèles à la surface sur laquelle ils sont insérer.
Ascendante : tige couchée, dont l'extrémité se redresse.
Bractée : petite feuille située à la base du pédoncule d'une fleur.
Calcicole : qui prospère en terrain calcaire.
Calcifuge : qui ne peut prospérer en terrain calcaire.
Calice : ensemble des sépales d'une fleur.
Capitule : inflorescence formée de nombreuses petites fleurs réunies sur un élargissement (réceptacle) du pédoncule commun.
Caulinaire : feuille insérée sur une tige.
Cerques : appendices situés au bout de l'abdomen de certains insectes.
Colonie : ensemble formé par des oiseaux (d'une même espèce ou non), qui nichent les uns près des autres.
Corymbe : inflorescence formée de fleurs situées presque au même niveau, bien que leurs pédoncules n'aient pas la même longueur.
Dioïque : végétal dont les fleurs mâles sont sur un pied et les fleurs femelles sur un autre pied.
Entière : feuille dont les bords ne sont pas découpés.
Hampe : long pédoncule floral dépourvu de feuille.
Héliophile : qui a besoin de soleil pour prospérer.
Hémiparasite : partiellement parasite.
Involucre : ensemble des bractées situées à la base d'une fleur.
Labelle : chez les orchidées, pétale souvent très grand.
Litière : ensemble des débris de végétaux et d'animaux qui jonchent le sol en forêt.
Mégaphorbiale : ensemble de végétaux herbacés de grande taille vivant sur un terrain fertile.
Migrateur partiel (oiseau) : espèce chez laquelle une partie des populations migre, alors que les autres sont sédentaires.
Monoïque : végétal ayant des fleurs unisexuées (mâles et femelles) sur le même pied.
Ombelle : inflorescence où les pédoncules des fleurs ont la même longueur et sont issus d'un même point (fleurs au même niveau).
Panicule : inflorescence chez laquelle les pédoncules des fleurs sont de plus en plus courts vers l'extrémité supérieure.
Pédoncule : queue d'une fleur, d'un fruit.
Périanthe : ensemble formé par la corolle et le calice d'une fleur.

Ptérostigma : sur les ailes de certains insectes, espace foncé délimité par des nervures.
Pétiole : queue d'une feuille.
Phéromone : sécrétion odorante servant aux communications entre les membres d'une espèce.
Pelouse : prairie dont la végétation est naturellement rase, car le sol est sec et pauvre.
Plumage d'éclipse : chez les canards mâles, plumage provisoire revêtu en été.
Rosette : feuilles disposées en cercle à la base d'une tige.
Sempervirentes : feuilles restant vertes pendant longtemps.
Sépale : élément du calice (enveloppe externe) d'une fleur.
Sessile : feuille sans pétiole, fleur sans pédoncule.
Stipule : appendice foliacé situé à la base d'une feuille.
Tragus : appendice charnu situé dans le pavillon auditif de certaines chauves-souris.
Verticille : feuilles ou fleurs insérées au même niveau autour d'une tige.

Abréviations employées

C Caractéristiques
H Habitat, répartition
P Particularités (biologie, usages éventuels)

La lettre P placée à côté du nom d'un animal ou d'une plante signifie qu'il est protégé car en voie de disparition.

Note
Conçu pour des lecteurs vivant en Europe centrale, mais valable aussi pour ceux d'Europe occidentale, ce guide ne décrit pas les espèces typiques du Midi de la France.

Cèpe de Bordeaux

Boletus edulis

C Chapeau hémisphérique, brun clair à foncé (atteint 30 cm) ; tubes blancs, devenant jaunâtres à vert olive. Pied : atteint 15 cm, en massue ou ventru, avec réseau dans le tiers supérieur. Chair ferme, blanche, brunâtre sous le chapeau, ne change pas à la cassure.
H Juillet-novembre. Forêts de feuillus, résineux ; souvent sur sol acide. Très abondant certaines années.
P Excellent comestible, goût de noix (chez d'autres bolets aussi). Confusion possible avec *Tylopilus felleus* (ci-dessous).

Bolet à pied rouge

Boletus luridiformis (= B. erythropus)

C Chapeau velouté, convexe, brun foncé (atteint 20 cm). Tubes jaunâtres, pores rouges. Bleuit à la pression et à la cassure. Pied : atteint 12 cm, en massue ou ventru, sans réseau, mais flocons rouges sur le fond jaune. Chair jaune, devenant bleu-noir à la cassure.
H Mai à octobre. Forêts de feuillus et de résineux.
P Très bon comestible, mais toxique à l'état cru.

Bolet amer, bolet fiel

Tylopilus felleus

C Chapeau hémisphérique, bord souvent ondulé, brun clair (atteint 15 cm) ; tubes blancs devenant roses (différence avec le Cèpe de Bordeaux). Pied : atteint 15 cm, brun clair, en massue, ayant toujours un réseau brun. Chair blanche.
H Juin-octobre. Forêts de résineux sur sol acide, souvent sous épicéas et pins.
P Immangeable en raison de son goût très amer.

Bolet bai

Xerocomus badius

C Chapeau convexe, brun chocolat ou foncé (atteint 20 cm) ; tubes blancs, puis brun-jaune, bleuissant un peu à la pression. Pied : atteint 14 cm, cylindrique, brun-jaune, souvent strié en long, mais jamais réticulé. Chair ferme, devenant spongieuse, blanc jaunâtre, bleuissant à la cassure.
H Juillet-novembre. Surtout forêts de résineux en terrain acide.
P Bon comestible, mais, depuis l'accident nucléaire de Tchernobyl (Ukraine), contient encore du cæsium radioactif. Confusion possible avec *Boletus edulis* ou *Tylopilus felleus* (ci-dessus).

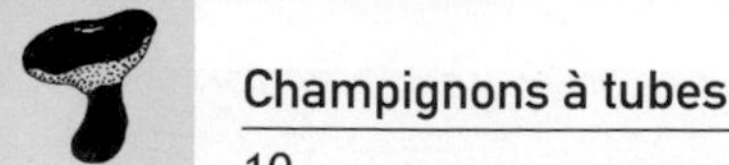

Bolet rude

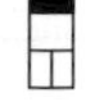

Leccinum scabrum

C Chapeau convexe, brun-jaune à brun-noir (atteint 12 cm) ; tubes blanc-gris, dépassant le bord du chapeau. Pied blanchâtre avec mouchetures brun-noir, mince, renflé (atteint 15 cm). Chair blanche, ferme, devenant un peu spongieuse.
H Juin-octobre. Généralement sous les bouleaux ; forêts, parcs.
P Bon comestible s'il est jeune. Confusion facile avec d'autres *Leccinum*, qui sont aussi comestibles.

Bolet changeant

Leccinum versipelle

C Chapeau hémisphérique ou légèrement bombé (atteint 20 cm), orangé à rouge brique, à cuticule (« peau ») brièvement saillante au bord ; tubes gris-blanc. Pied blanc avec écailles noires (atteint 22 cm). Chair blanche, devenant gris-mauve à noire à la cassure.
H Juin-octobre. Toujours sous les bouleaux (mycorhizien).
P Bon comestible. Confusion possible avec *L. scabrum* et d'autres *Leccinum* étroitement associés à différents arbres (frêne, charme, chênes, pins, etc.).

Bolet jaune

Suillus luteus

C Chapeau convexe, brun foncé, nettement visqueux par temps humide (atteint 12 cm) ; tubes jaunes. Pied blanc jaunâtre avec anneau blanc violacé, membraneux. Chair blanc jaunâtre, se ramollissant très vite.
H Juillet-novembre. Forêts de résineux, sous les pins.
P Enlever la cuticule du chapeau. N'est pas supporté par certaines personnes. Confusion possible avec d'autres *Suillus*, également comestibles.

Bolet doré

Suillus grevillei

C Chapeau convexe, brun-jaune (atteint 10 cm) ; tubes d'abord jaunes, devenant plus foncés. Pied brun-jaune avec anneau membraneux, visqueux (atteint 10 cm). Chair jaunâtre, molle.
H Juin-novembre. Toujours sous les mélèzes.
P Bon comestible. Enlever la cuticule avant la cuisson. Confusion possible avec d'autres bolets associés au mélèze ou avec *Suillus luteus* (ci-dessus).

Rosé des prés, psalliote des prés, agaric champêtre

Agaricus campestris

C Chapeau hémisphérique à convexe, blanc, cuticule un peu écailleuse, pelable (atteint 10 cm) ; lames roses, devenant brun chocolat. Pied blanc, avec anneau membraneux souvent peu développé (atteint 8 cm). Chair blanche, rougissant un peu à la cassure. Odeur et goût agréables.
H Mai-octobre. Souvent abondant : prairies fumées, lisières des bois ; souvent en cercles (« ronds de sorcières »).
P Excellent comestible. Confusion possible avec d'autres *Agaricus*, notamment *A. silvaticus* (ci-dessous).

Rosé des forêts

Agaricus silvaticus

C Chapeau d'abord convexe, puis s'aplatissant, brun cannelle à brun foncé, écailleux (atteint 8 cm) ; lames d'abord roses, puis brunes. Pied finement floconneux, blanchâtre, un peu renflé à la base, avec anneau pendant. Chair blanche, rougissant à la cassure. Odeur neutre.
H Juillet-octobre. Forêts, notamment sous épicéa et hêtre.
P Bon comestible. Confusion possible avec des agarics à chapeau brun, toxiques, mais dont la chair jaunit à la cassure.

Amanite phalloïde

Amanita phalloides

C Chapeau d'abord convexe, puis aplati, vert jaunâtre à vert olive (atteint 15 cm) ; lames blanches. Pied blanc, avec cerne verdâtre pâle, base renflée, toujours incluse dans une volve blanche, souvent souterraine – absente chez les agarics – (atteint 15 cm). Chair blanche, douceâtre.
H Juillet-octobre. Forêts, parcs, jardins ; souvent sous chêne, hêtre, noisetier et châtaignier.
P Champignon très dangereux (mortel). Souvent confondu avec des agarics, mais ceux-ci n'ont jamais les lames blanches.

Amanite phalloïde (forme printanière)

Amanita phalloides var. *verna*

C Chapeau convexe ou plat, blanc, visqueux si humide (atteint 10 cm) ; lames blanches. Pied : base incluse dans une volve blanche, souvent enfoncée dans le sol (atteint 15 cm). Chair blanche, odeur nettement douceâtre.
H Juin-septembre. Forêts de feuillus et de résineux.
P Très dangereux (mortel), comme *A. phalloides* (ci-dessus).

Coulemelle, lépiote élevée

Macrolepiota procera

C Chapeau brun clair, couvert de nombreuses écailles foncées, étalé à maturité (atteint 30 cm) ; en forme de baguette de tambour chez les jeunes ; lames blanches, libres. Pied pourvu d'un anneau coulissant chez les sujets âgés, avec cernes bruns, creux, devenant fibreux (atteint 30 cm). Odeur et goût agréables.
H Juillet-novembre. Forêts claires, parcs, jardins.
P Bon comestible (rejeter le pied). Peut être séché. Confusion possible avec de petites lépiotes toxiques, qui diffèrent par leur anneau fixe.

Amanite rougeâtre, golmotte

Amanita rubescens

C Chapeau rosé à brunâtre, couvert de débris blanchâtres, peu adhérents, du voile, bord lisse (atteint 15 cm) ; lames blanches tachetées de rougeâtre avec l'âge. Pied blanc à rosé, base renflée sans bourrelets, anneau nettement strié (atteint 15 cm).
H Juin-octobre. Forêts de feuillus et de résineux.
P Comestible après cuisson. Confusion possible avec l'amanite panthère *(A. pantherina)*, semblable, qui a le bord du chapeau strié, l'anneau lisse, dont la chair ne rougit pas et qui a une odeur de radis.

Amanite tue-mouches

Amanita muscaria

C Chapeau rouge orangé vif avec nombreuses écailles blanches que la pluie peut enlever (atteint 20 cm) ; lames blanches. Pied blanc, avec anneau pendant, base renflée avec volve et bourrelets verruqueux (atteint 20 cm). Chair blanche ; jaune sous la cuticule du chapeau.
H Août-novembre. Forêts, souvent sous les bouleaux et les épicéas. Commune.
P Toxique. Contient des substances neurotoxiques qui provoquent pertes de conscience, ivresse, paralysie (mortelles à forte dose). Ne peut guère être confondue avec une autre espèce.

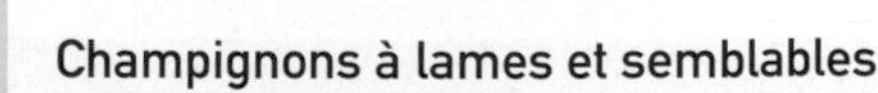

Clitocybe nébuleux

Lepista (= Clitocybe) nebularis

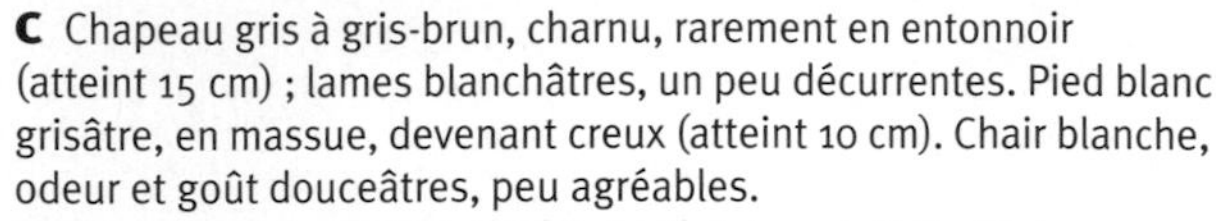

C Chapeau gris à gris-brun, charnu, rarement en entonnoir (atteint 15 cm) ; lames blanchâtres, un peu décurrentes. Pied blanc grisâtre, en massue, devenant creux (atteint 10 cm). Chair blanche, odeur et goût douceâtres, peu agréables.
H Septembre-novembre. Forêts de résineux et de feuillus, souvent en lignes ou en cercles.
P Comestible mais n'est pas toujours bien supporté (doit être cuit). Confusion possible avec l'entolome livide, qui a des lames jaunâtres, puis rose saumon.

Pied bleu

Lepista nuda

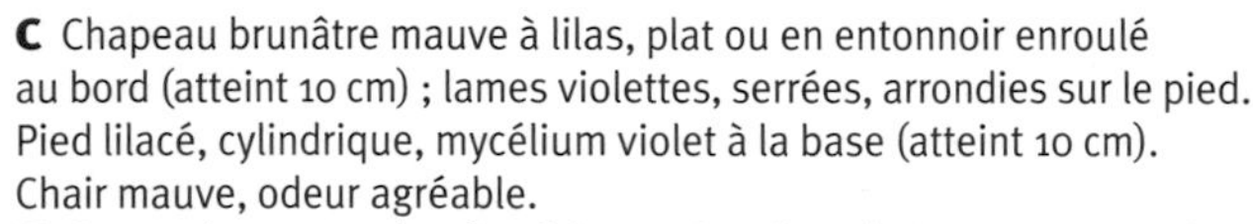

C Chapeau brunâtre mauve à lilas, plat ou en entonnoir enroulé au bord (atteint 10 cm) ; lames violettes, serrées, arrondies sur le pied. Pied lilacé, cylindrique, mycélium violet à la base (atteint 10 cm). Chair mauve, odeur agréable.
H Septembre-novembre (parfois aussi avril-mai). Souvent en cercles. Forêts, parcs, jardins, tas de compost.
P Très bon comestible après ébouillantage.

Tricholome de la Saint-Georges, mousseron de printemps

Calocybe gambosa

C Chapeau convexe ou aplati, blanchâtre à crème (atteint 10 cm) ; lames blanc crème, très serrées. Pied blanc (atteint 8 cm). Chair blanche ; odeur de farine rance.
H Avril-juin. Bois clairs, parcs, jardins.
P Très bon comestible. Confusion possible avec *Inocybe erubescens*, l'inocybe de Patouillard, espèce très toxique.

Tricholome rutilant

Tricholomopsis rutilans

C Chapeau convexe, violacé rougeâtre, finement feutré (atteint 15 cm) ; lames jaunes. Pied cylindrique, violacé, feutré, devenant creux (atteint 12 cm). Chair jaune ; odeur et goût de moisi.
H Juin-novembre. Sur les souches pourries de résineux.
P Comestible médiocre, indigeste (à rejeter).

Collybie à pied velouté

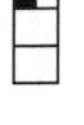

Flammulina velutipes

C Chapeau convexe ou plat, jaunâtre à brunâtre, cuticule collante, bord souvent strié par transparence (atteint 6 cm). Pied cylindrique, brun jaunâtre, base brun velouté (atteint 10 cm). Chair blanc jaunâtre, devenant coriace.
H Octobre-mars. Vit en touffes sur les feuillus morts ou vivants.
P Bon comestible, mais rejeter le pied.

Pholiote changeante

Kuehneromyces mutabilis

C Chapeau jaune à roussâtre, mamelonné, hygrophane (clair ou foncé selon son degré d'humidité) ; lames jaunes à brun cannelle, serrées, un peu décurrentes (adnées) (atteint 6 cm). Pied mince, souvent courbe, finement écailleux, anneau membraneux (atteint 8 cm).
Chair blanchâtre ; goût et odeur agréables.
H Mai-novembre. En grosses touffes sur les souches (feuillus, résineux).
P Bon comestible. Confusion possible avec d'autres champignons vivant en touffes (certains sont toxiques).

Armillaire

Armillaria ostoyae

C Chapeau mamelonné, finement écailleux, jaunâtre à brun (atteint 10 cm) ; lames blanc rosé. Pied grêle, jaune brunâtre, avec anneau blanc (atteint 14 cm). Chair blanche à brunâtre, celle du pied coriace.
H Septembre-novembre. En touffes sur les arbres morts ou vivants (feuillus, résineux) ; parasite dangereux pour eux.
P Bon comestible (rejeter le pied et l'eau de cuisson).

Pholiote écailleuse

Pholiota squarrosa

C Chapeau en cloche, jaune roussâtre avec écailles brunes saillantes, toujours sec (même par temps pluvieux), bord enroulé, effiloché ; lames jaune verdâtre, un peu décurrentes.
Pied, comme le chapeau, écailleux, avec anneau floconneux (atteint 8 cm). Chair jaune pâle, odeur épicée.
H Septembre-novembre. En touffes au pied des feuillus et des résineux vivants.
P Comestible médiocre après cuisson. Confusion possible avec *Armillaria ostoyae* (ci-dessus).

Coprin chevelu

Coprinus comatus

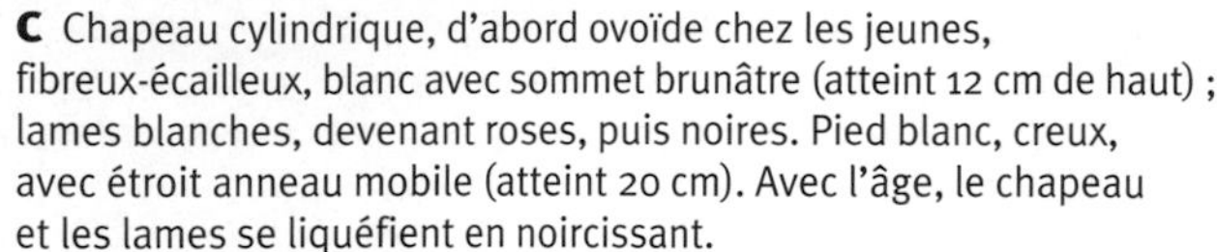

C Chapeau cylindrique, d'abord ovoïde chez les jeunes, fibreux-écailleux, blanc avec sommet brunâtre (atteint 12 cm de haut) ; lames blanches, devenant roses, puis noires. Pied blanc, creux, avec étroit anneau mobile (atteint 20 cm). Avec l'âge, le chapeau et les lames se liquéfient en noircissant.
H Mai-novembre. Prairies fumées, jardins, bords des chemins, compost.
P Comestible seulement à l'état jeune (chapeau ovoïde). Confusion possible avec d'autres coprins non comestibles.

Russule comestible

Russula vesca

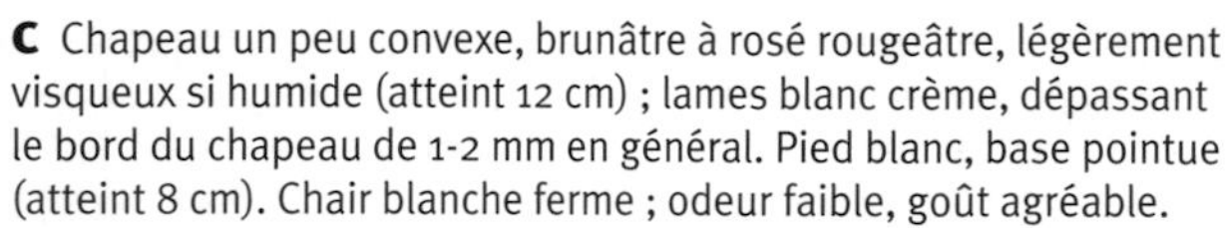

C Chapeau un peu convexe, brunâtre à rosé rougeâtre, légèrement visqueux si humide (atteint 12 cm) ; lames blanc crème, dépassant le bord du chapeau de 1-2 mm en général. Pied blanc, base pointue (atteint 8 cm). Chair blanche ferme ; odeur faible, goût agréable.
H Juin-octobre. Forêts de feuillus et mixtes.
P Comestible. Ne peut guère être confondue avec les russules à chapeau rouge, non comestibles.

Lactaire de l'épicéa

Lactarius deterrimus

C Chapeau rose saumon à orange, puis tacheté de vert, cuticule collante si humide (atteint 10 cm) ; lames orangées, serrées, adnées-décurrentes. Pied comme le chapeau mais non tacheté (atteint 6 cm). Chair blanc jaunâtre ; à la cassure, le lait rouge orangé qui sort devient rouge vineux au bout de 15-30 minutes. Goût amer.
H Août-novembre. Bois de résineux (épicéas).
P À rejeter (lait amer). Le lactaire délicieux (*L. deliciosus*), sous les pins, au chapeau orangé avec cernes foncés, au pied tacheté et au lait toujours rouge orangé, stable, est comestible.

Girolle, chanterelle

Cantharellus cibarius

C Chapeau en entonnoir ou un peu convexe, jaune clair à jaune orangé, bord irrégulièrement ondulé (atteint 12 cm) ; plis (à la place des lames) fourchus, reliés entre eux. Pied comme le chapeau (atteint 8 cm). Chair blanche, ferme ; odeur fruitée, goût poivré (crue).
H Juin-novembre. Forêts de feuillus et de résineux.
P Excellent comestible. En séchant, devient coriace ; congelée, amère.

Sparassis crépu

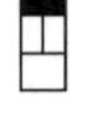

Sparassis crispa

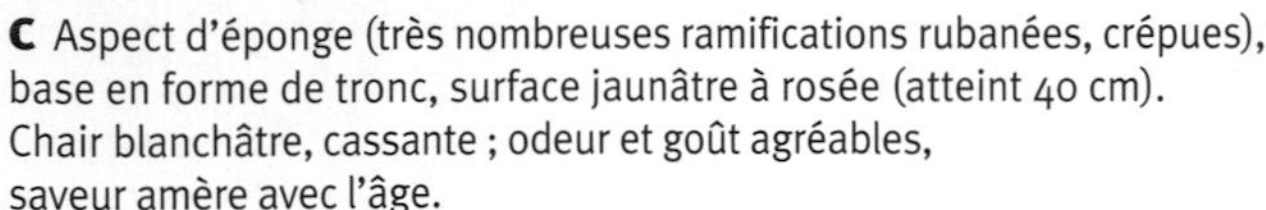

C Aspect d'éponge (très nombreuses ramifications rubanées, crépues), base en forme de tronc, surface jaunâtre à rosée (atteint 40 cm). Chair blanchâtre, cassante ; odeur et goût agréables, saveur amère avec l'âge.
H Août-novembre. Parasite sur les racines des pins, épicéas et mélèzes.
P Atteint 5 kg. Comestible seulement à l'état jeune (doit être haché et bien nettoyé).

Lycoperdon à pierreries, vesse de loup

Lycoperdon perlatum

C Globuleux, surface couverte de granules saillants, fragiles (atteint 8 cm de haut). Pied plus étroit. Chair blanche. D'abord blanchâtre, brunit ensuite, et réseau foncé à la place des granules tombés. À maturité, le haut du champignon se déchire et les spores issues de la masse blanche (glèba) sortent sous forme de poussière brun olive, si on touche le champignon. Odeur et goût épicés.
H Juillet-novembre. Forêts de feuillus et de résineux ; souvent en groupe.
P Comestible tant que la chair est blanche et après avoir enlevé les granules.

Scléroderme commun

Scleroderma citrinum

C Champignon sans pied, globuleux, évoquant une pomme de terre, cuticule résistante, jaunâtre avec écailles brunes (diamètre : 5-10 cm). Chair ferme, vite gris ardoise, se transformant en une masse de spores noirâtres olivâtres. Odeur désagréable, piquante.
H Juillet-novembre. Forêts de feuillus et de résineux, commun.
P Toxique. Confusion possible avec des bovistes et lycoperdons comestibles à l'état jeune.

Satyre puant

Phallus impudicus

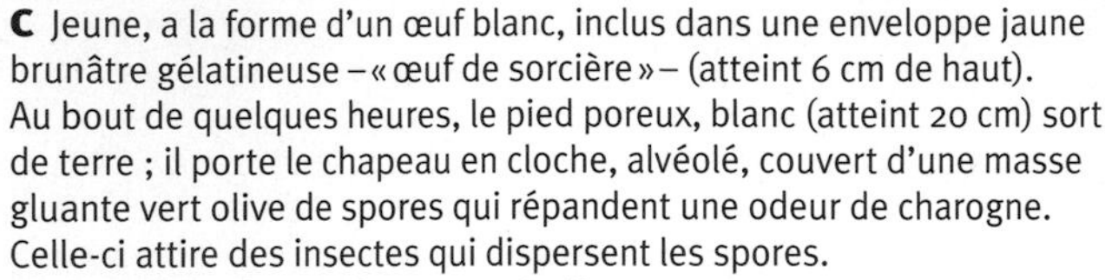

C Jeune, a la forme d'un œuf blanc, inclus dans une enveloppe jaune brunâtre gélatineuse – « œuf de sorcière » – (atteint 6 cm de haut). Au bout de quelques heures, le pied poreux, blanc (atteint 20 cm) sort de terre ; il porte le chapeau en cloche, alvéolé, couvert d'une masse gluante vert olive de spores qui répandent une odeur de charogne. Celle-ci attire des insectes qui dispersent les spores.
H Mai-novembre. Forêts, parcs, jardins.
P Ne peut être consommé adulte ; jeune, a une odeur de radis et peut être mangé après avoir retiré l'enveloppe gélatineuse.

Morille conique

Morchella conica

C Chapeau conique, gris-brun, alvéolé (côtes presque parallèles), bord soudé au pied (atteint 12 cm de haut). Pied gris-blanc, creux comme le chapeau (atteint 10 cm). Chair cassante ; faible odeur de morille.
H Mars-mai. Forêts, parcs, jardins. Souvent sur les écorces broyées.
P Comestible ; se prête bien à la dessiccation.

Gyromitre comestible

Gyromitra esculenta

C Chapeau brun-roux clair ou foncé avec nombreuses circonvolutions – aspect de cerveau ; espaces creux internes – (atteint 8 cm). Pied grisâtre, souvent teinté de mauve, charnu, surface plissée (atteint 5 cm). Odeur aromatique.
H Mars-mai. Forêts de résineux (sous les pins).
P Toxique malgré ses noms français et scientifique. Diffère des morilles par son chapeau.

Amadouvier

Fomes fomentatius

C Champignon en forme de console (atteint 50 cm de large et 25 cm de haut). Parasite, sort de l'écorce des arbres. Dessus gris clair à brunâtre, verdi par des algues avec l'âge ; bord blanc chez les jeunes ; très petits pores arrondis, gris-blanc. Chair brune roussâtre, ligneuse ; noyaux, mycéliens clairs à la base.
H Parasite vivant de nombreuses années sur les feuillus vivants ou morts, notamment les hêtres et les bouleaux. Provoque une pourriture blanche. Jadis employé comme amadou, pour faire du feu.

« Mousse » des chênes

Evernia prunastri

C Lichen, dont le thalle (corps) est divisé en nombreuses ramifications rubanées, formant une sorte de buisson pendant. Face supérieure du thalle gris-vert, face inférieure gris-blanc. Les bords et une partie de la face supérieure portent des organes de reproduction végétative (sorédies) qui produisent de nouveaux thalles. La reproduction par voie sexuée est rarissime.
H Sur les arbres, rarement sur les pierres. Répandu.
P Employé en parfumerie depuis des siècles comme liant, grâce à l'évernine qu'il contient. A également un intérêt pharmacologique (action analogue à celle de *Cetraria islandica*, autre lichen servant à soigner les troubles des voies respiratoires).

Parmélie

Parmelia sulcata

C Lichen aux ramifications gris bleuâtre, au bord desquelles on voit un réseau dense de lignes blanches : il s'agit de fissures de l'écorce, servant aux échanges gazeux, où se développent ultérieurement des organes de reproduction végétative (sorédies).
H Sur les écorces, les pierres. Fréquente.
P Facilement confondue avec d'autres lichens du même groupe, très diversifié.

Cladonia fimbriata

Cladonia fimbriata

C Lichen encroûtant. Thalle comportant de petites coupes dressées, dont toute la surface présente des corpuscules (sorédies) servant à la reproduction végétative.
H Sur l'humus, le bois. Largement répandue.
P Espèce pionnière, présente notamment en terrain acide.

Xanthoria parietina

Xanthoria parietina

C Lichen foliacé. Thalle jaune-orange, composé de petits éléments aplatis (1-5 mm de large), couverts de corpuscules orange (apothécies) qui servent à la reproduction sexuée.
H Sur le bois et la pierre ; très fréquent, largement répandu.
P Jadis, employé pour colorer les vêtements.

Polytric élégant
Polytrichum formosum

C Forme des coussinets (colonies) étendus, bleu-vert à vert foncé. Tiges atteignant 15 cm, dressées généralement non divisées. Feuilles (8-12 mm) linéaires-lancéolées, disposées en spirale, appliquées sur la tige par temps sec. Soies (atteignent 8 cm) jaune rougeâtre ; « capsules » (sporanges) à 4-6 angles, jaunes, dressées ou inclinées, à coiffe fibreuse. Spores brunes.
H Forêts en terrain acide. Lieux secs à légèrement humides, ombragés.
P Polytric commun, semblable, a la coiffe des « capsules » jaune d'or.

Leucobryum glauque
Leucobryum glaucum

C Forme des coussinets bombés, denses, vert clair à l'état sec (intérieur blanchâtre). Tiges atteignant 15 cm, dressées, fourchues ou ramifiées. Feuilles en spirale, un peu écartées (atteignent 5 cm), lancéolées-ovales, enroulées au bout. Fructifications rares. Soie des « capsules » atteignant 7 cm. « Capsules » brun foncé, très petites, brillantes.
H Forêts de feuillus et de résineux, landes, sols tourbeux.
P Indicateur d'acidité. Les coussinets peuvent absorber une grande quantité d'eau dans des cellules aquifères spéciales.

Mnie
Mnium undulatum

C Aspect de gazon vert vif (vert-jaune à l'ombre). Tiges stériles inclinées, non ramifiées ; feuilles linguiformes (jusqu'à 15 mm), très ondulées. Tiges fertiles ramifiées. Espèce dioïque, fructifie rarement. Soies (jusqu'à 4 cm) jaune rougeâtre (en général, 2-10 soies par tige). « Capsules » cylindriques, vert-jaune à brunes.
H Forêts humides, sites ombragés, prairies.
P Manque en terrain acide. Souvent sur le bois pourri.

Sphaigne
Sphagnum palustre

C Touffes denses vert pâle, couvrant de grandes surfaces, capables de retenir beaucoup d'eau. Tiges (jusqu'à 25 cm) avec rameaux latéraux prenant fin par une tête. Feuilles en spirale, imbriquées. Soies (environ 1 cm) ; « capsules » globuleuses, brun-noir.
H Forêts humides sur sol acide, tourbières, fossés. Vit à l'ombre.
P Les sphaignes n'ont pas de rhizoïdes (organes tenant lieu de racines) ; elles poussent par leur extrémité supérieure, meurent par le bas et se transforment en tourbe (sont présentes dans les tourbières bombées).

Lycopode

Lycopodium annotinum

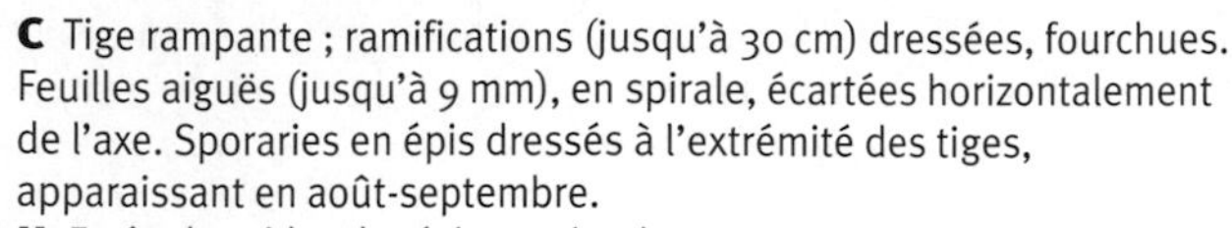

C Tige rampante ; ramifications (jusqu'à 30 cm) dressées, fourchues. Feuilles aiguës (jusqu'à 9 mm), en spirale, écartées horizontalement de l'axe. Sporaries en épis dressés à l'extrémité des tiges, apparaissant en août-septembre.
H Forêts humides de résineux, landes.
P Les lycopodes sont caractérisés par leurs tiges aériennes et souterraines, qui se divisent par dichotomie (en deux).

Prêle des champs

Equisetum arvense

C En mars-avril, des tiges fertiles, non ramifiées, brunes, portant des sporanges brun clair roussâtre, paraissent avant les tiges stériles vertes. Nœuds des tiges fertiles pourvus de « dents » noires (6-12). Tiges stériles creuses (jusqu'à 50 cm), à 6-8 cannelures, segmentées, chaque segment portant une collerette de feuilles (6-19) et des rameaux à 4-5 angles.
H Champs, prairies, fossés, bords de chemins, talus des voies ferrées. Commune.
P Jadis, employée pour nettoyer les objets en étain. Plante médicinale encore maintenant en raison de ses propriétés hémostatiques.

Equisetum silvaticum

Equisetum silvaticum

C Tiges vert clair, creuses (jusqu'à 60 cm), à 7-12 fins sillons, divisées en segments superposés ; au sommet de chacun, une collerette de 3-5 feuilles vertes à brun rougeâtre, ovales, soudées par l'extrémité ; rameaux à 4-5 côtes, pendants, en verticilles. Les sporanges apparaissent d'avril à juin sur des tiges non ramifiées, pâles, puis vertes.
H Forêts humides, voisinage des sources, calcifuge. Rare en France.
P Après maturation, les épis de sporanges se détachent généralement des tiges fertiles ; celles-ci, d'abord pâles, sans rameaux, verdissent et acquièrent des ramifications.

Rue des murailles

Asplenium ruta-muraria

C Frondes (feuilles) gris-vert (jusqu'à 30 cm), raides, restant vertes en hiver, issues d'une souche. Pétioles gris-vert au moins aussi longs que la fronde, celle-ci 2-3 fois ramifiée, triangulaire à losangée. Frondes fertiles et stériles semblables. Sores (amas de sporanges) linéaires le long des nervures, sous les feuilles.
H Murs ensoleillés, roches calcaires. Très commune.
P Espèce polymorphe, dont le nom évoque l'habitat.

Capillaire

Asplenium trichomanes

C Frondes vert-jaune à gris-vert (jusqu'à 30 cm), en touffes, issues d'une souche ; elles restent vertes en hiver. Pétioles et rachis courts, luisants, brun-noir. Frondes divisées une seule fois, folioles opposées, ovales. Frondes fertiles et stériles semblables. Sporanges groupés en amas allongés (sores) sur le dessous des feuilles, près des nervures.
H Vieux murs, rochers.
P Après la chute des folioles ovales, les pétioles noirs subsistent à côté de frondes encore vertes.

Polypode vulgaire

Polypodium vulgare

C Frondes (jusqu'à 40 cm) vertes, solitaires, issues d'une souche rampante ; restent vertes en hiver. Pétioles vert clair aussi longs ou plus courts que la fronde divisée une seule fois ; folioles lancéolées, souvent soudées à la base. Frondes fertiles et stériles semblables. Sporanges sur la face inférieure des frondes ; sores disposés en 2 rangs parallèles, perceptibles à travers la surface des folioles.
H Fentes des roches acides, souches, murailles. Sites ombragés.
P Plante médicinale.

Polystic

Thelypteris phegopteris

C Frondes vert clair (jusqu'à 50 cm), velues, solitaires, issues d'une souche rampante, vertes seulement en été, triangulaires, étroites, doublement divisées. Frondes fertiles et stériles semblables. Sores petits, arrondis, sans indusie (lame protectrice), disposés au bord sur la face inférieure des frondes.
H Forêts humides en terrain riche, notamment hêtraies.
P Caractérisé par la paire inférieure de segments qui, rabattue à l'ombre, est dressée au soleil.

Blechnum en épi

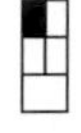

Blechnum spicant

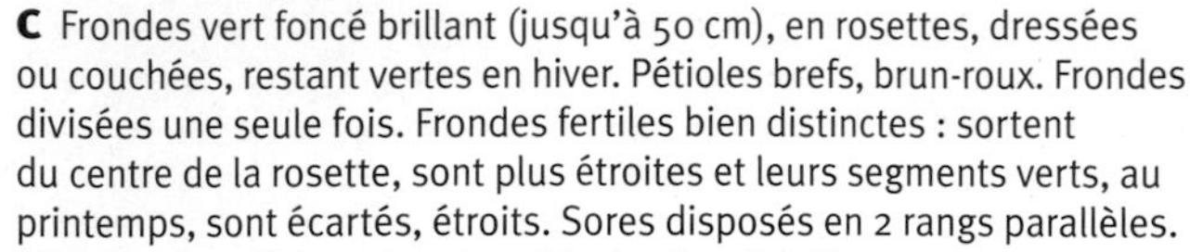

C Frondes vert foncé brillant (jusqu'à 50 cm), en rosettes, dressées ou couchées, restant vertes en hiver. Pétioles brefs, brun-roux. Frondes divisées une seule fois. Frondes fertiles bien distinctes : sortent du centre de la rosette, sont plus étroites et leurs segments verts, au printemps, sont écartés, étroits. Sores disposés en 2 rangs parallèles.
H Forêts humides en terrain acide, landes. Calcifuge.
P Caractérisé par la différence entre frondes fertiles et stériles.

Fougère femelle

Athyrium filix-femina

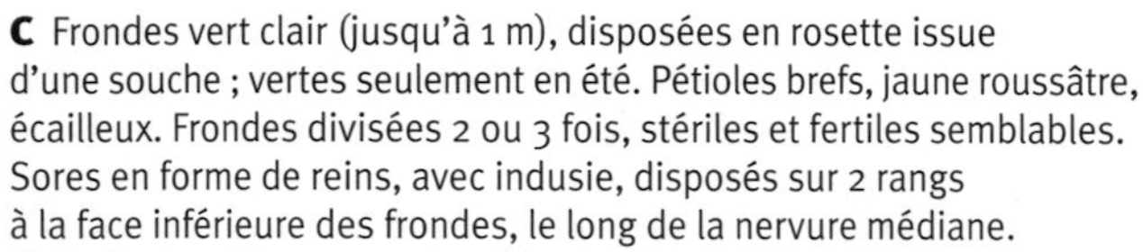

C Frondes vert clair (jusqu'à 1 m), disposées en rosette issue d'une souche ; vertes seulement en été. Pétioles brefs, jaune roussâtre, écailleux. Frondes divisées 2 ou 3 fois, stériles et fertiles semblables. Sores en forme de reins, avec indusie, disposés sur 2 rangs à la face inférieure des frondes, le long de la nervure médiane.
H Forêts humides en terrain acide, voisinage des ruisseaux. Commune.
P Espèce polymorphe, mais identification facile à la fructification.

Fougère mâle

Dryopteris filix-mas

C Frondes vert foncé (jusqu'à 120 cm), en rosette issue d'une souche ; vertes seulement en été. Pétioles courts et rachis très écailleux. Frondes divisées 2 fois, les stériles et fertiles semblables. Sores arrondis avec indusie réniforme, disposés sur 2 rangs le long de la nervure médiane. Au printemps, les jeunes frondes, enroulées en crosse, sont très visibles (il en est de même chez d'autres fougères).
H Forêts humides en sol riche et neutre. Commune.
P Plante médicinale (le rhizome a des propriétés vermifuges).

Fougère-aigle

Pteridium aquilinum

C Frondes vert clair (jusqu'à 2 m), solitaires, issues d'une souche profonde ; vertes seulement en été. Pétioles atteignant 1 m. Frondes divisées 2-4 fois ; stériles et fertiles semblables. Sores sous les frondes, en lignes, sans indusies, mais recouverts par le bord enroulé des segments.
H Forêts, landes, sur sol acide. Très commune, couvre de vastes surfaces.
P Sur la section des pétioles, motif évoquant vaguement un oiseau à 2 têtes.

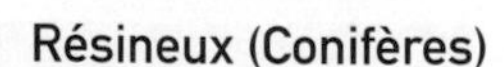

Épicéa commun

Picea abies

C Atteint 50 m. Écorce écailleuse, brun rougeâtre. Aiguilles vert foncé, à 4 angles (jusqu'à 3 cm), pointues, disposées tout autour des rameaux, persistant 5 à 12 ans. Espèce monoïque, fleurissant tous les 3-4 ans en mai-juin. Fleurs mâles à l'aisselle des aiguilles, globuleuses (1,5-2 cm), d'abord pourpres, puis jaunes ; inflorescences femelles dressées (5-6 cm), terminales sur les pousses de l'année précédente, d'abord jaune-vert, puis rouge clair. Pollinisation par le vent. Cônes mûrs (photo 1 c) pendants, brun clair, 10-16 cm (3-4 cm de large), ligneux, tombant sans se désagréger.
H Sols argileux, sableux, frais à humides ; climats humides. Forêts mixtes ou peuplements purs. Très souvent planté.
P Atteint 500 ans. Croissance rapide ; bois résineux, utilisé pour construction, fabrication de meubles, etc.

Sapin pectiné, sapin blanc P

Abies alba

C Atteint 60 m et 3 m de diamètre. Écorce écailleuse, grisâtre. Cime aplatie chez les vieux arbres. Pousses velues. Aiguilles aplaties, obtuses ou un peu échancrées, vert foncé dessus à nervure centrale enfoncée, 2 lignes blanches dessous ; disposées sur 2 rangs ; solitaires ; durent 8-10 ans. Espèce monoïque, fleurs en mai-juin. Inflorescences sur les rameaux de l'année précédente : fleurs mâles (jusqu'à 2,5 cm) jaunâtres, à l'aisselle des aiguilles ; fleurs femelles en cône (jusqu'à 3 cm), toujours dressées, d'abord rougeâtre violacé, puis vert clair. Pollinisation par le vent (anémogamie). Cônes mûrs dressés (jusqu'à 15 cm), brun-roux clair, se désagrègent ensuite et seul l'axe demeure longtemps sur l'arbre. Graines mûres en septembre-octobre.
H Forêts mixtes sur sols profonds, humides. Peuplements purs (sapinières). France : Vosges, Jura, nord des Alpes, Massif central (localement), Pyrénées, Corse.
P Atteint 600 ans. Bois blanc. Sensible aux pollutions atmosphériques (dépérissement).

Pin sylvestre

Pinus silvestris

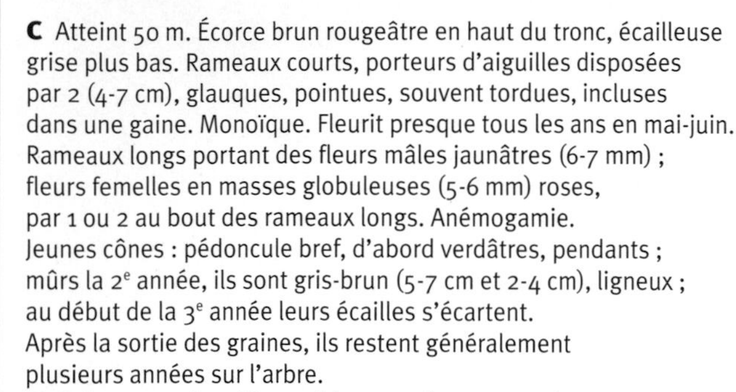

C Atteint 50 m. Écorce brun rougeâtre en haut du tronc, écailleuse grise plus bas. Rameaux courts, porteurs d'aiguilles disposées par 2 (4-7 cm), glauques, pointues, souvent tordues, incluses dans une gaine. Monoïque. Fleurit presque tous les ans en mai-juin. Rameaux longs portant des fleurs mâles jaunâtres (6-7 mm) ; fleurs femelles en masses globuleuses (5-6 mm) roses, par 1 ou 2 au bout des rameaux longs. Anémogamie.
Jeunes cônes : pédoncule bref, d'abord verdâtres, pendants ; mûrs la 2e année, ils sont gris-brun (5-7 cm et 2-4 cm), ligneux ; au début de la 3e année leurs écailles s'écartent.
Après la sortie des graines, ils restent généralement plusieurs années sur l'arbre.
H Sols secs ou humides, sableux, argileux ou tourbeux.
En peuplements purs ou mélangés. Très souvent planté.
France : spontané dans Alpes, Massif central, Pyrénées, Jura, Vosges.
P Peu exigeant ; atteint 300 ans. Bois employé en menuiserie, construction.

Pin mugho (espèce collective)

Pinus mugo (= Pinus mughus)

C Pin de montagne : aspect d'arbrisseau (plusieurs troncs), rarement d'arbuste (un tronc). Le pin à crochets atteint 25 m. Écorce écailleuse gris-noir. Rameaux courts porteurs d'aiguilles pointues (2-8 cm), finement dentelées au bord, par 2 dans une gaine. Monoïque.
Floraison : juin-juillet. Rameaux longs portant à la base de nombreuses fleurs mâles, jaunes, cylindriques (10-15 mm) ; inflorescences femelles (5-10 mm) rose pâle à rouges, dressées, par 1-4 au bout des jeunes rameaux longs. Anémogamie.
Cônes mûrs (3-7 cm) bruns, inclinés, laissant échapper les graines en octobre-novembre de la 2e année.
H Pin de montagne : Alpes-Maritimes, Hautes-Alpes.
Pin à crochets : Pyrénées, Alpes, Vosges, Jura (tourbières).
P Espèce employée pour réduire les risques d'avalanches (fixation des pentes).

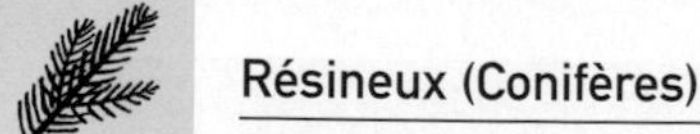

Mélèze d'Europe

Larix decidua

C Atteint 40 m. Aiguilles caduques. Écorce écailleuse, gris-brun. Rameaux longs, pourvus d'aiguilles groupées par 15-40-50 (2-3 cm), vert clair, molles, carénées dessus ; en automne, elles deviennent jaune orangé et tombent. Monoïque. Fleurit tous les 3-5 ans (mars-mai). Fleurs sur rameaux courts, les mâles en amas globuleux (5-10 mm), jaunes, sur rameaux d'au moins 2 ans et sans aiguilles ; fleurs femelles : cônes (3-4 cm) verts, puis bruns, restant en place plusieurs années après la sortie des graines (septembre-novembre) et tombant ensuite.
H Sur sols calcaires meubles, argileux. Essence de lumière. Peuplements purs en haute montagne (spontané : Alpes, introduit ailleurs). Peuplements mixtes avec épicéa, sapin pectiné, pins, hêtre ou pin cembro.
P Le seul résineux européen qui perd ses aiguilles en automne. Bois dur employé en ébénisterie et en construction.

Genévrier commun

Juniperus communis

C Arbrisseau (6 m) ou petit arbre (10-12 m). Écorce gris-brun, d'abord lisse, puis écailleuse. Rameaux clairs portant des aiguilles piquantes, (jusqu'à 2 cm), glauques, avec une ligne blanchâtre dessus, disposées par 3 en verticilles. Dioïque. Fleurit en avril-juin. Fleurs à l'aisselle des rameaux de l'année précédente, les mâles jaunâtres, elliptiques (4-5 mm), les femelles verdâtres, peu apparentes. Anémogamie. Baies globuleuses, vertes puis bleu-noir en automne de la 2e ou 3e année (août-octobre).
H Sols sableux, caillouteux, calcaires ; landes, tourbières, forêts claires de résineux. Héliophile. En montagne, atteint seulement 50 cm de haut.
P Longévité : jusqu'à 800 ans. Fruits employés comme condiments et dans des liqueurs. Plante médicinale. Bois employé en ébénisterie.

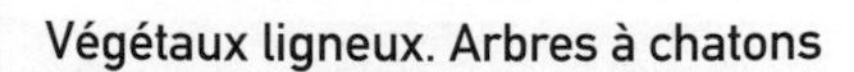

Saule blanc

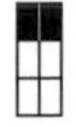

Salix alba

C Cime large ; atteint 20 m. Écorce crevassée en long, gris-brun. Rameaux souvent pendants, très souples. Feuilles alternes, finement dentées, lancéolées (6-10 cm), dessus gris-vert, dessous gris-bleu, velues et argentées. Dioïque. Fleurit en avril-mai.

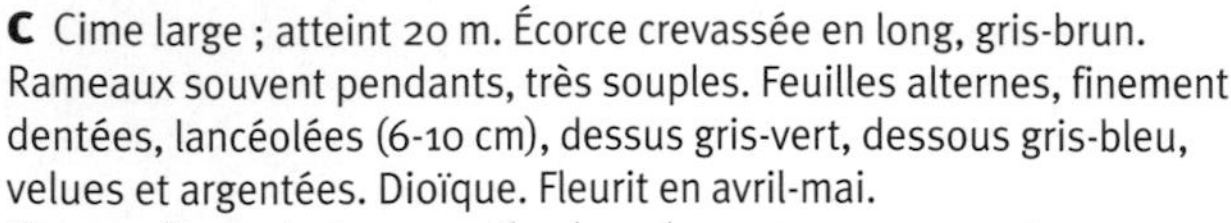

Fleurs mâles : chatons arqués, dressés, sur rameaux courts (jusqu'à 7 cm), en même temps que les feuilles ; chatons femelles (jusqu'à 5 cm) s'allongeant à maturité. Anémogamie.
Dès juin, les fruits (capsules à 2 valves) laissent échapper les graines munies de soies cotonneuses.
H Sols humides et riches des forêts riveraines, berges, prairies.
P Atteint 200 ans. Cultivé comme saule pleureur ou têtard (souvent en vieillissant). Fournit des rameaux (vannerie).

Saule marsault

Salix caprea

C Arbuste ou petit arbre (jusqu'à 10-18 m). Écorce brune, crevassée en long. Rameaux brun-vert, se dénudant. Feuilles alternes, elliptiques (4-12 cm), pétiole (2 cm), bords ondulés, dessus vert foncé, dessous gris-vert, duveteuses. Dioïque. Floraison bien avant la sortie des feuilles en mars-avril. Fleurs en chatons dressés (3-4 cm) mâles ou femelles. Entomogamie (pollinisé par des insectes).
En avril-mai, capsules typiques pour les saules : vertes, sèches, pourvues de longs poils blancs soyeux.
H Clairières et coupes en forêt, bords des chemins, terrains vagues. L'un des arbres qui fleurissent en premier. Butiné par les abeilles.

Saule viminal, saule des vanniers, osier blanc

Salix viminalis

C Atteint 10 m. Rameaux dressés ; écorce crevassée en long. Feuilles alternes (pétiole : jusqu'à 1 cm), lancéolées-étroites, jusqu'à 15-20 cm, un peu enroulées au bord, gris-vert foncé dessus, velues-soyeuses, argentées dessous. Dioïque. Fleurs avant les feuilles en mars-avril, mâles et femelles en chatons (2-3 cm) argentés avant leur éclosion. Entomogamie. Fruits dès mai.
H Forêts riveraines, berges des rivières, fossés.
Rare : Midi méditerranéen.
P Cultivé pour l'osier (vannerie). Supporte une inondation périodique.

Peuplier noir P

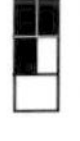

Populus nigra

C Atteint 30 m. Cime large. Écorce crevassée, grise, puis noirâtre. Feuilles alternes, longuement pétiolées (2-6 cm), triangulaires, denticulées, vert foncé luisant dessus (5-8 cm). Dioïque. Fleurs avant les feuilles en mars-avril, en chatons pendants ; les mâles (jusqu'à 9 cm), d'abord pourpres, puis noirs, sessiles ; chatons femelles (jusqu'à 10 cm) pédonculés, jaunes ; 2 stigmates. Anémogamie. Après maturation (mai-juin), les fruits (capsules à 2 valves) laissent échapper les graines à aigrette blanche dispersées par le vent.
H Forêts riveraines. Devenu très rare à l'état pur (a fait l'objet de nombreux croisements pour la populiculture).
Encore à l'état pur dans Alpes, Massif central, Pyrénées (vallées).
P Le Peuplier d'Italie (= pyramidal) en est l'une des variétés (cultivar) les plus connues.

Tremble

Populus tremula

C Atteint 30 m. Houppier large. Écorce lisse, gris jaunâtre, fissurée en travers, devenant noirâtre et fendue. Feuilles alternes (pétiole : 3-7 cm), ovales à arrondies, crénelées (3-8 cm) vert clair dessus, mates dessous. Dioïque. Chatons pendants (4-10 cm) en mars-avril. Anémogamie. En mai, fruits (capsules à 2 valves) contenant de nombreuses graines entourées de « coton » blanc, dispersées par le vent.
H Forêts claires, coupes, bord des chemins, friches. Espèce pionnière ; se multiplie par pousses naissant sur les racines (drageons).
Absent : Midi méditerranéen (sauf Corse).
P Pétiole des feuilles aplati : au moindre souffle de vent elles sont agitées (d'où le nom de l'espèce).

Bouleau verruqueux

Betula pendula

C Atteint 25 m. Houppier étroit, puis arrondi. Écorce d'abord blanche, se détachant en lanières, puis rugueuse et noirâtre. Feuilles alternes (pétiole : 2-3 cm) triangulaires (jusqu'à 7 cm), doublement dentées. Monoïque. Chatons paraissant avec les feuilles en avril-mai, les mâles par 1-3 au bout des pousses de l'année précédente, ils passent l'hiver, pendants, jusqu'à 10 cm ; chatons femelles cylindriques, verts (jusqu'à 3 cm). Anémogamie. Fruits pendants. Graines ailées en août-septembre. Dispersées par le vent (anémochorie).
H Forêts claires (feuillus, résineux), lisières, forêts riveraines, landes.
Absent : Midi méditerranéen.
P Bois blanc, mou, utilisé en placage ; bon combustible.

Aulne glutineux, verne

Alnus glutinosa

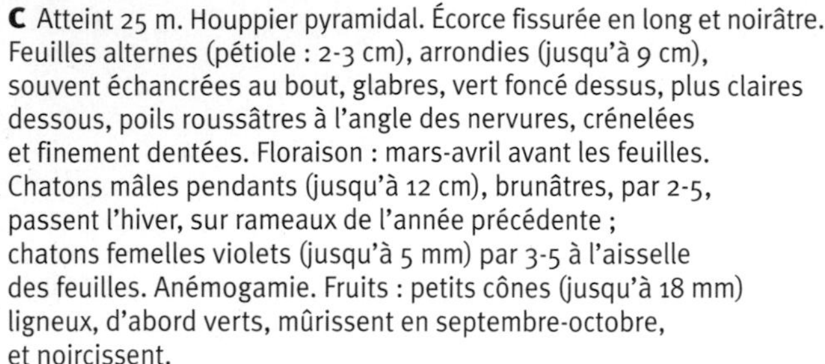

C Atteint 25 m. Houppier pyramidal. Écorce fissurée en long et noirâtre. Feuilles alternes (pétiole : 2-3 cm), arrondies (jusqu'à 9 cm), souvent échancrées au bout, glabres, vert foncé dessus, plus claires dessous, poils roussâtres à l'angle des nervures, crénelées et finement dentées. Floraison : mars-avril avant les feuilles. Chatons mâles pendants (jusqu'à 12 cm), brunâtres, par 2-5, passent l'hiver, sur rameaux de l'année précédente ; chatons femelles violets (jusqu'à 5 mm) par 3-5 à l'aisselle des feuilles. Anémogamie. Fruits : petits cônes (jusqu'à 18 mm) ligneux, d'abord verts, mûrissent en septembre-octobre, et noircissent.
H Bords des rivières, bois humides, forêts riveraines. Moins fréquent dans le Midi méditerranéen.
P Bois capable de rester longtemps dans l'eau. Utilisé en ébénisterie. Atteint 120 ans.

Aulne blanc

Alnus incana

C Atteint 15 m. Écorce lisse, grisâtre. Feuilles alternes, ovales-elliptiques, dentées (jusqu'à 10 cm), vert foncé dessus, glabres ; glauques dessous, d'abord velues et grises, puis nues, bords doublement dentés. Monoïque. Chatons unisexués passant l'hiver. Floraison avant la feuillaison en mars-avril. Chatons mâles jusqu'à 10 cm, femelles jusqu'à 5 mm. Anémogamie. Fruits gris-brun, jusqu'à 16 mm.
H Spontané : Jura, Alpes, Alsace. Forêts riveraines, terrains humides, bords des rivières.
P Croissance rapide. Calcicole. Planté pour renforcer les talus. Faible longévité : environ 50 ans.

Aulne vert

Alnus viridis

C Arbrisseau, atteint 3 m. Écorce noirâtre. Feuilles alternes (pétiole : 1-2 cm), ovales, pointues (jusqu'à 8 cm), doublement dentées, dessus vert foncé, dessous plus clair, poils bruns à l'aisselle des nervures. Monoïque. Floraison : avril-mai. Chatons mâles par 2-3 au bout des rameaux (jusqu'à 6 cm) ; chatons femelles : passent l'hiver dans des bourgeons, s'ouvrent avec les feuilles. Anémogamie. Fruits (jusqu'à 13 mm) devenant peu ligneux.
H Alpes, sud du Jura. Bords des torrents, lisières, déblais. Peuplements purs à l'étage subalpin. Aspect de buisson.
P Espèce pionnière plantée pour limiter les avalanches.

Noisetier, coudrier

Corylus avellana

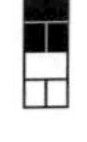

C Arbrisseau (atteint 6 m). Écorce luisante, brunâtre ou grisâtre, avec verrues (lenticelles). Feuilles alternes (jusqu'à 10 cm) pointues, arrondies à orbiculaires, dentées, un peu velues dessous (pétiole velu-glanduleux). Dioïque. Chatons mâles (jusqu'à 10 cm à maturité), par 1-4 au bout des rameaux ou à l'aisselle des feuilles ; ils fleurissent en février-mars avant les feuilles ; fleurs femelles (6-7 mm) peu apparentes, aspect de bourgeons avec styles rouges, par 1-3 au bout des rameaux courts. Anémogamie. Fructification d'août à octobre. Fruits (noisettes) d'abord blanc verdâtre puis brun-roux à maturité, à coque dure entourée de bractées foliacées. Dispersés par écureuil, geai, sittelle, etc.
H Forêts de feuillus, haies, bosquets.
Localisé dans le Midi méditerranéen.
P Atteint 100 ans. Petits chatons mâles visibles dès l'été.

Charme

Carpinus betulus

C Arbre (atteint 25 m). Écorce lisse, grise, tronc cannelé. Feuilles alternes, vert foncé (pétiole : 10-15 mm) dentées, gaufrées dessus, elliptiques (jusqu'à 10 cm), pointues. Monoïque. Les chatons unisexués paraissent en avril-mai avec les feuilles ; les mâles (jusqu'à 7 cm) sont pendants sur des rameaux peu feuillés ; les femelles (3 cm) au bout de rameaux feuillés. Anémogamie. Fruits ailés en grappe (atteignant 14 cm) comprenant 4-10 paires de graines solitaires entourées d'une bractée trilobée, d'abord verts, puis jaunes, asymétriques. Dispersés par le vent et des animaux.
H Forêts de feuillus ; sous les chênes (supporte bien l'ombre). Planté, forme de bonnes haies (charmilles). Rejette de souche.
P Bois blanchâtre, dur, dense, utilisé pour faire des manches, etc ; bon combustible. Croissance rapide, atteint 150 ans.

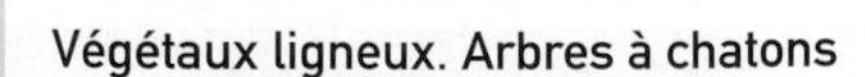

Hêtre, fayard

Fagus silvatica

C Grand arbre (atteint 40 m). Écorce grise, lisse, mince. Feuilles alternes (pétiole : 10-15 mm), non dentées, ovales (3-7 cm), bord un peu ondulé, d'abord vert clair et finement velues-soyeuses au bord, puis vert foncé et glabres. Monoïque. Floraison : avril-mai, quand les feuilles sont sorties. Fleurs mâles en chatons globuleux jaunâtres (diamètre : 15-20 mm), à nombreuses fleurs, pendant sur les jeunes rameaux ; les femelles par 2 dans une capsule à 4 divisions (2,5 cm) qui devient ligneuse à la fructification. Anémogamie. Fruits (faines) mûrissant en août-octobre (cupule hérissée, verte, puis brune). Dispersés par des animaux.
H Forêts pures (hêtraies) ou mixtes avec chênes, sapin pectiné, épicéa. Plaine et montagne (seulement en montagne dans le Sud).
P Bois rosé. Atteint 160 ans (maximum : 300 ans).

Chêne pédonculé

Quercus robur, Q. pedunculata

C Grand arbre (atteint 40 m). Houppier large. Écorce gris foncé, profondément crevassée. Feuilles alternes, presque sessiles, lobées, avec oreillettes à la base (jusqu'à 15 cm), raides, vert foncé luisant dessus, plus claires dessous. velues sur les nervures. Monoïque. Floraison : avril-mai. Chatons mâles vert-jaune (jusqu'à 4 cm), en touffes, pendants, à la base des rameaux. Fleurs femelles (1-5) longuement pédonculées. Anémogamie. Fruits (glands) mûrissant en septembre-octobre, fixés sur un long pédoncule, brun clair, ovales-allongés, leur base incluse sur le tiers dans une cupule.
H Forêts de plaine (absent : Midi méditerranéen, Corse ; localisé : Alpes et Pyrénées). Sols frais.
P Atteint 500-800, voire 1 000 ans.

Chêne sessile, chêne rouvre

Quercus petraea (= Q. sessiliflora)

C Grand arbre (atteint 40 m). Écorce crevassée, grise ou gris-brun. Feuilles (jusqu'à 12 cm) alternes (pétiole : 1 3 cm), lobées, sans oreillettes à la base. Monoïque. Floraison : avril-mai. Chatons mâles jaunâtres (jusqu'à 6 cm), pendants sur les rameaux ; fleurs femelles (3 mm), par 1-5 en glomérules, sans pédoncule. Fructification en septembre-octobre. Fruits (glands) sessiles (sans pédoncule), 2-3 cm, base dans une cupule ligneuse, écailleuse.
H Forêts de plaine et de montagne. Rare : Midi méditerranéen, Corse, Sud-Ouest.
P Atteint 800 ans. Bois très dur, riche en tanins.

Érable sycomore

Acer pseudoplatanus

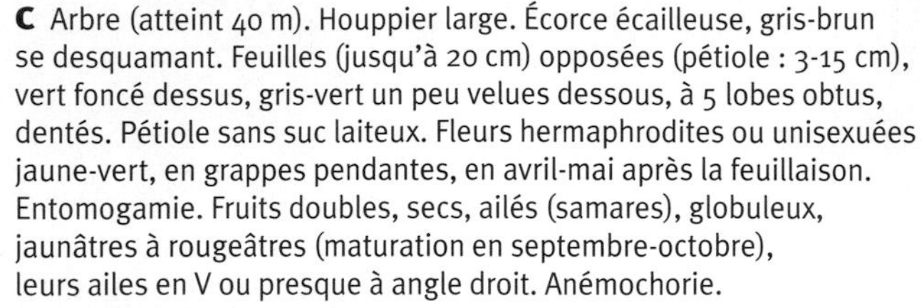

C Arbre (atteint 40 m). Houppier large. Écorce écailleuse, gris-brun se desquamant. Feuilles (jusqu'à 20 cm) opposées (pétiole : 3-15 cm), vert foncé dessus, gris-vert un peu velues dessous, à 5 lobes obtus, dentés. Pétiole sans suc laiteux. Fleurs hermaphrodites ou unisexuées jaune-vert, en grappes pendantes, en avril-mai après la feuillaison. Entomogamie. Fruits doubles, secs, ailés (samares), globuleux, jaunâtres à rougeâtres (maturation en septembre-octobre), leurs ailes en V ou presque à angle droit. Anémochorie.

H Forêts de feuillus, lisières, ravins. Surtout dans l'Est à l'état naturel, planté ailleurs.

P Atteint 500 ans. Bois blanc, dur, de bonne qualité, employé en lutherie et placage.

Érable plane

Acer platanoides

C Arbre (atteint 30 m). Houppier large. Écorce brun grisâtre, fissurée en long. Feuilles opposées (jusqu'à 20 cm) à 5 lobes aigus (pétiole : 3-20 cm, renfermant un suc). Fleurs paraissant avant les feuilles en avril, jaunes, en corymbes dressés, unisexuées ou hermaphrodites (4-8 cm). Entomogamie. Fruits globuleux, pendants, formés de 2 samares dont les ailes sont en angle obtus. Anémochorie.

H Forêts de feuillus, forêts riveraines, ravins, parcs, allées. Spontané : Est, Sud-Est. Absent : Corse. Ailleurs, souvent planté.

P Atteint 200 ans. Bois de qualité comme celui des autres érables.

Érable champêtre

Acer campestre

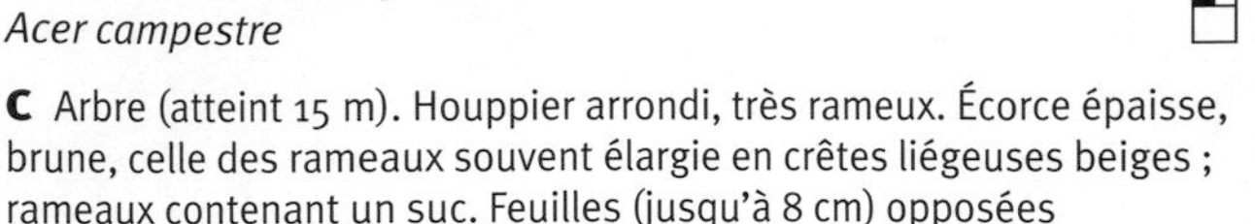

C Arbre (atteint 15 m). Houppier arrondi, très rameux. Écorce épaisse, brune, celle des rameaux souvent élargie en crêtes liégeuses beiges ; rameaux contenant un suc. Feuilles (jusqu'à 8 cm) opposées (pétiole : jusqu'à 7 cm), à 5 lobes obtus, étroits, généralement un peu velues, vertes des 2 côtés. Floraison en même temps que la feuillaison en mai : fleurs en corymbes dressés ou un peu pendants, verdâtres, unisexuées ou hermaphrodites (10-20 par inflorescence). Entomogamie. Fructification en septembre-octobre.
Fruits : par 2 (samares), opposés, rougissant en mûrissant. Anémochorie.
H Lisières, bois clairs, haies, pentes ensoleillées. Thermophile. Absent : Midi méditerranéen, Corse, partie du Sud-Ouest.
P Croissance rapide. Atteint 150 ans. Bois rougeâtre, veiné, employé en tournage.

Tilleul à grandes feuilles

Tilia platyphyllos

C Arbre (atteint 40 m). Houppier très large, écorce brune, fissuré en long. Feuilles (jusqu'à 15 cm) opposées (pétiole : 3-5 cm), en cœur (asymétriques), pointues, velues et blanches à l'aisselle des nervures (dessous), bords dentés. Floraison en juin-juillet après la feuillaison. Fleurs jaunes, hermaphrodites (12-16 mm), par 2-5, cachées sous les feuilles, pourvues d'une aile (bractée foliacée), parfumées. En septembre, fruits à 4-5 côtes saillantes, velus, emportés par le vent.
H Forêts de feuillus et mixtes. Spontané : Est, Pyrénées, Corse. Ailleurs, planté.
P Atteint 1 000 ans. Bois facilement sculpté. Feuilles souvent recouvertes de miellat exsudé par des pucerons. Fleurs riches en nectar, butinées par les abeilles, contiennent des mucilages et des esters aux propriétés sudorifiques et dépuratives, diurétiques et calmantes (tisanes). Le Tilleul à petites feuilles (*T. cordata*) diffère surtout par les poils roux sur la face inférieure de ses feuilles, plus petites (jusqu'à 8 cm), ses fruits aux côtes peu marquées. Présent : Nord-Est, Centre-Est, nord des Alpes, Pyrénées.

Orme champêtre, ormeau P

Ulmus minor (= U. campestris)

C Arbre (atteint 40 m). Houppier large. Écorce gris-brun, fissurée en long, écailleuse. Rameaux des jeunes arbres souvent pourvus de crêtes liégeuses. Feuilles alternes (pétiole : jusqu'à 1 cm), limbe (jusqu'à 12 cm) à base très dissymétrique, elliptique, pointu, bord denté doublement ou non, un peu rugueux, velu dessous à l'aisselle des nervures. Floraison en mars-avril avant la feuillaison. Fleurs hermaphrodites peu apparentes, en touffes de 15-20, dans le haut du houppier, à l'aisselle des bourgeons. Anémogamie. Fruits arrondis, inclus dans une aile membraneuse échancrée au sommet, presque sessile ; mûrissent pendant la feuillaison. Anémochorie.
H Forêts riveraines, forêts claires. Thermophile. Sur sols humiques. Bois très apprécié (ébénisterie). A disparu de mainte région, atteint par une maladie due à un champignon *(Ceratocystis = Ophiostoma ulmi)* transmis par un coléoptère *(Scolytus scolytus)*, qui entraîne la mort de l'arbre.

Frêne commun

Fraxinus excelsior

C Arbre (atteint 40 m). Houppier arrondi. Écorce grise, lisse, puis fissurée en long. Feuilles opposées, composées de 5-13 folioles ovales-lancéolées, finement dentées, pointues (jusqu'à 11 cm), sur long pétiole, nervure centrale velue dessous. Floraison en avril, avant la feuillaison. Fleurs hermaphrodites ou non, en bouquets dressés, sans corolle ni calice, à étamines brunâtres. Anémogamie, mais les abeilles récoltent le pollen. En septembre, fruits bruns à une graine, pourvus d'une aile (bractée), réunis en grappes pendantes (samares : 1 cm de large, 3-4 cm de long). Ils restent souvent en place jusqu'au printemps suivant.
H Forêts de feuillus, forêts riveraines, terrains riches, humides. Rare : Corse, Midi méditerranéen.
P Atteint 200 ans. Bourgeons noir mat. Bois très dur mais souple, employé en ébénisterie.

Fusain d'Europe

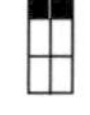

Euonymus (= Evonymus) europaeus

C Arbuste (atteint 6 m). Rameaux dressés, gris-brun, les plus jeunes verts avec côtes liégeuses (quadrangulaires). Feuilles opposées (pétiole : 5-8 mm), elliptiques-lancéolées (jusqu'à 8 cm), pointues, finement dentées, vertes dessus, glauques dessous. Floraison : mai-juin. Fleurs (10-12 mm) jaune verdâtre, généralement hermaphrodites, pédonculées, en cymes, par 2-9 à l'aisselle des feuilles. Entomogamie. Fruits toxiques dès août : capsules roses qui, en s'ouvrant, montrent 2-4 graines orange. Dispersion par des oiseaux.
H Haies, lisières, taillis, forêts riveraines. Rare : Midi et localement dans l'Ouest et le Sud-Ouest.
P Bois jaunâtre, dur.

Bourdaine

Rhamnus frangula (= Frangula alnus)

C Arbuste (atteint 3 m). Écorce brun violacé foncé, garnie de verrues blanches (lenticelles). Feuilles alternes (pétiole : 8-12 mm), elliptiques (jusqu'à 6 cm), pointues, à 9-12 paires de nervures ; les jeunes velues. Floraison en mai. Fleurs blanches, peu apparentes, hermaphrodites, par 3-7 à l'aisselle des feuilles (pédoncule : 5-7 mm). Fruits (drupes) souvent à différents stades sur le même rameau (verts, rouges et noirs).
Globuleux, ils contiennent 2-3 graines lenticulaires et sont toxiques.
H Forêts de feuillus et mixtes, forêts riveraines, broussailles, tourbières plates. Absent : Midi méditerranéen, Corse.
P Écorce malodorante, employée en phytothérapie (laxative).

Nerprun purgatif

Rhamnus cathartica (= R. catharticus)

C Arbrisseau (atteint 3 m) épineux, dressé, touffu. Écorce brun-noir, un peu fissurée ; rameaux presque opposés. Feuilles opposées (pétiole : 1-3 cm), ovales, finement dentées (jusqu'à 7 cm), pointues. Fleurs peu apparentes, vert jaunâtre, unisexuées, par 2-8 en grappes (pédoncule : 10 mm), à l'aisselle des feuilles. Entomogamie. Fruits en septembre (6-8 mm), globuleux, d'un noir violacé brillant, chair verte, contenant 2-4 noyaux ; toxiques.
Dispersés par des oiseaux.
H Haies, lisières, broussailles. Absent en Corse, rare localement.
P Jadis, employé en phytothérapie (purgatif).
Fruits verts employés autrefois comme pigments en peinture.

Argousier

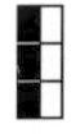

Hippophae rhamnoides

C Arbrisseau (atteint 10 m). Épineux, très rameux. Écorce gris-brun, fissurée en long. Rameaux épineux au bout. Feuilles alternes, à très court pétiole, linéaires-lancéolées (jusqu'à 6 cm), d'abord entièrement velues et argentées, puis glabres dessus. Dioïque. Floraison : mars-avril. Fleurs mâles (5 mm), verdâtres, par 4-6 en petites grappes. Fleurs femelles (3 mm), peu visibles. Anémogamie et entomogamie. Fruits rouge orange, globuleux (7-8 mm), mûrs dès septembre.
H Dunes du Nord-Ouest, Alpes, Alsace. Souvent cultivé. Sur sols calcaires, éboulis. Héliophile.
P Fruits juteux, riches en vitamine C. Renferment de l'acide malique.

Lierre

Hedera helix

C Arbrisseau rampant ou grimpant (atteint 30 m de long). Pousses pourvues de crampons (racines modifiées). Feuilles luisantes, vert foncé, alternes, à 3-5 lobes ou ovales, pointues (jusqu'à 10 cm ; pétiole : 1,5 cm). Rameaux florifères dressés (feuilles ovales ou losangées), sans crampons. Floraison : septembre-octobre. Fleurs (9 mm) hermaphrodites, jaunâtres, dressées en ombelles de 6-10 cm. Fruits globuleux, noirs à maturité (mars-avril), souvent aplatis, toxiques ; dispersés par des oiseaux.
H Forêts, parcs. Partout. Escalade les arbres, mais non parasite.
P Toutes les parties de cette espèce sont toxiques.

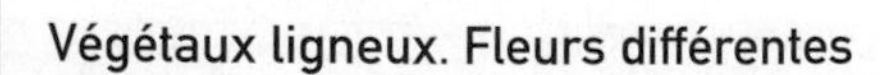

Cornouiller mâle

Cornus mas

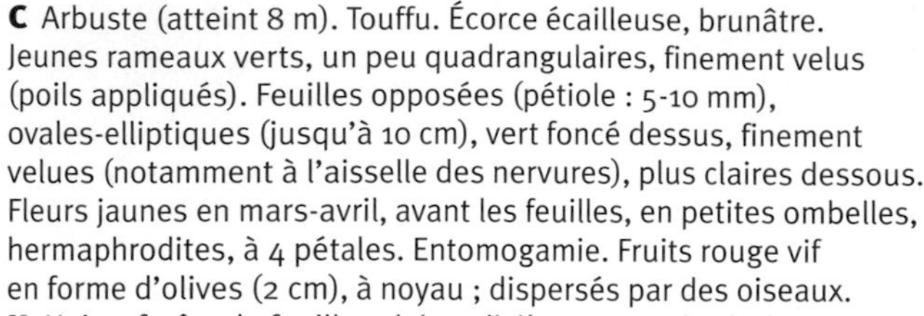

C Arbuste (atteint 8 m). Touffu. Écorce écailleuse, brunâtre. Jeunes rameaux verts, un peu quadrangulaires, finement velus (poils appliqués). Feuilles opposées (pétiole : 5-10 mm), ovales-elliptiques (jusqu'à 10 cm), vert foncé dessus, finement velues (notamment à l'aisselle des nervures), plus claires dessous. Fleurs jaunes en mars-avril, avant les feuilles, en petites ombelles, hermaphrodites, à 4 pétales. Entomogamie. Fruits rouge vif en forme d'olives (2 cm), à noyau ; dispersés par des oiseaux.
H Haies, forêts de feuillus claires, lisières, sur sol calcaire. Surtout moitié est de la France.
P Fruits comestibles, douceâtres. Bois dur, apprécié pour le tournage. Un de nos végétaux ligneux à floraison précoce ; pollen et nectar butinés par abeilles et mouches.

Épine-vinette

Berberis vulgaris

C Arbrisseau (atteint 3 m). Écorce lisse, vert clair. Rameaux anguleux, porteurs d'épines à 3 pointes, d'abord verdâtres, puis gris-brun. Feuilles alternes (pétiole : 2-15 mm), ovales-elliptiques (jusqu'à 4 cm), denticulées. Floraison : avril-juin. Fleurs jaunes (jusqu'à 7 mm), hermaphrodites, en grappes pendantes sur les rameaux courts. Entomogamie. Fruits rouges, elliptiques (jusqu'à 10 mm), charnus (baies), comestibles, mûrissant en août-septembre ; dispersés par des oiseaux.
H Haies, lisières, broussailles. Rare ou absente : Bretagne, Nord, Normandie. Sur sols calcaires.
P Fleurs odorantes, fournissant pollen et nectar aux abeilles. Fruits riches en vitamines, utilisables en confiture. Espèce servant d'hôte intermédiaire à un champignon parasite des céréales, la rouille du blé.

Genêt à balai

Sarothamnus scoparius (= Cytisis S.)

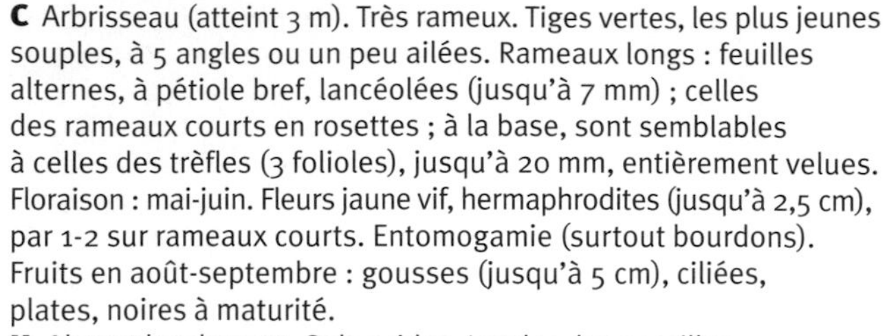

C Arbrisseau (atteint 3 m). Très rameux. Tiges vertes, les plus jeunes souples, à 5 angles ou un peu ailées. Rameaux longs : feuilles alternes, à pétiole bref, lancéolées (jusqu'à 7 mm) ; celles des rameaux courts en rosettes ; à la base, sont semblables à celles des trèfles (3 folioles), jusqu'à 20 mm, entièrement velues. Floraison : mai-juin. Fleurs jaune vif, hermaphrodites (jusqu'à 2,5 cm), par 1-2 sur rameaux courts. Entomogamie (surtout bourdons). Fruits en août-septembre : gousses (jusqu'à 5 cm), ciliées, plates, noires à maturité.

H Absent localement. Sols acides. Landes, broussailles, forêts claires, talus.

P Rameaux jadis employés pour faire des balais. Graines récoltées et dispersées par des fourmis, car elles ont un appendice huileux (élaiosome).

Sureau à grappes, sureau rouge

Sambucus racemosa

C Arbuste (atteint 4 m). Peu rameux. Écorce gris-brun à brun-roux, avec nombreuses verrues (lenticelles) ; moelle orangée. Feuilles opposées, composées de 3-7 folioles (jusqu'à 8 cm), lancéolées, longuement pointues, dessus vert foncé, glabre, dessous vert clair duveteux ; bord denté (10-25 cm) ; à la base du pétiole, une ou plusieurs glandes nectarifères. Fleurs jaunâtre-verdâtre, hermaphrodites, au bout de rameaux courts, en têtes denses, dressées. Entomogamie. Fruits en juillet-août (4-5 mm), globuleux, rouges, en grappes dressées ; dispersés par des oiseaux, surtout rouge-gorge et rouge-queue noir.

H Forêts de feuillus, clairières, lisières des forêts de montagne. Est, Centre et Pyrénées.

P Fruits riches en vitamines, comestibles après cuisson mais graines toxiques.

Troène

Ligustrum vulgare

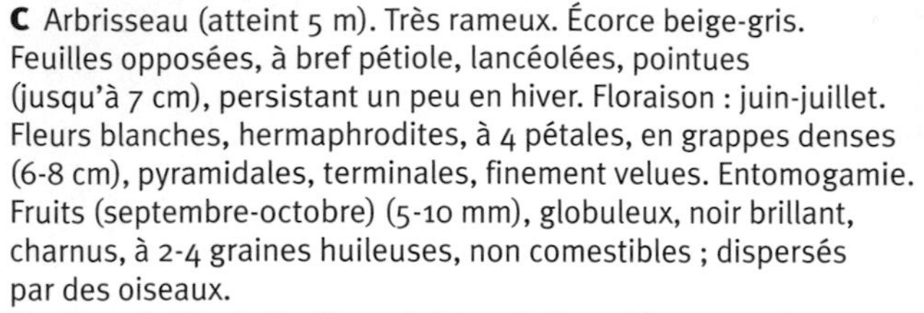

C Arbrisseau (atteint 5 m). Très rameux. Écorce beige-gris. Feuilles opposées, à bref pétiole, lancéolées, pointues (jusqu'à 7 cm), persistant un peu en hiver. Floraison : juin-juillet. Fleurs blanches, hermaphrodites, à 4 pétales, en grappes denses (6-8 cm), pyramidales, terminales, finement velues. Entomogamie. Fruits (septembre-octobre) (5-10 mm), globuleux, noir brillant, charnus, à 2-4 graines huileuses, non comestibles ; dispersés par des oiseaux.
H Haies, forêts de feuillus, pinèdes, lisières. Absent en Corse.
P Souche très ramifiée, produisant de nombreux rejets (forme de bonnes haies que l'on peut tailler chaque année). Jadis, le suc violet noirâtre des fruits servait à teindre cuirs et étoffes.

Marronnier d'Inde

Aesculus hippocastanum

C Arbre (atteint 25 m). Houppier large. Écorce gris-brun. Gros bourgeons luisants, poisseux. Feuilles opposées, grandes (pétiole : 10-20 cm), composées-palmées, à 5-7 folioles sessiles (jusqu'à 25 cm), dentées, obovales. Fleurs hermaphrodites ou mâles, irrégulières (2 cm), blanches et roses, en avril-mai, en grandes grappes dressées (20-30 cm) ; suc des fleurs jaune, devenant rouge. Entomogamie. Fruits : coque épineuse (bogue), verte, globuleuse (jusqu'à 6 cm), contenant 1-3 graines (les « marrons »), brunes, luisantes, lisses, avec grande empreinte claire du hile, point d'insertion de l'ovule.
H Originaire du sud-est de l'Europe. Planté (arbre d'ornement), parfois en forêt.
P Plante médicinale employée pour faciliter la circulation veineuse et soigner hémorroïdes et varices. Depuis quelque temps, parasité par une chenille mineuse, qui provoque le jaunissement prématuré des feuilles.

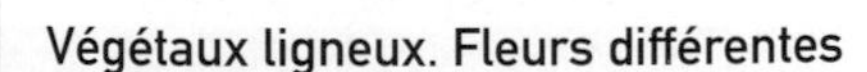

Camerisier à balais

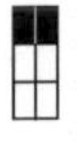

Lonicera xylosteum

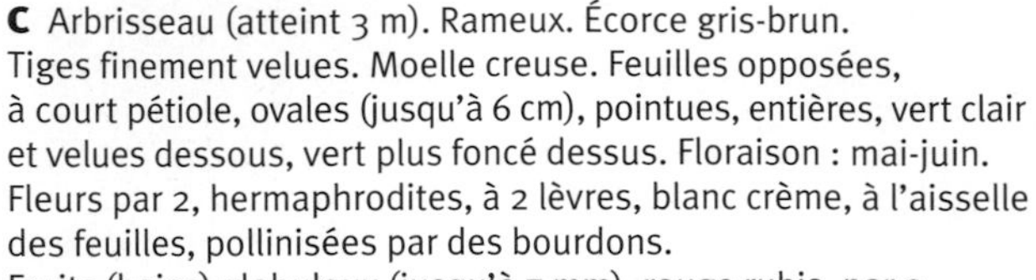

C Arbrisseau (atteint 3 m). Rameux. Écorce gris-brun. Tiges finement velues. Moelle creuse. Feuilles opposées, à court pétiole, ovales (jusqu'à 6 cm), pointues, entières, vert clair et velues dessous, vert plus foncé dessus. Floraison : mai-juin. Fleurs par 2, hermaphrodites, à 2 lèvres, blanc crème, à l'aisselle des feuilles, pollinisées par des bourdons.
Fruits (baies) globuleux (jusqu'à 7 mm), rouge rubis, par 2, mûrs dès août ; pédoncule commun ; souvent soudés par la base ; dispersés par des oiseaux ; toxiques.
H Forêts de feuillus et mixtes, pinèdes claires. Absent : Corse, Midi méditerranéen et localement (Ouest, Centre). À l'ombre.
P Les fruits, toxiques pour l'homme, contiennent des substances amères et des saponines pouvant provoquer douleurs abdominales et diarrhée.

Chèvrefeuille des bois

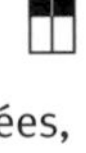

Lonicera periclymenum

C Liane à tiges volubiles (enroulement à droite). Feuilles opposées, entières, sessiles ou à bref pétiole, ovales-elliptiques (jusqu'à 8 cm). Fleurs hermaphrodites, à 2 lèvres, groupées au bout des rameaux, très parfumées ; tube de la corolle long, incurvé, crème ou jaune, rosé à l'extérieur (atteint 5 cm). Floraison : mai-juin. Pollinisation par des papillons nocturnes. Fruits (août-septembre) : baies rouge foncé, 8 mm, globuleuses.
H Forêts de chênes et charmes, bouleaux, coupes, haies, lisières. Absent : Corse, une partie du Sud-Est.
P Liane qui étrangle les jeunes arbres. Fruits toxiques.

Robinier faux-acacia

Robinia pseudacacia

C Arbre (atteint 25 m). Écorce profondément crevassée, gris-brun. Feuilles alternes, composées de 4-11 paires de folioles (5-6 cm), elliptiques (longueur totale : 20-30 cm) ; stipules : épines (jusqu'à 3 cm), par 2 à la base du pétiole. Fleurs blanc crème, hermaphrodites (jusqu'à 2,5 cm), en grappes pendantes (10-25) (pédoncule : 3 cm), parfumées (longueur : 20-25 cm), en mai-juin. Fruits mûrs en septembre, gousses aplaties (jusqu'à 10 cm), contenant 4-10 graines ; restent souvent en place jusqu'à l'année suivante.
H Introduit en France, en 1601, par Jean Robin. Originaire d'Amérique du Nord. Talus, bords des bois, broussailles. Planté.
P Écorce, feuilles, graines et fruits sont toxiques. Atteint 200 ans.

Viorne obier, boule de neige

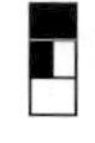

Viburnum opulus

C Arbrisseau (atteint 4 m). Rameux. Écorce gris-brun, devenant écailleuse. Feuilles (pétiole : 2-3 cm) opposées, à 3-5 lobes pointus, dentées, duveteuses dessous. Fleurs blanches, en corymbes terminaux (jusqu'à 10 cm de diamètre), en mai-juin ; fleurs hermaphrodites, les externes stériles, plus grandes que les centrales fertiles, servant d'« appât » pour les insectes butineurs (Coléoptères, Diptères, Lépidoptères). Fruits (baies) en août-septembre, rouges, globuleux (10 mm), juteux, luisants, pendants.
H Forêts de feuillus, lisières, haies, broussailles, en demi-ombre. Absent : Corse, Midi méditerranéen.
P Fruits toxiques, très amers, négligés par les oiseaux, restant souvent en place tout l'hiver. Bois jadis employé pour faire des cannes ou des fifres.

Viorne lantane, mancienne

Viburnum lantana

C Arbrisseau (atteint 3 m). Tiges velues (poils grisâtres). Feuilles dentées, opposées (pétiole : 1-2 cm), elliptiques à ovales (jusqu'à 12 cm), gaufrées dessus, nervures très apparentes dessous ; face inférieure velue et grisâtre. Fleurs (mai-juin) hermaphrodites, blanches, à 5 pétales, en corymbes denses (5-10 cm de diamètre), toutes de la même taille (contrairement à l'espèce précédente). Autofécondation ou entomogamie. Fruits (baies aplaties) dès juillet, d'abord verts, puis rouges et enfin noirs, brillants (7-8 mm).
H Haies, talus, lisières, broussailles, sur sols calcaires. Thermophile et héliophile. Absente : Bretagne, Corse et localement (Normandie, Sud-Ouest).
P Fruits toxiques restant en place jusqu'en hiver. Rameaux souples, jadis employés en vannerie. Fruits à différents stades de maturation sur le même corymbe.

Sureau, sureau noir

Sambucus nigra

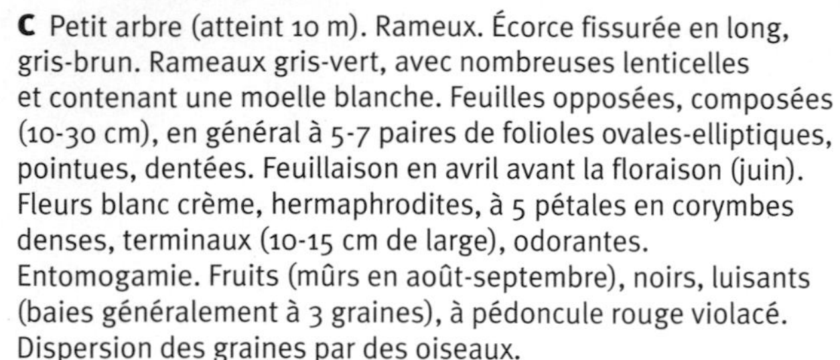

C Petit arbre (atteint 10 m). Rameux. Écorce fissurée en long, gris-brun. Rameaux gris-vert, avec nombreuses lenticelles et contenant une moelle blanche. Feuilles opposées, composées (10-30 cm), en général à 5-7 paires de folioles ovales-elliptiques, pointues, dentées. Feuillaison en avril avant la floraison (juin). Fleurs blanc crème, hermaphrodites, à 5 pétales en corymbes denses, terminaux (10-15 cm de large), odorantes. Entomogamie. Fruits (mûrs en août-septembre), noirs, luisants (baies généralement à 3 graines), à pédoncule rouge violacé. Dispersion des graines par des oiseaux.

H Forêts riveraines, forêts de feuillus, haies, broussailles, bords des chemins, terrains vagues. Rare : Midi méditerranéen, Alpes.

P Fruits juteux, riches en vitamine C et en potassium, comestibles cuits. Fleurs et fruits employés contre les refroidissements (tisanes).

Cornouiller sanguin

Cornus sanguinea

C Arbrisseau (atteint 5 m). Très rameux. Écorce gris-brun. Rameaux exposés au soleil rouges (bien visibles en hiver). Feuilles opposées (pétiole : 10-15 mm), elliptiques à ovales (jusqu'à 10 cm), pointues, entières, vert un peu plus clair dessous que dessus, peu velues, rougissant en été-automne. Fleurs (mai-juin) blanc crème, à 4 pétales, par 20-30 en corymbes denses (pédoncule : 2-4 cm) (5-7 cm de diamètre), terminaux. Entomogamie. Fruits mûrs en septembre, globuleux (5-8 mm), bleu-noir (pédoncule rouge), dispersés par des oiseaux.

H Haies, friches, lisières, forêts riveraines, pentes sèches ; surtout sur sol calcaire.

P Espèce pionnière, se multipliant rapidement par drageons, marcottes. Fruits immangeables pour l'homme.

Sorbier des oiseaux (des oiseleurs)

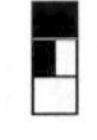

Sorbus aucuparia

C Arbre (atteint 15-20 m). Peu rameux, houppier arrondi. Écorce lisse, gris-noir, devenant fissurée en long. Feuilles semblables à celles du frêne, opposées, composées –9-15 folioles– (jusqu'à 20 cm), elliptiques, dentées, velues dessus (poils appliqués), feutrées dessous. Floraison (mai-juin). Fleurs à 5 pétales, blanches, hermaphrodites, en corymbes denses (7-12 cm), un peu bombés, terminaux. Entomogamie. Fruits mûrs dès août : baies rouge corail brillant, globuleuses (8-10 mm), généralement à 3 graines. Dispersion par des oiseaux.
H Forêts (plaine et montagne). Absent localement dans l'Ouest au sud de la Loire.
P Espèce pionnière, héliophile. Fleurs odorantes, attirant abeilles et mouches. Fruits appréciés par oiseaux et mammifères (odeur de triméthylamine). Atteint 100 ans. Souvent planté.

Allier, alisier blanc, allouchier

Sorbus aria

C Arbre (atteint 25 m). Écorce noirâtre, longtemps lisse, devenant fissurée, avec nombreuses lenticelles en losange. Feuilles alternes (pétiole : 1-2 cm), elliptiques à ovales (jusqu'à 8 cm), dentées, dessus vert, dessous velouté et blanc. Fleurs en mai-juin, blanches, odorantes, hermaphrodites (6-8 mm), en corymbes (5-10 cm) denses, bombés. Entomogamie. Fruits dès juillet, d'abord verts puis rouge orangé (13 mm), globuleux, chair jaune, farineuse, calice persistant. Dispersés par des oiseaux.
H Sites chauds, ensoleillés. Forêts de feuillus et mixtes, friches boisées ; principalement moitié est de la France.
P Bois jaunâtre, dur, employé en tournage.

Clématite

Clematis vitalba

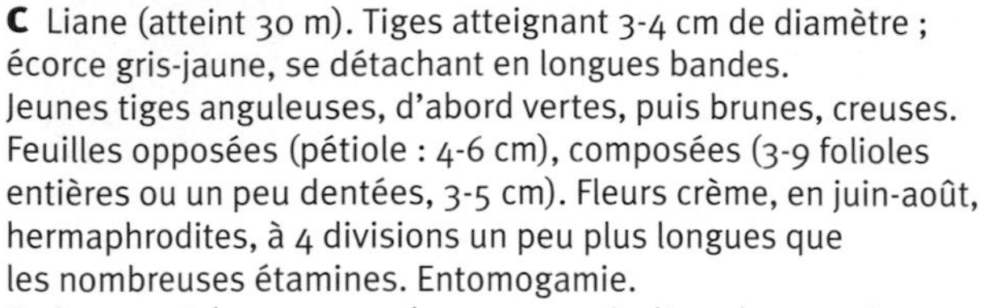

C Liane (atteint 30 m). Tiges atteignant 3-4 cm de diamètre ; écorce gris-jaune, se détachant en longues bandes.
Jeunes tiges anguleuses, d'abord vertes, puis brunes, creuses. Feuilles opposées (pétiole : 4-6 cm), composées (3-9 folioles entières ou un peu dentées, 3-5 cm). Fleurs crème, en juin-août, hermaphrodites, à 4 divisions un peu plus longues que les nombreuses étamines. Entomogamie.
Fruits en octobre, composés, secs, munis d'une longue aigrette blanc-gris, pelucheuse, persistante, servant de parachute (dispersés par le vent).
H Forêts riveraines, forêts de feuillus, broussailles, lisières. Absente en Corse ; rare : Midi méditerranéen.
P Liane très commune, s'accrochant à son support (arbre, etc.) par le pétiole de ses feuilles. Peut recouvrir complètement arbres et buissons, mais non parasite.

Amélanchier

Amelanchier ovalis

C Arbrisseau (atteint 3 m). Écorce brun violacé, fissurée en long. Rameaux d'abord velus et blancs, puis glabres et d'un vert olive brillant. Feuilles alternes (pétiole : 8-15 mm), ovales, arrondies aux 2 bouts, vert mat dessus, blanchâtres et velues dessous, poils à l'angle des nervures (jusqu'à 4 cm). Fleurs (avril-juin) à 5 pétales, blanches, hermaphrodites, par 3-6 en grappes terminales. Entomogamie. Fruits bleu-noir à maturité (août-septembre), globuleux (8-10 mm), avec calice persistant ; comestibles (goût douceâtre) ; dispersés par des oiseaux.
H Pentes rocailleuses, sèches, broussailles, garrigues ; sols calcaires, sites ensoleillés. Centre, Est, Midi-Pyrénées, Corse.
P Racines pénétrant profondément dans les fentes de rocher où elles trouvent de l'eau.

Cerisier à grappes

Prunus padus

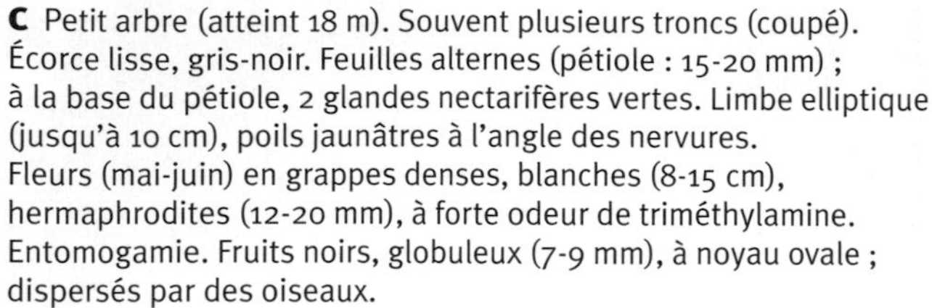

C Petit arbre (atteint 18 m). Souvent plusieurs troncs (coupé). Écorce lisse, gris-noir. Feuilles alternes (pétiole : 15-20 mm) ; à la base du pétiole, 2 glandes nectarifères vertes. Limbe elliptique (jusqu'à 10 cm), poils jaunâtres à l'angle des nervures. Fleurs (mai-juin) en grappes denses, blanches (8-15 cm), hermaphrodites (12-20 mm), à forte odeur de triméthylamine. Entomogamie. Fruits noirs, globuleux (7-9 mm), à noyau ovale ; dispersés par des oiseaux.
H Forêts humides de feuillus, forêts riveraines, broussailles, bord des eaux.
P En général, les feuilles continuent de pousser après la floraison.

Prunellier, épine noire

Prunus spinosa

C Arbrisseau (atteint 3 m). Très rameux, épineux. Écorce fissurée, noirâtre. Feuilles alternes (pétiole : 2-4 mm), ovales, denticulées (jusqu'à 4 cm). Fleurs (mars-avril) avant les feuilles, solitaires sur les rameaux courts, blanches, hermaphrodites, brièvement pédonculées (10-12 mm). Entomogamie. Fruits (prunelles) en août-septembre, globuleux (jusqu'à 15 mm), à pédoncule bref, bleu-noir, pruineux, à noyau ; dispersés par des oiseaux.
H Haies, broussailles, bords des chemins, rocailles, sites ensoleillé ; héliophile.
P Espèce pionnière, qui se multiplie par drageons.
Fruits riches en vitamine C et en tanins, âpres à l'état cru (à cueillir après les premières gelées), employés pour confitures ou jus.

Aubépine monogyne

Crataegus monogyna

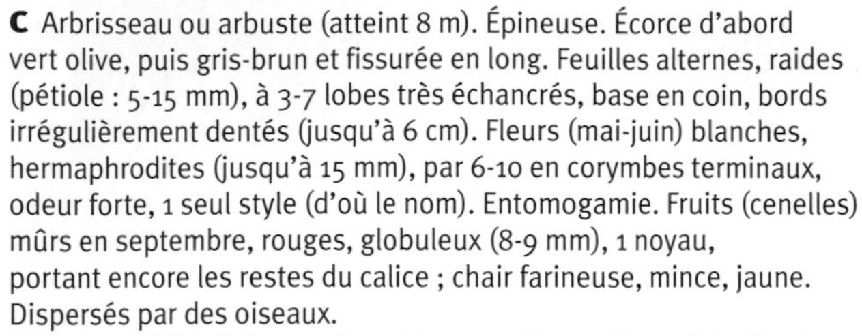

C Arbrisseau ou arbuste (atteint 8 m). Épineuse. Écorce d'abord vert olive, puis gris-brun et fissurée en long. Feuilles alternes, raides (pétiole : 5-15 mm), à 3-7 lobes très échancrés, base en coin, bords irrégulièrement dentés (jusqu'à 6 cm). Fleurs (mai-juin) blanches, hermaphrodites (jusqu'à 15 mm), par 6-10 en corymbes terminaux, odeur forte, 1 seul style (d'où le nom). Entomogamie. Fruits (cenelles) mûrs en septembre, rouges, globuleux (8-9 mm), 1 noyau, portant encore les restes du calice ; chair farineuse, mince, jaune. Dispersés par des oiseaux.

H Rare : Midi méditerranéen. Absente : Corse, littoral du Nord et de l'Ouest. Haies, lisières, forêts riveraines claires.

P L'aubépine épineuse (*C. laevigata = oxyacantha*) a des feuilles moins divisées, des fleurs à 2 styles et des fruits à 2 noyaux. Les fleurs des 2 espèces ont une forte odeur typique, qui attire abeilles, mouches et coléoptères ; les 2 espèces se croisent et produisent des hybrides.

Églantier

Rosa canina

C Arbrisseau (atteint 3 m). Tiges dressées, puis retombantes, très épineuses (aiguillons), arquées. Feuilles alternes, composées (5-7 folioles jusqu'à 4 cm), ovales-elliptiques, dentées (atteignent 12 cm). Fleurs (mai-juin) rose pâle à blanches (40-50 mm), solitaires ou en panicule, terminales sur rameaux courts feuillés, très éphémères. Entomogamie. « Fruits » mûrs en septembre-octobre (cynorrhodons), ovoïdes (2-2,5 cm de long), rouge orangé, contenant de nombreux petits fruits durs, anguleux (akènes) ; dispersés par des oiseaux et des mammifères.

H Haies, lisières, terrains vagues, broussailles. Espèce collective, polymorphe.

P Les véritables fruits sont les akènes velus inclus dans l'enveloppe charnue, rouge. Cynorrhodons riches en vitamine C, employés en tisanes et confitures.

Ronce des bois

Rubus fruticosus

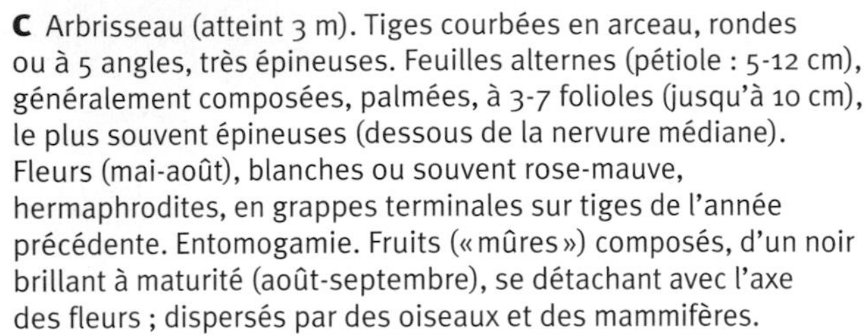

C Arbrisseau (atteint 3 m). Tiges courbées en arceau, rondes ou à 5 angles, très épineuses. Feuilles alternes (pétiole : 5-12 cm), généralement composées, palmées, à 3-7 folioles (jusqu'à 10 cm), le plus souvent épineuses (dessous de la nervure médiane). Fleurs (mai-août), blanches ou souvent rose-mauve, hermaphrodites, en grappes terminales sur tiges de l'année précédente. Entomogamie. Fruits (« mûres ») composés, d'un noir brillant à maturité (août-septembre), se détachant avec l'axe des fleurs ; dispersés par des oiseaux et des mammifères.
H Très commune (sauf Midi méditerranéen et Corse). Haies, forêts, lisières, coupes.
P Espèce collective comprenant un grand nombre de sous-espèces ou espèces secondaires. Croissance rapide, se multiplie par marcottes, drageons ; envahit alors de très grandes surfaces. Feuilles souvent persistantes en hiver.

Framboisier

Rubus idaeus

C Sous-arbrisseau (atteint 2 m). Rameaux arrondis, pruineux, qui, comme le pétiole des feuilles, sont couverts de nombreux aiguillons courts et fins. Écorce brune. Feuilles alternes (pétiole : 3-8 cm), à 3-5 folioles vertes et glabres dessus, dentées, feutrées et blanches dessous, ovales (jusqu'à 10 cm). Fleurs (mai-juin) sur les tiges (turions) de l'année précédente, blanches, inclinées, hermaphrodites (10 mm), calice vert extérieurement, blanc à l'intérieur comme les pétales. Entomogamie et autofécondation. Fruits (dès juillet) rouges (framboises), composés comme ceux de la ronce, formés de nombreux petits fruits associés ; dispersés par oiseaux et mammifères.
H Lisières, coupes, chemins, broussailles. Surtout dans la moitié est de la France et Pyrénées. Cultivé.
P Se multiplie par drageons et forme rapidement des fourrés.

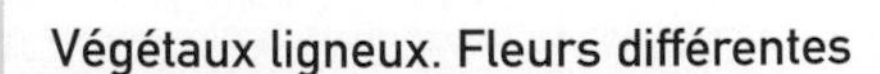

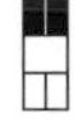

Joli-bois, bois-joli

Daphne mezereum

C Arbrisseau (atteint 1,50 m) Peu ramifié. Écorce brun-gris. Feuilles alternes, lancéolées (4-8 cm), paraissant au sommet de la tige seulement après la floraison. Fleurs (février-mars) à 4 pétales, hermaphrodites (5-10 mm), rose foncé, pollinisées par des insectes à longue trompe. Fruits rouge brillant, globuleux (8 mm), dès août ; dispersés par des oiseaux.
H Forêts de feuillus, forêts riveraines, sur sols calcaires. Seulement Nord-Est, Centre, Sud-Est et Pyrénées.
P Plante entièrement toxique.

Rhododendron ferrugineux

Rhododendron ferrugineum

C Sous-arbrisseau (atteint 1 m). Feuilles persistantes, alternes, raides, à pétiole court, ovales-elliptiques (2-5 cm), vert foncé dessus, brun-roux à brun-noir dessous. Fleurs rose-rouge à 5 pétales (10-15 mm), hermaphrodites (juin-juillet), en corymbes terminaux de 6-10. Entomogamie. Fruits (mûrs en septembre-octobre) : capsules à 5 valves.
H À la limite supérieure des forêts en montagne (Alpes, Pyrénées, Jura), sur sols acides. Forme des massifs.
P Peut vivre 100 ans. Toxique.

Rhododendron poilu

Rhododendron hirsutum

C Sous-arbrisseau (atteint 1 m). Ressemble beaucoup au précédent, mais pousses d'abord finement ciliées, bords des feuilles et pétioles ciliés, feuilles vertes des 2 côtés, fleurs d'un rose plus pâle (juillet-août).
H Extrêmement rare en France (nord des Alpes). Entre 1200 et 2000 m. Sur sols calcaires en général.
P Plante toxique comme la précédente.

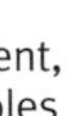
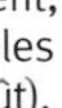

Callune

Calluna vulgaris

C Sous-arbrisseau (atteint 1 m). Très rameuse, toujours verte (sempervirente). Tiges non creuses, ramifiées, dressées. Feuilles opposées sur 4 rangs, courtes (1-3 mm), imbriquées. Fleurs hermaphrodites, penchées, mauves, à 8 divisions (calice plus long que la corolle), en grappes denses. Entomogamie. Fruits dès octobre.
H Landes, coupes, pinèdes. Absente par endroits (Nord-Est, Sud-Est. Corse).
P Couvre de très vastes surfaces. Plante mellifère, couramment appelée « bruyère ».

Myrtille

Vaccinium myrtillus

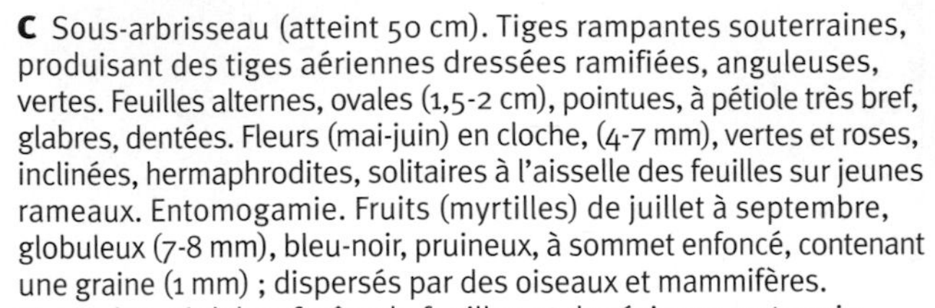

C Sous-arbrisseau (atteint 50 cm). Tiges rampantes souterraines, produisant des tiges aériennes dressées ramifiées, anguleuses, vertes. Feuilles alternes, ovales (1,5-2 cm), pointues, à pétiole très bref, glabres, dentées. Fleurs (mai-juin) en cloche, (4-7 mm), vertes et roses, inclinées, hermaphrodites, solitaires à l'aisselle des feuilles sur jeunes rameaux. Entomogamie. Fruits (myrtilles) de juillet à septembre, globuleux (7-8 mm), bleu-noir, pruineux, à sommet enfoncé, contenant une graine (1 mm) ; dispersés par des oiseaux et mammifères.
H Landes, pinèdes, forêts de feuillus et de résineux en terrain acide, tourbières. Occupe de vastes surfaces. Souvent associée à la callune (p. 84) et à l'airelle rouge (ci-dessous). Nord-Ouest, Ardennes, Vosges, Jura, Massif central, Alpes, Pyrénées, Corse.
P Fruits riches en vitamines et en tanins ; plante médicinale.

Airelle rouge

Vaccinium vitis-idaea

C Sous-arbrisseau (atteint 30 cm). Tiges rampantes, très ramifiées, rameaux dressés. Feuilles alternes, raides (1-2,5 cm), elliptiques, vert foncé brillant, nervure médiane évidente. Fleurs hermaphrodites, à 5 pétales (6-10 mm), blanches teintées de rose, en cloche, extrémité des pétales rabattue (mai-septembre), en grappes terminales penchées. Entomogamie. Fruits (baies) rouge brillant, globuleux (5-8 mm), à chair farineuse, avec restes du calice au sommet (mûrs d'août à octobre), dispersés par des oiseaux.
H Vosges, Jura, Alpes, Pyrénées, rare ailleurs. Pinèdes sèches, landes, tourbières.
P Fruits âpres-amers, riches en vitamines, savoureux après cuisson. Feuilles employées en tisanes.

Gui

Viscum album

C Sous-arbrisseau (atteint 1 m). Ramifications fourchues. Globuleux. Semi-parasite des arbres. Feuilles raides, opposées, vertes ou jaunâtres, à nervures parallèles (jusqu'à 6,5 cm), spatulées. Dioïque. Fleurs mâles jaunes (2-4 mm), corolle soudée aux étamines, fleurs femelles verdâtres (1 mm).
Floraison : mars-avril. Entomogamie et anémogamie.
Fruits globuleux, blanc laiteux, à pulpe gluante (environ 7 mm).
H Parasite certains arbres (feuillus et résineux).
Rare : Midi méditerranéen.
P Les graines germent à la lumière sur l'arbre hôte, décomposent les tissus de l'écorce grâce à une enzyme, et la plantule enfonce des suçoirs verticaux dans les tissus conducteurs de la sève.

Chélidoine

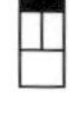

Chelidonium majus

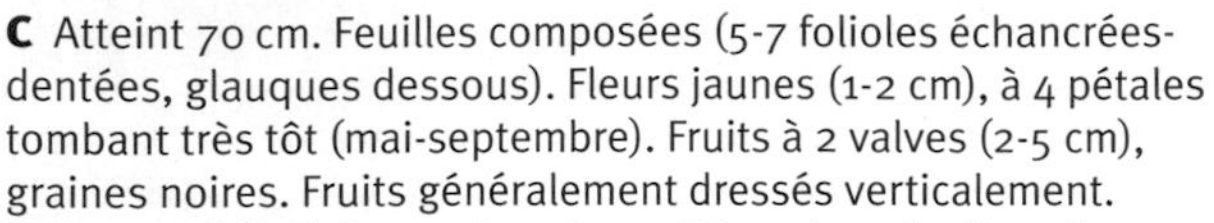

C Atteint 70 cm. Feuilles composées (5-7 folioles échancrées-dentées, glauques dessous). Fleurs jaunes (1-2 cm), à 4 pétales tombant très tôt (mai-septembre). Fruits à 2 valves (2-5 cm), graines noires. Fruits généralement dressés verticalement.
H Rare : Midi méditerranéen, Corse. Décombres, jardins, vieux murs.
P Contient un suc orange. Indique la présence d'azote dans le sol.

Moutarde des champs, sanve

Sinapis arvensis

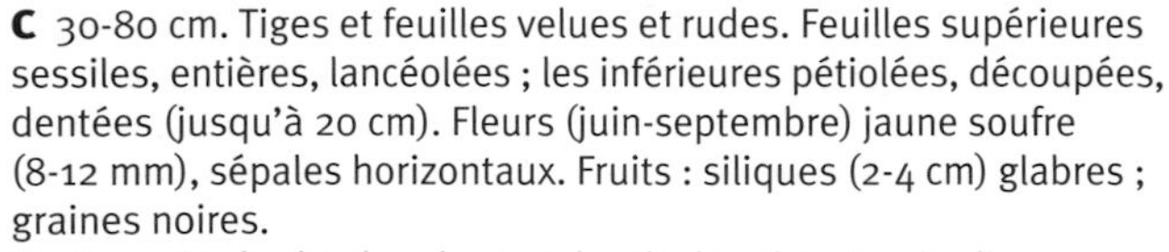

C 30-80 cm. Tiges et feuilles velues et rudes. Feuilles supérieures sessiles, entières, lancéolées ; les inférieures pétiolées, découpées, dentées (jusqu'à 20 cm). Fleurs (juin-septembre) jaune soufre (8-12 mm), sépales horizontaux. Fruits : siliques (2-4 cm) glabres ; graines noires.
H Mauvaise herbe des champs, bords des chemins, jardins, décombres. Sols calcaires, riches.
P Jadis, plante médicinale. Proche de *S. alba*, la moutarde blanche, cultivée pour ses graines et comme fourrage.

Herbe aux chantres

Sisymbrium officinalis

C 20-80 cm. Feuilles inférieures profondément divisées, velues ; les supérieures ont 2 grands lobes latéraux et un lobe central allongé. Fleurs jaunes, en grappe (3-5 mm), mai-octobre. Fruits : siliques (10-15 mm), appliquées sur la tige, dressées.
H Champs, décombres, bords des chemins.
P Espèce pionnière des terres cultivées.

Dorine à feuilles alternes

Chrysosplenium alternifolium

C 5-20 cm. Tiges à 3 angles, fragiles. Feuilles caulinaires alternes, réniformes, crénelées ; longs et fins rejets à la base des tiges. Fleurs vert-jaune en cymes ; 4 bractées, 8 étamines entourées par des pétales jaunes (avril-juin).
H Forêts riveraines et de montagne, près des sources. Absente : Ouest, Midi méditerranéen, Corse.
P Pollinisée surtout par des insectes et autofécondation.

Euphorbe petit-cyprès

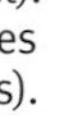

Euphorbia cyparissias

C 15-40 cm. Fleurs en ombelle terminale à 9-15 rayons (5-8 cm de diamètre) ; ont 2 glandes nectarifères cornues, jaunes (avril-juillet). Bractéoles de chaque inflorescence non soudées, jaune clair. Feuilles vert clair, linéaires, très denses. Fruits finement granuleux (capsules).
H Prairies sèches et rases (= « pelouses »), talus, forêts claires. Rare dans l'Ouest.
P Comme les autres euphorbes, contient un latex blanc, toxique. Souvent parasitée par un champignon (rouille : *Uromyces pisi*), qui modifie fortement son aspect.

Caille-lait jaune, gaillet vrai

Galium verum

C 10-100 cm. Fleurs jaune d'or ou citron (2-4 mm), nombreuses, en panicules ; odeur de miel (mai-septembre). Feuilles en verticilles de 8-12, larges de 1 mm, enroulées au bord, pointues ; tiges dressées, quadrangulaires ou arrondies.
H Bord des chemins, forêts claires, broussailles, « pelouses », prairies tourbeuses, dunes.
P Contient des ferments qui font cailler le lait (employé jadis à cet effet et aussi comme plante médicinale).

Barbarée

Barbarea vulgaris

C 30-60 cm. Fleurs jaunes (7-9 mm), en grappes denses, sans bractées ; pétales deux fois plus longs que le calice (avril-décembre). Feuilles inférieures pennées, à 5-9 paires de lobes latéraux dentés, lobe terminal très grand, arrondi-ovale, denté ; feuilles caulinaires sessiles, ovales, profondément dentées ou incisées.
Fruits : siliques (15-25 mm), écartées obliquement.
H Champs humides, décombres, sols sableux ou graviers, bord de l'eau, fossés.
P Entomogamie. Parfois employée en salade.

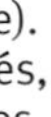

Réséda jaune

Reseda lutea

C 20-50 cm. Fleurs jaune clair (8-12 mm), en grappe dressée ; 4-6 pétales, les 2 supérieurs plus longs que les inférieurs (mai-septembre). Feuilles pennées-lobées, bords ondulés, pétiole légèrement ailé.
H Bords des chemins, terrains vagues, carrières, décombres.
P Contient des huiles et des flavones (jadis, employé comme plante médicinale).

Aigremoine

Agrimonia eupatoria

C 30-100 cm. Fleurs jaunes (5-8 mm), en longue grappe dressée ; 5 pétales ovales, vite caducs (juin-septembre) ; sépales ovales très velus avec 10 sillons. Tige faiblement ramifiée en haut. Feuilles (10-15 cm) pennées, velues grises dessous.
H Bords des chemins, prairies, haies. Rare : Midi méditerranéen, Corse.
P Jadis, considérée comme plante médicinale (ulcères).

Benoîte commune

Geum urbanum

C 20-60 cm. Fleurs (mai-septembre), jaunes (6-15 mm), en panicule lâche ; long style crochu, persistant ; calice réfléchi à la fructification. Tige très rameuse. Feuilles supérieures à 3 divisions, grandes stipules.
H Forêts humides, bords des chemins, broussailles. Absente : Midi méditerranéen et localement (Alpes, Pyrénées).
P Plante médicinale (tisanes contre les affections du foie, de la vessie, diarrhée et inflammations).

Potentille rampante

Potentilla reptans

C 30-100 cm. Fleurs (mai-août) jaune d'or (jusqu'à 25 mm), solitaires sur les longues tiges rampantes, qui s'enracinent aux nœuds et sont nettement velues. Feuilles longuement pétiolées, digitées, à 5-7 folioles dentées.
H Prairies, champs, bords des chemins, fossés. Rare : Midi méditerranéen, Corse.
P Souvent associée à l'espèce suivante. Plante pionnière occupant les sites favorables.

Potentille ansérine, argentine

Potentilla anserina

C 10-50 cm. Tiges grêles, rampantes, rougeâtres, s'enracinant aux nœuds. Fleurs (mai-août) longuement pédonculées (jusqu'à 25 mm) ; pétales arrondis, jaunes, deux fois plus longs que les sépales. Feuilles (jusqu'à 25 cm), imparipennées, velues et argentées dessous, à folioles dentées.
H Sols humides et riches, prairies, bords des chemins, décombres, bord de l'eau.
P Jadis, plante médicinale. Indique la présence de nitrates.

Renoncule rampante

Ranunculus repens

C 10-50 cm. Fleurs (mai-septembre) jaune d'or, entourées de sépales dressés. Tiges dressées, reliées par des stolons rampants, qui s'enracinent. Feuilles basales à 3 lobes découpés, irrégulièrement dentés ; les supérieures semblables mais sessiles.
H Sols humides, prairies, jardins, champs, berges, parcs. Rare : Corse, Midi méditerranéen.
P Mauvaise herbe envahissante. Indique la présence d'azote.

Bouton d'or, renoncule âcre

Ranunculus acris

C 30-100 cm. Fleurs (avril-octobre), jusqu'à 25 mm, jaune d'or. Poils appliqués sur tiges et feuilles. Feuilles inférieures à 5-7 divisions trilobées, dentées, les supérieures plus brièvement pétiolées ou sessiles.
H Prairies, bords des chemins, lieux herbeux ; commun.
P Toxique, odeur forte (évité par le bétail, qui peut le manger à l'état sec, dans le foin).

Populage, caltha

Caltha palustris

C 15-35 cm. Fleurs (mars-mai) jaune vif (1,5-4,5 cm), luisantes. Tiges rampantes ou dressées, creuses. Feuilles inférieures longuement pétiolées, en cœur, vert foncé, brillantes, échancrées à dentées (jusqu'à 15 cm de large). Fruits (follicules) écartés, libres.
H Au bord des rivières, étangs, fosses, marais, forêts riveraines, prairies humides.
P Graines pouvant flotter, ce qui assure leur dispersion. Entomogamie.

Ficaire

Ranunculus ficaria

C 5-20 cm. Fleurs (mars-mai) comportant 3 sépales et 8-12 pétales jaunes, luisants. Tiges rampantes ou dressées. Feuilles réniformes, luisantes, vertes, glabres, faiblement crénelées.
H Forêts riveraines, forêts de feuillus claires, prairies.
P Forme généralement de petites colonies. À l'aisselle des feuilles apparaissent des bulbilles assurant la multiplication végétative. Jadis, plante médicinale employée contre le scorbut.

Pulsatille

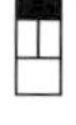

Pulsatilla apiifolia

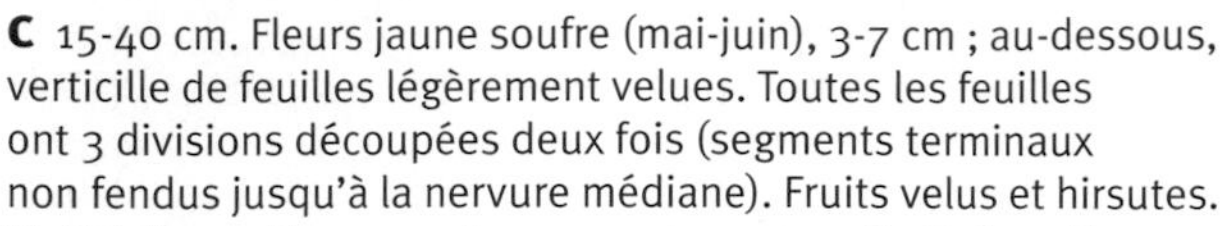

C 15-40 cm. Fleurs jaune soufre (mai-juin), 3-7 cm ; au-dessous, verticille de feuilles légèrement velues. Toutes les feuilles ont 3 divisions découpées deux fois (segments terminaux non fendus jusqu'à la nervure médiane). Fruits velus et hirsutes.
H Calcifuge. Alpages entre 1 000 et 2 000 m. Pyrénées, Alpes.
P Également considérée comme une sous-espèce de *Pulsatilla alpina* (p. 126). Toxique, employée en homéopathie.

Trolle d'Europe, boule d'or P

Trollius europaeus

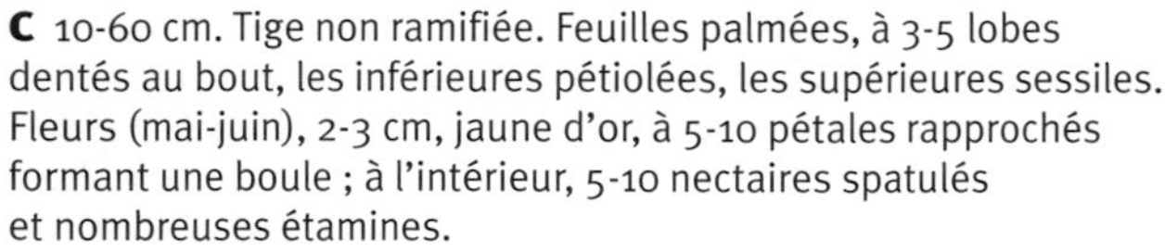

C 10-60 cm. Tige non ramifiée. Feuilles palmées, à 3-5 lobes dentés au bout, les inférieures pétiolées, les supérieures sessiles. Fleurs (mai-juin), 2-3 cm, jaune d'or, à 5-10 pétales rapprochés formant une boule ; à l'intérieur, 5-10 nectaires spatulés et nombreuses étamines.
H Alpages, prairies humides. Vosges, Jura, Massif central, Alpes, Pyrénées. Jusqu'à 3 000 m.
P Faiblement toxique. Forme des colonies. Entomogamie : les insectes pénètrent par le haut ou en écartant les pétales.

Iris des marais, iris jaune

Iris pseudacorus

C 50-120 cm. Grandes fleurs, jusqu'à 10 cm de long (mai-juin), jaunes ; « pétales » internes petits, linéaires, les externes non barbus, plus larges avec marque orange. Feuilles (1-3 cm de large) en glaive, atteignant 1 m de long.
H Bord des étangs, mares, fossés, rivières, forêts riveraines.
P Toxique. Forte souche ramifiée. Fruits flottants, dispersés par l'eau.

Nénuphar jaune

Nuphar lutea

C Atteint 4 m. Fleurs (avril-septembre) à 5 sépales jaunes (4-6 cm) ; au centre, 7-24 feuilles nectarifères, en forme de pétales, entourant le disque des stigmates concave rayonné ; fleurs très odorantes. Grandes feuilles flottantes, ovales, à nervures trois fois fourchues.
H Étangs, rivières lentes. Rare : Midi méditerranéen.
P Partie aérienne issue d'un rhizome ramifié dans la vase. Les pétales sont des sépales modifiés, les véritables pétales sont les feuilles nectarifères à l'intérieur de la fleur.

Sédum âcre

Sedum acre

C 5-15 cm. Fleurs (juin-août) jaunes ; pétales écartés horizontalement (12-15 mm). Tiges rampantes, puis dressées, garnies de feuilles charnues, ovoïdes, épaisses (jusqu'à 4 mm), aplaties dessus et généralement disposées sur 6 rangs.
H Lieux secs, vieux murs, toits, rochers, éboulis, aussi espaces sablonneux.
P Feuilles au goût amer (contiennent un alcaloïde toxique). Adaptées aux milieux secs, les feuilles stockent de l'eau. Entomogamie.

Gagée à fleurs jaunes

Gagea lutea

C 10-30 cm. Fleurs (mars-mai) par 2-7 en fausse ombelle (2-2,5 cm) ; pétales obtus, extérieurement striés de verdâtre, entre 2 feuilles bractéales ; une seule feuille radicale (jusqu'à 10 mm de large), terminée en pointe effilée.
H Forêts riveraines, forêts de feuillus, bord des ruisseaux. Rare : Est, Massif central, localement en Corse et Pyrénées.
P Fleurs issues d'un tubercule qui ne se divise pas. Souvent associée à l'ail des ours (p. 130).

Hélianthème vulgaire

Helianthemum nummularium

C 10-30 cm. Fleurs (mai-septembre) jaunes, 8-20 mm, en grappe terminale unilatérale ; sépales rougeâtres. Feuilles raides linéaires-lancéolées, feutrées et grises dessous ; stipules lancéolées plus longues que le pétiole.
H « Pelouses » calcaires ensoleillées, lisières, landes, forêts claires.
P Étamines hygroscopiques : par temps sec, elles s'écartent et, par temps humide, elles se dressent. 4 sous-espèces.

Lysimaque, herbe aux écus

Lysimachia nummularia

C 10-50 cm. Fleurs (mai-juillet) jaunes, 12-15 mm, pédonculées, solitaires à l'aisselle des feuilles ; pétales ponctués de rouge foncé à l'intérieur (glandes) ; sépales en cœur. Tiges rampantes à dressées. Feuilles opposées, orbiculaires à elliptiques.
H Prairies humides, fossés, berges, forêts fraîches. Absente : Sud-Est, localisée dans les Pyrénées.
P Pollinisation par des mouches. Se multiplie par rejets.

Lysimaque commune
Lysimachia vulgaris

C 50-150 cm. Fleurs (juin-août) jaunes, 10-15 mm, en panicule terminale à base feuillée. Corolle glabre ; sépales rouges au bord. Tiges faiblement anguleuses, brièvement velues.
Feuilles opposées ou par 3-4 en verticilles ovales-lancéolées (14 cm), ponctuées de glandes.
H Forêts riveraines et humides, bord de l'eau, fossés. Rare : Midi.
P Entomogamie. Proche de l'herbe aux écus (p. 98).

Primevère officinale, coucou
Primula veris

C 10-20 cm. Fleurs (avril-mai) de 8-12 mm, en ombelle au sommet d'une hampe, jaunes, à corolle tubuleuse (5 taches orangées à la gorge) ; calice renflé ; elles sont odorantes.
Feuilles ovales à bords échancrés, rétrécies sur le pétiole.
H Prairies, bord des routes, forêts, lisières.
Plus rare : Ouest, Midi méditerranéen, Centre.
P Souvent confondue avec l'espèce suivante.
Pollinisée par abeilles et bourdons.

Primevère élevée
Primula elatior

C 10-30 cm. Fleurs jaune soufre (mars-mai), 15-20 mm, à corolle tubuleuse et calice étroit ; à la gorge, anneau orange clair ou vert-jaune ; inodores. Feuilles basales en rosette (10-20 cm), irrégulièrement dentées, se rétrécissant sur le pétiole ailé.
H Forêts riveraines, forêts de feuillus, broussailles.
Absente : Ouest, Midi méditerranéen, Corse.
P Confusion possible avec l'espèce précédente.
Pollinisée par abeilles et bourdons.

Oreille d'ours P
Primula auricula

C 5-25 cm. Fleurs (avril-juin) jaunes, 15-25 mm, gorge farineuse ; très odorantes. Calice glabre, plus court que le tube de la corolle, extrémités obtuses. Feuilles charnues, ovales, à bord cartilagineux, en rosette basale ; jeunes feuilles farineuses.
H Rochers calcaires, fentes, éboulis, en montagne, jusqu'à 2 600 m. Jura et Alpes.

Gentiane jaune, grande gentiane P

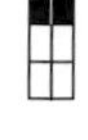

Gentiana lutea

C 50-140 cm. Fleurs jaunes (juin-août), pédonculées, par 3-10 en verticilles axillaires ; corolle à 5-6 lobes lancéolés, entourée par le calice fendu d'un côté. Tiges rondes, creuses ; grandes feuilles glauques, opposées, glabres, ovales.
H Alpages, friches, clairières, pinèdes claires. Vosges, Jura, Alpes, Massif central, Pyrénées, plateau de Langres, Corse. Jusqu'à 2 200 m.
P Racines contenant un principe amer, apéritif, utilisé en liquoristerie.

Bouillon blanc

Verbascum densiflorum

C 80-200 cm. Fleurs jaunes (juillet-septembre), 3,5-5 cm, en épi ramifié à la base ; corolle en roue, tube très court ; anthères une à deux fois plus courtes que les filets ; odorantes. Feuilles duveteuses des 2 côtés, lancéolées, dentées-crénelées, décurrentes.
H Bords des chemins, lisières, coupes, décombres.
P Jadis, plante médicinale (contient des mucilages et des saponines). Plante thermophile.

Onagre

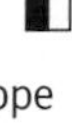

Oenothera biennis

C 50-100 cm. Fleurs jaunes (juin-septembre), jusqu'à 3 cm, en grappe terminale. Tiges peu velues. Feuilles (jusqu'à 15 cm) ovales, en rosette basale ; les caulinaires plus petites, sessiles, dentées. Fruits : capsules velues.
H Sols sablonneux, bord de l'eau, carrières, talus des voies ferrées.
P Originaire d'Amérique du Nord. Plante pionnière, thermophile. Pollinisée par des papillons nocturnes.

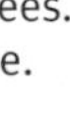

Millepertuis commun

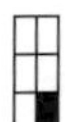

Hypericum perforatum

C 30-100 cm. Fleurs jaunes (juin-août) en panicule ; pétales asymétriques, pointillés de noir. Tiges dressées, ramifiées, à 2 côtes saillantes, avec moelle. Feuilles opposées, ovales.
H Bord des chemins, bois clairs, « pelouses », prairies. Rare : Midi méditerranéen.
P Plante médicinale employée pour traiter les troubles digestifs (calmante et vulnéraire).

Œil de bœuf

Buphthalmum salicifolium

C 20-60 cm. Capitules (juillet-août) solitaires sur tiges dressées (3-6 cm) ; fleurs ligulées larges de 2-3 mm ; nombreuses fleurs tubuleuses au centre. Feuilles alternes, non composées, lancéolées-ovales, velues et soyeuses (jusqu'à 2 cm de large), dentées ou non.
H Bois clairs, lisières, « pelouses » calcaires, landes, autres lieux pierreux. Jusqu'à 2 000 m. Jura, Alpes, plateau de Langres.
P Espèce héliophile, thermophile et calcicole.

Doronic

Doronicum grandiflorum

C 10-50 cm. Capitules (juillet-août) jaunes, solitaires (rarement par 5), 4-6 cm ; tiges creuses, velues-glanduleuses ; 20-30 fleurs ligulées entourant les tubuleuses, également jaunes. Feuilles basales ovales larges, les supérieures embrassantes, nettement velues au bord.
H Éboulis, en montagne (1300-2500 m). Alpes, Pyrénées.
P Souvent confondu avec l'arnica (ci-dessous) *(Arnica montana)*, qui ne vit pas sur les éboulis.

Arnica P

Arnica montana

C 20-60 cm. Capitules jaune orangé (mai-août), 6-8 cm. Réceptacle velu. Tige unique ou peu ramifiée, velue-glanduleuse. Feuilles basales ovales, entières, les supérieures (2-3 paires), opposées.
H Alpages, prairies tourbeuses, jusqu'à 2500 m.
Montagnes (Morvan inclus) et çà et là en plaine.
P Plante médicinale contenant des principes amers, des huiles, des acides tanniques et un alcaloïde, employée pour soigner les contusions (usage interne et externe).

Salsifis des prés

Tragopogon pratensis

C 30-70 cm. Capitules (mai-juillet), 4-6 cm, jaune vif, liguliflores (formés seulement de fleurs ligulées).
Tige peu ou pas renflée sous le capitule. Feuilles sessiles, embrassantes, lancéolées-étroites, acuminées.
H Prairies fertiles, « pelouses », bords des chemins ; jusqu'à 2000 m.
P Fruits à aigrette soyeuse-plumeuse (d'où le nom commun de barbe-de-bouc).

Laiteron des champs

Sonchus arvensis

C 50-150 cm. Capitules (juillet-octobre), 4-5 cm, jaune d'or, en corymbe lâche au sommet de la tige ; pédoncules et calices (en cloche) velus-glanduleux, jaunes. Feuilles glabres, vertes, en cœur à la base, lancéolées, dentées, les caulinaires sessiles (oreillettes embrassantes).
H Sols argileux, déblais, vignobles, bords des chemins. Rare : Midi, Sud-Ouest.
P Les fleurs s'ouvrent seulement le matin au soleil.

Laiteron maraîcher

Sonchus oleraceus

C 30-100 cm. Capitules (juin-octobre, jusqu'à 2,5 cm, jaunes, liguliflores ; involucre (bractées) glabre (environ 2/3 de la longueur des fleurs). Tige rameuse. Feuilles glauques, dentées, découpées à la base, oreillettes aiguës.
H Champs, jachères, jardins.
P Mauvaise herbe des cultures. Racine profonde. Confusion fréquente avec *S. asper*, chez lequel les oreillettes des feuilles sont arrondies.

Piloselle

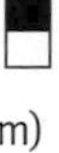
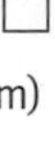

Hieracium pilosella

C 5-30 cm. La tige glabre (hampe) porte un capitule (jusqu'à 15 mm) jaune soufre (mai-octobre), liguliflore (ligules externes souvent rougeâtres dessous) ; bractées (1-2 mm de large) pointues, velues-glanduleuses. Feuilles duveteuses et grises dessous, en rosette basale, ovales-étroites, entières.
H « Pelouses » sèches, fentes de rocher, clairières.
P Se propage par stolons (petites feuilles à l'extrémité). Plante médicinale (œdèmes, rhumes).

Tussilage, pas d'âne

Tussilago farfara

C 5-20 cm. Capitules (2-3 cm) jaunes (février-avril), radiés (ligules fines en plusieurs rangées), bractées vertes. Tige couverte d'écailles rougeâtres. Grandes feuilles en rosette basale (10-30 cm), cordiformes-anguleuses, cotonneuses-blanches dessous, dentées.
H Bords des chemins, talus, terrains incultes.
P Plante médicinale employée contre toux, bronchite, inflammations.

Pissenlit

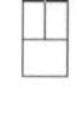

Taraxacum officinale

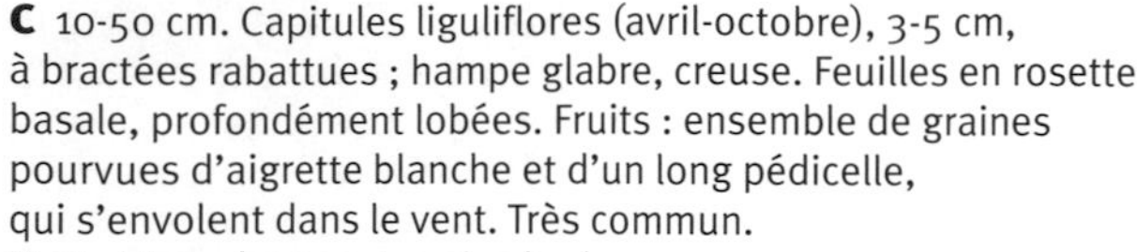

C 10-50 cm. Capitules liguliflores (avril-octobre), 3-5 cm, à bractées rabattues ; hampe glabre, creuse. Feuilles en rosette basale, profondément lobées. Fruits : ensemble de graines pourvues d'aigrette blanche et d'un long pédicelle, qui s'envolent dans le vent. Très commun.
H Prairies, champs, terrains herbeux.
P Espèce bien connue. Contient un suc laiteux. Racines profondes (jusqu'à 2 m). Plante médicinale (affections du foie et des reins ; diurétique).

Cirse maraîcher

Cirsium oleraceum

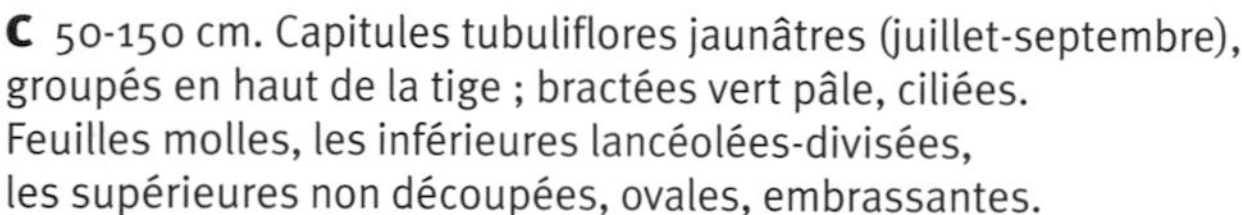

C 50-150 cm. Capitules tubuliflores jaunâtres (juillet-septembre), groupés en haut de la tige ; bractées vert pâle, ciliées. Feuilles molles, les inférieures lancéolées-divisées, les supérieures non découpées, ovales, embrassantes.
H Prairies humides, forêts riveraines, tourbières plates, fossés. Absent : Midi, Sud-Ouest.
P Les espèces du genre *Cirsium* forment souvent des hybrides. Anémogamie (les aigrettes ou pappus servent d'organes de vol).

Cirsium spinosissimum

Cirsium spinosissimum

C 20-50 cm. Capitules tubuliflores jaune pâle, 2-4 cm (juillet-septembre), groupés en haut de la tige peu rameuse ; bractées épineuses, jaunâtres. Feuilles profondément incisées, raides, très piquantes, embrassantes.
H Alpages humides, prairies, éboulis, bord des ruisseaux en montagne (1200-2500 m). Alpes.
P Forme généralement de grandes colonies. Considéré comme indésirable dans les alpages. Sols riches en azote.

Tanaisie

Tanacetum vulgare

C 60-130 cm. Capitules tubuliflores, 7-12 mm, (juillet-septembre), groupés en corymbes aplatis, denses, jaune vif. Feuilles pennées, deux fois divisées, vert foncé (jusqu'à 20 cm de long).
H Bords des chemins, lisières, haies, coupes.
P Odorante.

Verge d'or du Canada

Solidago Canadensis

C 50-250 cm. Capitules radiés, 5-6 mm (août-octobre), nombreux, en grappes étalées inclinées ; ligules aussi longues que les tubuleuses ; bractées inégales, imbriquées. Tiges et feuilles brièvement velues (10-15 cm), les secondes lancéolées, pointues, dentées.
H Forêts riveraines, bord de l'eau, coupes, décombres.
P Originaire d'Amérique du Nord. Introduite au XVIIe siècle. Se propage très vite. Pollinisée par mouches et papillons.

Verge d'or

Solidago virgaurea

C 20-80 cm. Capitules (juillet-septembre), 10-15 mm, jaunes, nombreux, groupés en grappes dressées ; fleurs ligulées dépassant largement les tubuleuses ; bractées imbriquées. Feuilles inférieures pétiolées, ovales à elliptiques, dentées, les supérieures sessiles, lancéolées, entières.
H Forêts claires, coupes, lisières. Absente localement : Corse et Midi.
P Employée depuis le Moyen Âge pour soigner les affections des reins et de la vessie.

Jacobée

Senecio jacobaea

C 30-100 cm. Capitules jaunes, 1-2,5 cm (juin-octobre), groupés en panicules ; bractées externes plus courtes que les internes à pointe foncée ; feuilles basales en rosette, lyrées-découpées, les caulinaires glabres dessous ou laineuses, à divisions dentées, lobe terminal court, oreillettes à la base.
H Prairies, bords des chemins, bois clairs, terrains vagues.
P À la floraison, les feuilles basales sont généralement fanées.

Séneçon de Fuchs

Senecio fuchsii

C 60-180 cm. Capitules jaunes, 2-3 cm (juillet-septembre), radiés, en panicule ombelliforme, formés de 5 ligules et 8-14 fleurs tubuleuses ; 8 bractées sur un seul rang. Feuilles lancéolées, finement dentées, pétiolées, rarement sessiles.
H Coupes, bord de l'eau, forêts mixtes, jusqu'à 2 200 m. Est, Sud-Est et Centre.
P Le genre *Senecio* comprend de nombreuses espèces, qui s'hybrident souvent ; en général, elles sont autofécondes.

Aconit tue-loup
Aconitum vulparia

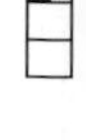

C 90-150 cm. Fleurs (juin-août) jaune pâle (15-22 mm) ; casque bien plus haut que large ; fleurs disposées en grappe simple à l'extrémité des tiges dressées, très velues en haut. Feuilles palmées (5-7 lobes larges).
H Forêts de montagne et localement Lorraine, Bourgogne. Ravins, mégaphorbiaies ; jusqu'à 2400 m.
P Très toxique, contient de l'aconitine. Jadis, employé comme appât pour tuer les mammifères carnivores (loup, etc.), d'où son nom.

Mélilot jaune
Melilotus officinalis

C 30-90 cm. Fleurs de 5-7 mm (mai-septembre), en longues grappes sur les tiges dressées ; ailes plus longues que la carène. Feuilles à 3 folioles dentées. Tiges rameuses, anguleuses.
H Bords des chemins, terrains vagues, talus.
P Fleurs à odeur de miel, contiennent un glucoside (melilotoside) qui, en séchant, devient de la coumarine (substance anticoagulante employée pour réduire les œdèmes, varices). Plante mellifère.

Minette
Medicago lupulina

C 10-60 cm. Fleurs jaunes, 3-5 mm (avril-septembre), en grappes presque globuleuses de 10-50. Feuilles à 3 folioles dentées, ovales tronquées au bout avec une petite pointe (poils appliqués dessous).
H Prairies rases, bords des chemins, champs, talus. Sur sols secs et calcaires.
P Plante fourragère. Espèce pionnière des sols pauvres.

Anthyllide vulnéraire
Anthyllis vulneraria

C 10-30 cm. Fleurs de 1-2 cm (mai-août), jaunes à rouge orangé, en têtes de 3-4 cm. Tiges dressées à couchées. Feuilles pennées, à moins de 17 éléments ovales-allongés, le terminal plus grand que les latéraux ; feuilles inférieures souvent enroulées.
H « Pelouses », bords des chemins, talus, sur sols calcaires ou sableux.

P Jadis, employée pour soigner les blessures et ulcères. Pollinisée par des bourdons.

Lotier corniculé

Lotus corniculatus

C 10-45 cm. Fleurs de 8-15 mm (mai-septembre), jaunes, carène coudée à angle droit vers le haut, souvent teintée de rougeâtre. Tige anguleuse, dressée ou couchée (moelle à l'intérieur). Feuilles à 5 divisions, dont 2 (stipules) non soudées au pétiole. Gousses rectilignes.
H Prairies sèches, broussailles, talus, bords des chemins.
P Racines profondes, adaptation à un milieu sec, mais vit aussi en terrain humide.

Gesse des prés

Lathyrus pratensis

C 20-100 cm. Fleurs jaunes, 1-2 cm (juin-juillet), en grappes de 3-10. Feuilles opposées par 2, lancéolées avec vrille ; à leur base, 2 stipules pointues. Tige anguleuse ; rejets souterrains.
H Prairies humides, tourbeuses, forêts claires.
P Odeur amère (évitée par le bétail). Comme toutes les Papilionacées, associée à des champignons vivant sur les racines et capables d'assimiler l'azote de l'air (symbiose).

Violette

Viola arvensis

C 5-20 cm. Fleurs de 10-15 mm (mai-octobre), jaunâtres, généralement striées de violet ; pétales plus courts que les sépales ou égaux. Tige ramifiée, glabre ou peu velue. Feuilles spatulées, les plus grandes ont 5 échancrures latérales.
H Champs, bords des chemins, décombres.
P Les nombreuses espèces du genre *Viola* s'hybrident souvent.

Violette à deux fleurs

Viola biflora

C 10-20 cm. Fleurs de 10-15 mm (mai-juin), jaune citron rayé de brun, généralement par 2 à l'aisselle d'une feuille ; sépales pointus ; style avec stigmate aplati, bilobé. Tige rampante. Feuilles réniformes, échancrées ; stipules généralement entières.
H Forêts humides (étage montagnard) ; 1500-2500 m. Jura, Alpes, Massif central, Pyrénées, Corse.
P Plante qui se contente de peu de lumière.

Ortie jaune
Lamiastrum galeobdolon

C 20-60 cm. Fleurs jaunes, 15-25 mm (avril-juin), à l'aisselle des feuilles supérieures ; lèvre inférieure trilobée, tachetée de rougeâtre ; corolle velue extérieurement.
Feuilles pétiolées, ovales, dentées, peu velues, opposées en croix sur la tige quadrangulaire.
H Forêts de feuillus. Rare ou absente : Midi méditerranéen, Corse.
P Produit des rejets qui s'enracinent à leur extrémité.
Sols riches, pierreux ou non.

Sauge
Salvia glutinosa

C 40-80 cm. Fleurs jaune clair, 3-4 cm de long (juillet-septembre), ponctuées de brun-rouge, par 4-8 en 6-10 verticilles ;
corolle 3 fois plus longue que le calice velu, visqueux-glanduleux.
Tiges et feuilles également velues, visqueuses-glanduleuses.
Feuilles pétiolées, ovales, dentées, acuminées.
H Forêts de feuillus et mixtes, mégaphorbiaies (jusqu'à 1500 m).
Alsace, Jura, Cévennes, Alpes, Pyrénées orientales. Sites ombragés.
P Pollinisée par des insectes (un mécanisme de levier retient le pollen sur le dos des insectes ; il parvient ainsi sur le stigmate).

Galéopsis versicolore
Galeopsis speciosa

C 50-100 cm. Fleurs de 2-3,5 cm (juin-octobre), jaune soufre sauf lobe central de la lèvre inférieure, violet ; calice de moitié plus court. Feuilles pétiolées, ovales-lancéolées, dentées, pointues. Tige velue-hérissée sous les nœuds, glabre ailleurs.
H Forêts claires, coupes, broussailles, décombres. Rare en France.
P Hybrides fréquents chez les *Galeopsis*.

Mélampyre des prés
Melampyrum pratense

C 10-50 cm. Fleurs jaune clair, 1-2 cm (mai-août), par paires, en épi lâche ; tube de la corolle rectiligne, 3 fois plus long que le calice (celui-ci a des sépales linéaires, appliqués). Tige dressée.
Feuilles lancéolées-linéaires, opposées, sessiles.
H Forêts de feuillus, landes, tourbières, coupes.
Absent : Midi méditerranéen, Corse.
P Espèce hémi-parasite, qui prélève la sève sur les racines de sa plante hôte (arbre), absorbant ainsi eau et sels minéraux.

Linaire vulgaire

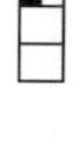

Linaria vulgaris

C 20-60 cm. Fleurs en grappes (juin-septembre), jaune soufre à gorge orangée (éperon droit, long de 2-3 cm). Tige non ramifiée, à nombreuses feuilles linéaires-lancéolées, glauques.
H Bords des chemins, fossés, carrières, murs, talus.
P Se propage par rejets souterrains. Jadis, employée pour jaunir le linge.

Rhinanthe

Rhinanthus alectorolophus

C 20-60 cm. Fleurs jaunes (mai-septembre) sauf pointe violette sur la lèvre supérieure, disposées en épi à l'aisselle de bractées dentées, velues, opposées. Feuilles lancéolées-allongées, dentées.
H Prairies grasses, champs, « pelouses ». Jusqu'à 2 300 m.
P Les graines sèches font du bruit si le calice est agité. Espèce hémi-parasite (prélève eau et sels minéraux dans les racines de sa plante hôte). Pollinisation par bourdons.

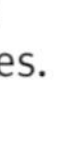

Digitale à grandes fleurs

Digitalis grandiflora

C 40-120 cm. Fleurs jaune clair ou ocre, 3-4 cm (juin-août), en grappe unilatérale à l'extrémité de la tige ; corolle ventrue, tachetée de brun à l'intérieur. Calice, tige et pétioles velus-glanduleux. Feuilles lancéolées, finement dentées, luisantes dessus, duveteuses au bord et dessous.

H Forêts de feuillus et mixtes, coupes, lisières, lieux rocheux.
P Contient de la digitaline (glucoside) employée jadis pour soigner les affections cardiaques et du système circulatoire (actuellement, substance obtenue par synthèse).

Utriculaire P

Utricularia vulgaris

C 15-35 cm. Espèce aquatique flottante. Fleurs jaune d'or, 15-20 mm (juin-août) par 3-15, en grappes au-dessus de la surface de l'eau. Lèvre inférieure en selle, bords réfléchis.
Feuilles divisées en fines lanières avec 10-100 vésicules (utricules).
H Eaux dormantes (mares, fossés, étangs). Assez rare.
P Avec ses vésicules, capture et « digère » de petits insectes aquatiques.

Balsamine à petites fleurs

Impatiens parviflora

C 20-60 cm. Petites fleurs de 8-10 mm (mai-octobre), dressées, à éperon rectiligne, par 4-10 en grappes dominant les bractées ; corolle jaune pâle. Tige charnue, renflée aux nœuds. Feuilles ovales, dentées, acuminées.
H Forêts de feuillus et de résineux, chemins, bord de l'eau. Localisée.
P En général, forme de grands massifs. Fruits : capsules qui s'ouvrent brusquement comme celles de *I. noli-tangere* (v. ci-dessous). Originaire d'Asie orientale, d'abord introduite dans les jardins.

Impatiente, balsamine des bois

Impatiens noli-tangere

C 30-80 cm. Fleurs de 2-3 cm (juillet-septembre), jaunes, en grappes de 2-4 ; pétales ponctués de rouge (gorge), soudés par 2, éperon incurvé en bas ; inflorescence ne dépassant pas les bractées. Tiges translucides, rameuses. Feuilles ovales, dentées, alternes.
H Forêts humides de feuillus, forêts riveraines, bord de l'eau, plus rare dans les forêts de résineux. Surtout Est, Centre, Pyrénées.
P Généralement en colonies importantes. Comme chez l'espèce précédente, les fruits éclatent au contact et projettent les graines jusqu'à 2 m ; cette détente est due à la séparation des 2 moitiés, qui s'enroulent aussitôt.

Sabot-de-Vénus P

Cypripedium calceolus

C 20-50 cm. Orchidée. Fleurs solitaires ou par 2, 6-9 cm (mai-juillet), à grande lèvre inférieure (labelle) renflée (3-4 cm), entourée de 4 divisions brun-pourpre lancéolées, plus ou moins enroulées. Feuilles elliptiques larges, vert clair, embrassantes, nervures finement velues.
H Forêts de feuillus et de résineux sur sols calcaires. Alpes, Cévennes, Pyrénées, Nord-Est.
P Espèce protégée. Le sabot (labelle) est un piège pour les insectes butineurs, qui ne peuvent en sortir qu'en assurant la pollinisation, car ses parois sont lisses et grasses.

Stratiote faux-aloès P

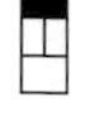

Stratiotes aloides

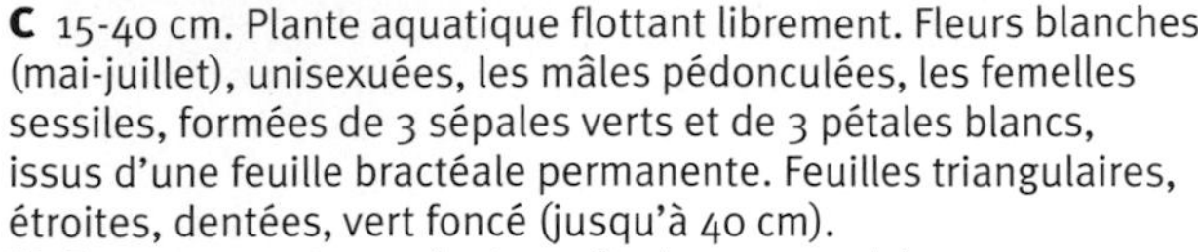

C 15-40 cm. Plante aquatique flottant librement. Fleurs blanches (mai-juillet), unisexuées, les mâles pédonculées, les femelles sessiles, formées de 3 sépales verts et de 3 pétales blancs, issus d'une feuille bractéale permanente. Feuilles triangulaires, étroites, dentées, vert foncé (jusqu'à 40 cm).
H Eaux stagnantes ou lentes, alluvions, eaux riches en éléments nutritifs.
P Localisée. Introduite. Forme souvent des massifs denses. Propagation par rejets.

Plantain d'eau

Alisma plantago-aquatica

C 20-100 cm. Fleurs de 5-8 mm (juin-septembre), à long pédoncule (2 cm), disposées en panicule, hermaphrodites ; 3 sépales verts, ovales, 3 pétales 2-3 fois plus grands, blanchâtres ou roses avec onglet jaune à la base. Feuilles aériennes longuement pétiolées, spatulées, en rosette au-dessus de l'eau, feuilles submergées sessiles et linéaires.
H Marais, étangs, fossés.
P Feuilles et souche toxiques.

Caille-lait blanc

Galium mollugo

C 30-100 cm. Fleurs blanches, 2-5 mm (mai-septembre), en panicule ; pédoncule un peu plus long que la fleur ; 4 pétales étalés, terminés en pointe fine. Feuilles (2-8 mm de large), lancéolées, lisses, plates ou un peu enroulées au bord, généralement par 8 en verticilles. Tiges quadrangulaires, ascendantes.
H Prairies grasses, lisières, forêts claires.
P Contient des ferments jadis employés pour faire cailler le lait.

Reine des bois, aspérule odorante

Galium odoratum

C 10-30 cm. Fleurs blanches, 5 mm (avril-mai), odorantes, situées à l'extrémité de la tige quadrangulaire en corymbe terminal ; corolle à 4 pétales, en entonnoir. Feuilles en verticilles par 6-9, lancéolées-pointues.
H Forêts de feuillus et mixtes, souvent en massifs. Surtout Est, Sud-Est, Centre, Nord-Ouest, Pyrénées, Corse.
P Contient de la coumarine (odeur). Employée en parfumerie et comme aromate.

Bourse-à-pasteur

Capsella bursa-pastoris

C 10-50 cm. Fleurs blanches, 4-5 mm (janvier-décembre), en grappe terminale, généralement en même temps que des fruits triangulaires (silicules). Pétales plus longs que les sépales verts. Feuilles caulinaires non divisées, embrassantes par de larges oreillettes ; feuilles basales en rosette, lobées-découpées.
H Bords des chemins, champs, jardins, décombres.
P Plante des terres cultivées, très polymorphe.

Monnoyère

Thlaspi arvense

C 15-40 cm. Fleurs blanches, 4-5 mm (avril-octobre), en grappes terminales. Sous les fleurs, ensemble de petites siliques (fruits) ailées, orbiculaires (diamètre : 10-18 mm), échancrées. Feuilles basales (= radicales) pétiolées, ovales ; les caulinaires lancéolées, sessiles ; tige anguleuse.
H Champs, jardins, décombres. Rare : Midi méditerranéen.
P Mauvaise herbe des terres cultivées. Les graines sont projetées hors des fruits.

Radis-ravenelle

Raphanus raphanistrum

C 20-60 cm. Fleurs blanches à jaunâtres, 2-3 cm (juin-août), striées de violet ou de jaune clair ; sépales dressés. Fruits : longues siliques (jusqu'à 10 cm) avec étranglements et bec terminal. Feuilles pétiolées, les supérieures entières, irrégulièrement dentées, les inférieures lobées-lyrées.
H Mauvaise herbe des cultures, très commune.
P Considérée comme une forme sauvage du radis cultivé.

Alliaire

Alliaria petiolata

C 20-100 cm. Fleurs blanches, jusqu'à 6 mm (avril-juin), en grappe terminale. Tiges anguleuses, velues à la base. Feuilles inférieures réniformes échancrées, les supérieures brièvement pétiolées, triangulaires, irrégulièrement dentées.
H Forêts de feuillus, haies, décombres.
Rare : Midi méditerranéen, Corse.
P Les feuilles froissées répandent une odeur d'ail.
Jadis, plante médicinale.

Pavot des Alpes

Papaver sendtneri

C 5-20 cm. Grandes fleurs blanches, jusqu'à 4 cm (juillet-août), terminales, à nombreuses étamines et stigmate généralement à 5 rayons. Feuilles en rosette basale, glauques, 1-2 fois pennées, extrémité généralement pointue. Tige : poils jaunes et raides.
H Éboulis dans les Alpes calcaires. Rare.
P Forme généralement d'importants massifs. Fleurs odorantes. Racine pivotante profonde, les latérales servant à la nutrition.

Pulsatille des Alpes

Pulsatilla alpina

C 10-30 cm. Fleurs blanches (juin-juillet), pétales velus-laineux extérieurement, teintés de bleu ; au-dessous de la fleur, courtes feuilles bractéales largement pétiolées. Feuilles radicales à 3 divisions découpées, velues (incision des segments terminaux n'atteignant pas la nervure médiane).
H Alpages rocheux (1 000-2 400 m). Montagnes. Calcicole.
P *Pulsatilla apiifolia* (p. 96) est aussi considérée comme une sous-espèce calcifuge. Fruits terminés par une arête plumeuse, issue des ovaires allongés et velus.

Renoncule des Alpes

Ranunculus alpestris

C 5-10 cm. Fleurs blanches, 2-3 cm (juin-septembre), au bout d'une hampe (tige sans feuilles) ; 5 sépales glabres, plus courts que les 5 pétales nectarifères en cœur. Feuilles arrondies, échancrées à 3-5 lobes, luisantes, base en cœur.
H Alpages humides sur sols calcaires, combes à neige (1 500-2 500 m). Jura, Alpes, Pyrénées.
P Les feuilles se déploient sous la neige et les fleurs apparaissent très vite après que celle-ci a fondu. Feuilles très odorantes, consommées par le chamois (p. 522).

Renoncule flottante

Ranunculus fluitans

C 1-6 m. Fleurs de 1-2 cm (juin-août), blanches, pédonculées, à 5-12 pétales jaunes à la base ; 5 sépales verts.
Très longues tiges nues, flottantes, garnies de feuilles submergées, finement divisées. Pas de feuilles flottantes.
H Cours d'eau rapides, où elle forme d'épais massifs.
P Pollinisation et fructification contrariées par les crues.

Anémone des bois, anémone Sylvie

Anemone nemorosa

C 10-25 cm. Fleurs blanches, 2-4 cm (mars-avril), souvent teintées de mauve rougeâtre, étamines jaunes ; en général, une seule fleur. Feuilles à 3 folioles découpées, irrégulièrement dentées.
H Forêts de feuillus et de résineux, clairières, fourrés. Absente : Midi méditerranéen, sud des Alpes.
P Forme de très vastes massifs. L'une des fleurs printanières les plus typiques en forêt. Pollen et graines dispersés par des insectes.

Rose de Noël, hellébore noir P

Helleborus niger

C 10-30 cm. Fleurs de 5-8 cm (février-avril), solitaires, blanches ou rougeâtres, pétales nectarifères vert-jaune, en cornet. Tige épaisse, charnue, avec bractées écailleuses. Feuilles coriaces, persistantes, vert foncé, à 7-9 divisions.
H Alpes orientales (forêts, fourrés) sur sol riche en humus. Jusqu'à 1 800 m.
P Cultivée, issue d'une souche noire. Fleurit dès Noël si l'hiver est doux. Plante médicinale (contient des glucosides toxiques).

Saxifrage aizoon

Saxifraga paniculata (= S. aizoon)

C 5-45 cm. Fleurs de 10-15 mm (mai-août), blanches à jaunâtres, souvent ponctuées de rouge, en grappes sur les rameaux latéraux ; pédoncule glanduleux à l'extrémité, issu d'une rosette hémisphérique de feuilles dentées (jusqu'à 5 cm et 6 mm de large) fortement ciliées-raides à la base et pourvues, au bord, d'incrustations calcaires.
H Montagnes, roches calcaires, éboulis, crevasses. Jusqu'à 3 000 m (Alpes).
P Supporte des températures très basses (sites « extrêmes »). Les petites feuilles coriaces transpirent très peu.

Oxalis petite oseille

Oxalis acetosella

C 5-15 cm. Fleurs blanches à roses (avril-mai), solitaires, veinées de pourpre. Feuilles radicales pétiolées, à 3 divisions, semblables à celles du trèfle.
H Forêts humides de feuillus et de résineux. Rare : Ouest (localement), Centre, Midi méditerranéen, Sud-Ouest.
P Issu d'un rhizome ramifié. Contient de l'acide oxalique, responsable du goût acide des feuilles.

Pirole (= pyrole) à une fleur

Moneses uniflora

C Fleur solitaire, blanche, penchée, 15-20 mm (mai-juillet), sur une hampe de 3-10 cm. Pétales étalés en roue, style long et droit, entouré par les étamines. Feuilles sempervirentes (jusqu'à 2 cm), ovales plus ou moins allongées, finement dentées, longuement pétiolées, à base courbée, en rosette, radicale.
H Forêts claires de résineux, chênaies.
P Vit en symbiose avec des champignons mycorhiziens, qui apportent eau et sels minéraux aux racines.

Parnassie des marais P

Parnassia palustris

C 10-45 cm. Fleurs blanches (juillet-septembre), à l'extrémité d'une hampe anguleuse. 5 pétales très nervurés ; au centre, 5 étamines et 5 pétales nectarifères vert-jaune, terminés par une glande jaune. Une feuille sessile, en cœur entière, sur le tiers inférieur de la hampe. Feuilles en rosette radicale, longuement pétiolées, cordifomes-ovales.
H Prairies marécageuses, tourbières plates, « pelouses » en montagne. Rare : Midi.
P Espèce variant selon la température (dans les stations froides, les fleurs ne mesurent généralement que 1 cm).

Trèfle d'eau P

Menyanthes trifoliata

C 10-40 cm. Plante issue d'un axe rampant, généralement submergé. Fleurs blanc rosé (mai-juin), en grappes, à 5 divisions rabattues, frangées ; étamines violettes. Feuilles à long pétiole engainant, émergées, à 3 folioles.
H Absent localement. Tourbières, prairies marécageuses, fossés, mares, étangs.
P Jadis, plante médicinale (fébrifuge).

Ail des ours

Allium ursinum

C 20-50 cm. Fleurs blanches, 15 mm (avril-juin), en ombelle plate ou hémisphérique ; pétales lancéolés, pointus. Feuilles longuement pétiolées, ovales à lancéolées. Hampe florale à section triangulaire.
H Forêts riveraines, forêts humides de feuillus et mixtes. Absent localement dans Sud-Est et Sud-Ouest.
P Forme de vastes massifs. Forte odeur d'ail ; jadis, plante médicinale.

Silène enflé

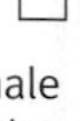

Silene vulgaris

C 10-50 cm. Fleurs blanches (juin-septembre), en panicule terminale (tige dressée). Calice renflé, ovoïde, pâle, réticulé (20 nervures) ; pétales profondément divisés en 2. Feuilles elliptiques à lancéolées, glauques.
H « Pelouses » sèches, bords des chemins, talus, graviers.
P Espèce polymorphe ; nectar abondant (visité et pollinisé par des papillons nocturnes.

Compagnon blanc

Silene latifolia (= S. alba, Melandrium album)

C 30-100 cm. Fleurs de 2-3 cm (juin-septembre), blanches ; pétales bilobés ; calice renflé, dents triangulaires étroites, obtuses. Tige dressée, rameuse, glanduleuse en haut, à pilosité molle. Feuilles lancéolées-larges à ovales, les inférieures pétiolées, les supérieures sessiles.
H Champs, décombres, bords des chemins.
P Fleurs odorantes, s'ouvrant l'après-midi (certaines mâles, d'autres femelles). Pollinisation par des papillons nocturnes.

Céraiste des champs

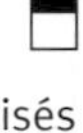

Cerastium arvense

C 5-30 cm. Fleurs de 15-20 mm (avril-septembre), à pétales divisés en 2, presque 2 fois plus longs que le calice ; 5 styles ; calice et pédoncule velus-glanduleux. Fleurs en panicule ombelliforme lâche, dichotome. Feuilles lancéolées, toutes sessiles, à l'aisselle des bourgeons ou pousses latérales. Feuilles bractéales largement membraneuses au bout. Tiges et feuilles brièvement velues, mais pas feutrées et blanches.
H Champs (dérayures), chemins, dunes, talus.
P Entomogamie. Graines dispersées par des fourmis.

Stellaire holostée

Stellaria holostea

C 10-40 cm. Fleurs blanches, 2-3 cm (avril-juin) ; 5 pétales divisés en 2 lobes ; calice atteignant la moitié de la corolle. Tige quadrangulaire à la base, peu velue en haut. Feuilles opposées, toutes sessiles, raides, linéaires-lancéolées.
H Forêts de feuillus, forêts riveraines, haies, fourrés. Absente : Alpes, Midi méditerranéen, Corse.
P Fleurs disposées en cymes bipares (le pédoncule central se divise en 2 ; pédoncules latéraux eux-mêmes divisés en 2).

Mouron des oiseaux

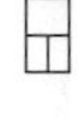

Stellaria media

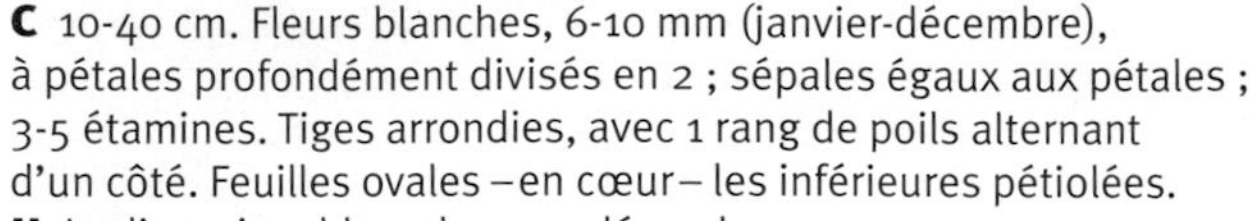

C 10-40 cm. Fleurs blanches, 6-10 mm (janvier-décembre), à pétales profondément divisés en 2 ; sépales égaux aux pétales ; 3-5 étamines. Tiges arrondies, avec 1 rang de poils alternant d'un côté. Feuilles ovales – en cœur – les inférieures pétiolées.
H Jardins, vignobles, champs, décombres.
P Indique un sol riche en azote. Mauvaise herbe des cultures. Répartition mondiale. Plante médicinale.

Morelle noire

Solanum nigrum

C 30-100 cm. Fleurs de 5-8 mm (juin-octobre), blanches ; étamines soudées en colonne jaune ; pétales étalés à réfléchis ; inflorescence lâche. Tiges peu velues à glabres. Feuilles ovales, entières, sinuées. Baies jaune-vert, puis noires.
H Champs, décombres. Mauvaise herbe des cultures.
P Contient des alcaloïdes toxiques (surtout dans les baies) ; odeur désagréable. 2 sous-espèces.

Dompte-venin

Vincetoxicum hirundinaria (= officinalis)

C 30-120 cm. Fleurs blanches à crème, 4-7 mm (mai-juillet), en entonnoir, disposées en corymbes ; petite paracorolle. Tiges dressées. Feuilles ovales-lancéolées, pointues.
H Forêts claires et mixtes, lisières, talus.
P Espèce très toxique. Pollinisation par des mouches ; retenues par des corpuscules gluants entre 2 anthères, elles se libèrent quand elles emportent le pollen.

Raiponce en épi

Phyteuma spicatum

C 20-80 cm. Fleurs blanc crème (mai-août), en épi d'abord conique, puis cylindrique (4-10 cm de long) ; pétales soudés au sommet. Feuilles en cœur, doublement dentées, les radicales pétiolées (pétioles plus courts en haut de la tige) ; feuilles supérieures sessiles.
H Prairies, forêts claires. Absente : Corse, Midi méditerranéen.
P Épaisse racine en forme de betterave. Pollinisation par des insectes (entomogamie) ; graines dispersées par le vent (anémochorie).

Chênette

Dryas octopetala

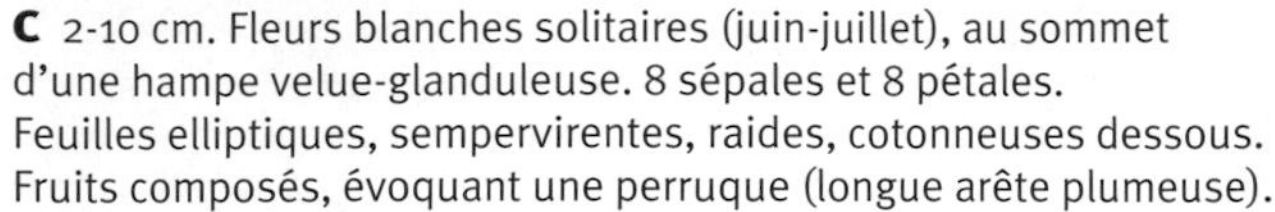

C 2-10 cm. Fleurs blanches solitaires (juin-juillet), au sommet d'une hampe velue-glanduleuse. 8 sépales et 8 pétales. Feuilles elliptiques, sempervirentes, raides, cotonneuses dessous. Fruits composés, évoquant une perruque (longue arête plumeuse).
H Alpages, rochers, éboulis, étage alpin (mais dès 500 m et jusqu'à 2 000 m). Jura, Alpes, Pyrénées.
P Longévité : 100 ans.

Fraisier des bois

Fragaria vesca

C 5-20 cm. Fleurs blanches (mai-juin), à l'extrémité d'une hampe velue ; pétales (5-6 mm) ; sépales étalés ou rabattus à la fructification. Feuilles à 3 folioles dentées, soyeuses dessous, peu velues dessus. Fruits : fraises rouges.
H Forêts (clairières), haies, fourrés.
P La fraise est un réceptacle grossi, à la surface duquel se trouvent les petits fruits secs (akènes). Multiplication par stolons. Fruits dispersés par l'homme et les animaux.

Reine des prés

Filipendula ulmaria

C 50-150 cm. Fleurs de 5-10 mm (juin-août), blanc crème, parfumées (odeur d'amande), en grappes rameuses. Tiges dressées, anguleuses. Feuilles composées, vert foncé, doublement dentées, foliole terminale à 3-5 lobes.
H Fossés, prairies humides, tourbières plates et intermédiaires. Absente en Corse ; rare : Midi méditerranéen.
P Plante médicinale dépurative et anti-inflammatoire (contient flavonoïdes, hétérosides phénoliques).

Persil sauvage

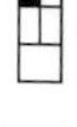

Anthriscus silvestris

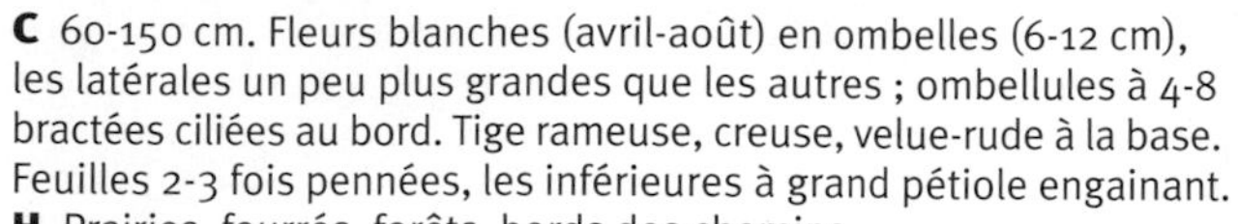

C 60-150 cm. Fleurs blanches (avril-août) en ombelles (6-12 cm), les latérales un peu plus grandes que les autres ; ombellules à 4-8 bractées ciliées au bord. Tige rameuse, creuse, velue-rude à la base. Feuilles 2-3 fois pennées, les inférieures à grand pétiole engainant.
H Prairies, fourrés, forêts, bords des chemins.
P Souvent en massifs ; indicateur d'azote. Proche du persil cultivé *(A. cerefolium)* dont les ombelles ont seulement 2-5 rameaux et dont les tiges sont finement striées.

Herbe aux goutteux

Aegopodium podagraria

C 50-100 cm. Fleurs blanches (mai-septembre), petites, en ombelles à 12-20 rameaux ; pas de bractées ni de bractéoles. Tige anguleuse, striée. Feuilles : 2 à 3 divisons, celles-ci à 3 folioles.
H Forêts humides, bords des chemins, haies, berges. Rare : Midi, Corse, Ouest, Sud-Ouest.
P Se propage par rejets souterrains (à éliminer dans les jardins). Jadis, plante médicinale.

Berce

Heracleum sphondylium

C 30-250 cm. Fleurs blanches (juin-octobre), en ombelles (jusqu'à 20 cm), à 15-45 rameaux ; bractées absentes, bractéoles lancéolées. Tige (diamètre : 4-20 mm) creuse, sillonnée et velue. Feuilles (jusqu'à 40 cm) lobées ou pennées, les inférieures pétiolées ; les supérieures sessiles (gaine renflée).
H Prairies, bords des chemins, lisières, fossés, fourrés, berges. Absente : Midi méditerranéen.
P Entomogamie (mouches, coléoptères). Les insectes sont souvent visibles sur les ombelles. Jadis, plante médicinale.

Carotte sauvage

Daucus carota

C 50-120 cm. Fleurs blanches (mai-septembre), en ombelle un peu convexe ; une fleur purpurine souvent au milieu ; bractées (involucre) en lanières. À la fructification, l'ombelle se contracte et prend l'aspect d'un nid. Tiges ciliées. Feuilles très découpées.
H Prairies, bords des chemins, terrains incultes.
P À l'origine de la carotte cultivée *(D. sativus)*. Racine à odeur de carotte. Jadis, plante médicinale (riche en vitamines).

Sanicle

Sanicula europaea

C 20-50 cm. Fleurs blanches ou jaunâtres, 3 mm (mai-juillet), en têtes formant des ombelles. Feuilles radicales pétiolées, palmées-lobées (3-5 lobes), sempervirentes ; les caulinaires presque sessiles.
H Forêts de feuillus et de résineux.
Absente localement : Midi, Sud-Ouest.
P Jadis, plante médicinale (contient acide silicique, tanins et principes amers) utilisée pour soigner blessures et hémorragies internes. Fruits globuleux à soies crochues, se fixant au pelage des mammifères, qui les dispersent.

Grande astrance, grande radiaire

Astrantia major

C 30-100 cm. Fleurs blanches (juin-août), roses ou verdâtres, en ombelles arrondies, celles-ci avec bractées lancéolées verdâtres à roses. Feuilles radicales palmées (3-7 segments dentés), à long pétiole ; les caulinaires peu nombreuses.
H Forêts riveraines, forêts de résineux, alpages, ravins. Montagnes.
P Les ombelles ont l'aspect de grandes fleurs qui attirent les insectes. Fleurs femelles paraissant avant les mâles (protogynie), ce qui empêche l'autofécondation.

Carline, baromètre

Carlina acaulis

C 3-50 cm. Capitules de 4-15 cm (août-septembre), formés de fleurs tubuleuses, entourées de bractées argentées et étalées (3-5 cm de long). Feuilles (8-25 cm) en rosette basale, épineuses comme les feuilles caulinaires pennées.
H « Pelouses » en terrain calcaire, bois clairs, lieux ensoleillés. Montagnes et plateau de Langres. Absente : Massif central.
P Les bractées argentées se replient par temps humide et s'étalent par temps sec (hygrométrie). Entomogamie, dispersion des graines par le vent.

Millefeuille

Achillea millefolium

C 15-80 cm. Fleurs ligulées blanches ou roses, 3-6 mm (mai-octobre) ; fleurs tubuleuses blanches ; bractées bordées de brun. Feuilles alternes, très divisées, segments linéaires nombreux.
H Prairies, « pelouses » sèches, bords des chemins.
P Plante médicinale (vulnéraire et digestive).

Grande marguerite

Leucanthemum vulgare

C 20-100 cm. Capitules de 3-5 cm (mai-octobre), à fleurs ligulées blanches et fleurs tubuleuses jaunes, à l'extrémité d'une tige dressée, raide. Feuilles inférieures pétiolées, dentées, les supérieures sessiles, lancéolées, dentées.
H Prairies, bords des chemins.
P Espèce polymorphe (identification des sous-espèces difficile). Entomogamie et anémochorie (dispersion des graines par le vent).

Matricaire

Tripleurospermum perforatum

C 10-50 cm. Capitules de 3-4 cm (juillet-octobre). Fleurs tubuleuses centrales jaunes, 12-20 fleurs ligulées blanches, étalées. Inodore. Feuilles 2-3 fois divisées, segments longs, filiformes. Tige ramifiée seulement en haut.
H Décombres, terrains vagues, champs, bords des chemins.
P Sans valeur médicinale, contrairement aux camomilles (ci-dessous), car n'a presque pas d'esters.

Camomille ordinaire

Matricaria chamomilla

C 15-40 cm. Capitules (mai-août) à fleurs ligulées blanches vite rabattues, les tubuleuses jaunes, à 5 dents. À l'inverse de la matricaire, réceptacle creux et odeur aromatique. Feuilles 2-3 fois divisées, à segments linéaires.
H Champs, terrains vagues, décombres, bords des chemins.
P Renferme des esters ayant une action anti-inflammatoire et calmante. Encore employée en phytothérapie (tisane).

Pâquerette

Bellis perennis

C 3-20 cm. Capitules de 10-25 mm (janvier-décembre), sur une hampe. Fleurs ligulées blanches à roses, les tubuleuses centrales, jaunes. Feuilles spatulées à ovales, en rosette radicale.
H Lieux herbeux, prairies, jardins, bord des champs, gazons.
P A besoin de beaucoup de lumière. Cultivée.

Galinsoga ciliata

Galinsoga ciliata

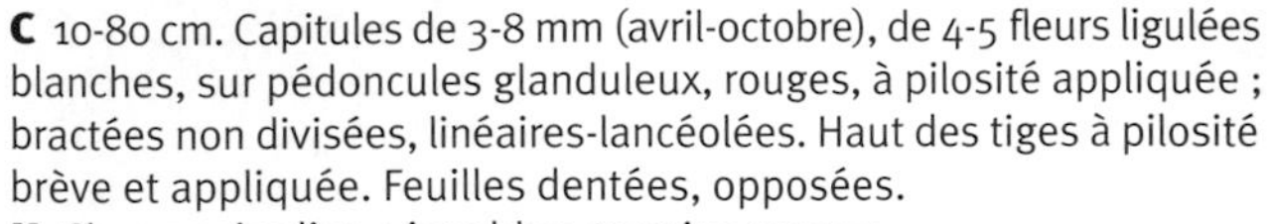

C 10-80 cm. Capitules de 3-8 mm (avril-octobre), de 4-5 fleurs ligulées blanches, sur pédoncules glanduleux, rouges, à pilosité appliquée ; bractées non divisées, linéaires-lancéolées. Haut des tiges à pilosité brève et appliquée. Feuilles dentées, opposées.
H Champs, jardins, vignobles, terrains vagues.
P Originaire d'Amérique du Sud et centrale, introduite en Europe au milieu du XIXe siècle. Souvent confondue avec *G. parviflora*, qui a des bractées trilobées.

Pétasite

Petasitus albus

C 15-35 cm. Capitules de 8-10 mm (mars-mai), blancs à jaunâtres, disposés en grappe dense ; écailles pâles au-dessous.
Feuilles (jusqu'à 40 cm de large et 1 m de long) radicales, paraissant après les fleurs, pétiole comprimé latéralement, sillonné dessus, limbe arrondi en cœur, blanchâtre dessous, lobé à la base qui laisse le pétiole libre, bord doublement denté.
H Sites humides près des cours d'eau, ravins forestiers, alpages, zone des arbres nains en montagne (jusqu'à 1800 m).
Absent : Pyrénées.
P En général, forme de grands massifs.
Entomogamie : dispersion des graines par le vent.

Edelweiss P

Leontopodium alpinum

C 5-10 cm. Espèce bien connue. 5-6 capitules en panicule ombelliforme terminale, entourés par 5-13 bractées lancéolées laineuses et blanches (juillet-septembre), souvent prises pour des pétales. Feuilles lancéolées, laineuses dessous.
H Montagnes, pentes ensoleillées, fentes des rochers, éboulis (1600-3000 m). Jura, Alpes, Pyrénées.
P Son épaisse pilosité lui permet de résister à la sécheresse (transpiration limitée par l'air emprisonné dans ce feutrage). Supporte aussi l'ensoleillement, car les poils réfléchissent la lumière.

Nénuphar blanc

Nymphaea alba

C Atteint 3 m. Fleurs (juin-octobre) formées d'environ 20 pétales blancs, en spirale, entourés par 4 sépales verts, presque aussi longs ; nombreuses étamines jaunes au centre ; stigmate à 11-22 rayons, aplati. Grandes feuilles flottantes, lobes de la base largement espacés, reliées à un très long pétiole élastique, issu d'une souche épaisse, rampante, enfoncée dans la vase.
H Étangs, lacs, bras morts des cours d'eau. Rare : Midi méditerranéen.
P Les fleurs s'ouvrent entre 7 et 16 h environ, puis se referment très vite. De nombreux poissons pondent sous les feuilles.

Liseron des haies

Calystegia sepium

C 1-3 m. Fleurs blanches, 3-6 cm (juin-septembre), en entonnoir ; filet des étamines très glanduleux sur leur moitié inférieure ; calice entouré par 2 bractéoles en cœur, dépassant les sépales. Fleurs à l'aisselle des feuilles (8-15 cm de long), en cœur. Tiges volubiles, s'enroulant autour d'autres végétaux ; multiplication par rhizomes.
H Haies, jardins, champs, bords des chemins, palissades. Rare : Corse, Midi méditerranéen.
P Pollinisé par des papillons nocturnes à longue trompe. 2 sous-espèces.

Crocus

Crocus albiflorus

C 8-15 cm. Fleurs (mars-juin) blanches, plus rarement mauves ou striées de violet, pétales (2,5 cm, larges de 8 mm) soudés en tube à la base, un peu velus à l'intérieur ; style jaune vif. Floraison avant les feuilles, qui sont radicales, linéaires avec une bande médiane blanche. Fleurs et feuilles issues d'un bulbe.
H Sites humides dans alpages, en montagne, jusqu'à 2 700 m. Rarissime dans les Vosges.
P Forme généralement de vastes colonies. Nouveau bulbe chaque année. Entomogamie. De nombreux crocus sont cultivés dans les jardins ; *C. sativus* l'est pour l'obtention du safran.

Perce-neige P

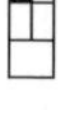

Galanthus nivalis

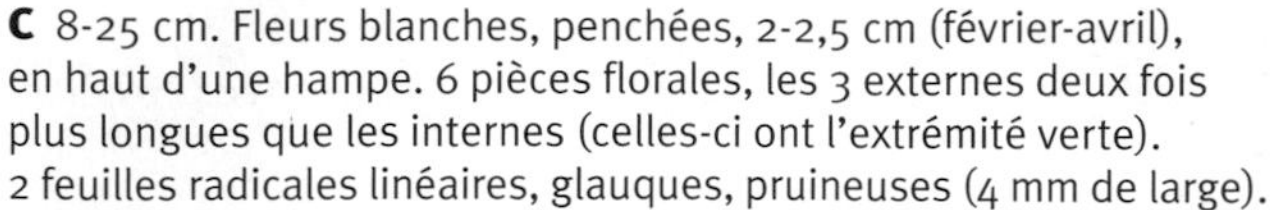

C 8-25 cm. Fleurs blanches, penchées, 2-2,5 cm (février-avril), en haut d'une hampe. 6 pièces florales, les 3 externes deux fois plus longues que les internes (celles-ci ont l'extrémité verte). 2 feuilles radicales linéaires, glauques, pruineuses (4 mm de large).
H Forêts de feuillus, prairies humides, fourrés. Pyrénées, Centre et partie de l'Ouest.
P Souvent échappé des jardins.

Nivéole P

Leucojum vernum

C 10-30 cm. Fleurs en cloche, pendantes, solitaires, rarement par 2 (février-avril). 6 pétales blancs à extrémité jaunâtre ou verdâtre, qui ont la même longueur ; une spathe parcheminée entoure la hampe. Feuilles linéaires (20-30 cm), larges de 1 cm.
H Forêts humides de feuillus, ravins forestiers, alpages. Nord-Est et Sud-Est.
P Espèce toxique. Forte odeur. Entomogamie.

Muguet

Convallaria majalis

C 10-25 cm. Fleurs blanches, en grelot, penchées, 5-8 mm (avril-juin), en grappe unilatérale sur une hampe ; parfumées. Pétales soudés à la base, extrémité rabattue. Feuilles (2-3) lancéolées entourant la hampe.
H Forêts de feuillus, fourrés, sur sols calcaires. Absent : Midi méditerranéen.
P Contient des glucosides toxiques agissant sur le cœur. Fruits : baies rouges, graines bleues, dispersées par des animaux. Pollinisation par des insectes.

Maianthème à deux feuilles

Maianthemum bifolium

C 5-20 cm. Fleurs blanches, 3-5 mm (avril-juin), à 4 divisions, en grappe de 8-15. Deux feuilles brièvement pétiolées en cœur-ovales (une seule chez les pieds qui ne fleurissent pas). Issu d'un rhizome.
H Forêts de feuillus et de résineux, à l'ombre sur sols riches en humus. Jusqu'à 1800 m. Nord, Nord-Est, Sud-Est, Pyrénées (localement).
P Indique l'acidité du sol. Fruits rouges dispersés par des animaux.

Sceau-de-Salomon multiflore

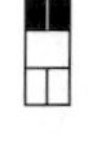

Polygonatum multiflorum

C 30-70 cm. Fleurs inodores, tubuleuses, blanches teintées de vert (mai-juin), en inflorescence unilatérale, groupées par 2-5 à l'aisselle des feuilles ; filet des étamines velu. Tige ronde. Feuilles lancéolées, alternes, sur 2 rangs opposés. Fruits d'abord rouges, puis bleu-noir (6 mm).
H Forêts de feuillus et de résineux, jusqu'à 1800 m. Absent : sud du Sud-Est et Corse.
P Plante médicinale toxique. Sur le rhizome, cicatrices (en forme de sceau) des pousses mortes. Pollinisé par des bourdons ; dispersion des graines par divers animaux.

Sceau-de-Salomon

Polygonatum odoratum (= P. officinale)

C 15-40 cm. Fleurs (mai-juin) parfumées, réunies par 1 ou 2 à l'aisselle des feuilles, contrairement à celles de l'espèce précédente. 6 pétales soudés en tube (5-7 mm de large), terminés en pointe verte ; filet des étamines glabre. Feuilles elliptiques, embrassantes, en 2 rangs, sur tige anguleuse, inclinée.
H Forêts claires de feuillus, lisières, pentes caillouteuses, pinèdes. Absent du Midi méditerranéen.
P Plante toxique (jadis, plante médicinale, comme le précédent). Les glucosides existent aussi chez le muguet et les autres *Polygonatum*.

Calla des marais P

Calla palustris

C 15-30 cm. Fleurs réunies en spadice, 2-4 cm de long (mai-juillet), ovale-arrondi, couvert par elles jusqu'en haut, les inférieures généralement hermaphrodites, les supérieures mâles ; spadice entouré d'une gaine blanche (jusqu'à 7 cm de long). Feuilles en cœur-ovales, raides, issues d'une souche permanente, verte, rampante. Fruits : baies rouge corail.
H Bord des étangs, marais forestiers, aulnaies, tourbières. Rarissime : Lorraine, Alsace et Jura.
P Protégé. Jadis, employé pour soigner les morsures de serpents. Légèrement toxique. Pollinisé par des escargots.

Céphalanthère blanche

Cephalanthera damasonium

C 20-60 cm. Orchidée. Fleurs blanches à jaunâtres (mai-juin), par 3-10 en grappe lâche ; divisions externes longues de 15-20 mm ; labelle jaune-orange à l'intérieur ; bractées plus longues que l'ovaire. Feuilles ovales-lancéolées, à 5-10 nervures.
H Forêts de feuillus en terrain calcaire.
Absente : Corse, Bretagne, Sud-Ouest (localement).
P Les fleurs ne s'ouvrent guère et sont entomogames ou s'autofécondent. Espèce vivace grâce à son rhizome.

Epipactis des marais P

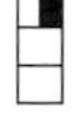

Epipactis palustris

C 20-50 cm. Orchidée. 8-15 fleurs en épi unilatéral (juin-août). Fleurs à 3 divisions externes brunâtres, les internes blanches ; labelle : partie externe blanche à nervures roses, partie basale blanche à nervures rouges. Tige anguleuse.
Feuilles (1-2 cm de large) lancéolées, gris-vert.
H Tourbières, marécages et avec la molinie (p. 240).
P Pollinisé par abeilles et guêpes, qui se posent sur le labelle.

Orchis à deux feuilles P

Platanthera bifolia

C 20-50 cm. Orchidée. Fleurs de 10-18 mm (mai-juillet), blanches, odorantes, en épi lâche (5-10 cm de long) ; divisions inférieures écartées, les supérieures formant un casque ; labelle non divisé, étroit, plus long que large ; pollinies parallèles ; éperon fin, long. Feuilles lancéolées.
H Forêts claires de feuillus et mixtes, « pelouses ».
Rare : Corse, Midi méditerranéen.
P Pollinisé par des papillons nocturnes à longue trompe.
Fruits : capsules à nombreuses graines.

Ortie blanche

Lamium album

C 20-50 cm. Ressemble à une ortie par la forme de ses feuilles. Fleurs blanches (avril-juin), en verticilles, à 2 lèvres, la supérieure en casque ; tube incurvé avec anneau de poils à l'intérieur. Feuilles pointues, dentées, non piquantes, opposées. Tiges quadrangulaires.
H Bords des chemins, haies, décombres.
Rare : Ouest, Sud-Ouest, Midi méditerranéen, Corse.
P Pollinisée par des bourdons. Plante médicinale.

Trèfle blanc, trèfle rampant

Trifolium repens

C 15-45 cm. Fleurs de 2-5 mm (mai-septembre), blanches, pédonculées, groupées en têtes globuleuses (8-12 mm) ; calice glabre, à 10 nervures ; fleurs fanées brun clair, rabattues. Tiges rampantes, s'enracinant aux nœuds.
Feuilles à 3 folioles finement dentées ; stipules membraneuses, à nervures rouge-violet ou vertes.
H Prairies, champs, bords des chemins, gazons.
P Contient des protéines qui en font un bon fourrage.

Mélilot blanc

Melilotus album

C 30-120 cm. Fleurs blanches, 4-5 mm (juin-septembre), pendantes, en grappes de 4-6 cm. Feuilles à 3 folioles, chacune à 6-12 paires de nervures et autant de dents. Fruits (3,5 mm) : gousses noirâtres.
H Bords des chemins, décombres, terrains vagues.
P Sent la coumarine comme l'aspérule odorante (p. 122). Plante mellifère et engrais vert riche en protéines.

Euphraise casse-lunettes

Euphrasia rostkoviana

C 5-25 cm. Fleurs blanches (juillet-octobre), à lèvre supérieure teintée de violet, lèvre inférieure trilobée, à nervures violettes, tache jaune sur la gorge ; la corolle atteint 15 mm pendant la floraison. Feuilles ovales, sessiles, velues-glanduleuses.
H « Pelouses », pâturages maigres, pentes sèches.
P Hémi-parasite d'autres végétaux herbacés (en extrait eau et sels minéraux). Jadis, plante médicinale employée pour soigner les affections des yeux (contient des esters et des tanins).

Grassette des Alpes P

Pinguicula alpina

C 5-25 cm. Fleurs blanches (mai-juin), à 2 lèvres (la supérieure bilobée, l'inférieure trilobée) ; 2 taches jaunes sur la gorge, éperon conique. Feuilles charnues, lancéolées, velues-glanduleuses visqueuses, en rosette radicale, bords enroulés.
Tige également velue-glanduleuse.
H Prairies humides, tourbières. Jusqu'à 2 500 m. Jura, Alpes, Pyrénées.
P Plante carnivore : les petits insectes retenus par la sécrétion visqueuse des feuilles sont digérés par des enzymes.

Coquelicot

Papaver rhoeas

C 20-80 cm. Fleurs rouge vif (mai-août) ; pétales (2-4 cm) souvent pourvus d'une tache noire à la base ; nombreuses étamines violet foncé, entourant l'ovaire, qui produit le fruit (capsule globuleuse). Pédoncule floral, tige et feuilles sont velus (poils écartés ou appliqués). Feuilles découpées, dentées.
H Bords des champs et des chemins, décombres.
P Contient un suc légèrement toxique. Plante médicinale.

Épilobe en épi, laurier de Saint-Antoine

Epilobium angustifolium

C 20-150 cm. Fleurs rose foncé, 2-3 cm (juin-septembre), en longues grappes ; pétales peu échancrés. Feuilles étroites (10-25 mm), lancéolées, sessiles, souvent ondulées au bord, glauques dessous. Fruits : capsules étroites (3-8 cm), velues, allongées, à 4 angles.
H Coupes forestières, clairières, lisières, décombres.
Localisé : Midi méditerranéen, Sud-Ouest.
P Pollinisé par des abeilles ; graines pourvues d'une longue aigrette.

Épilobe hérissé

Epilobium hirsutum

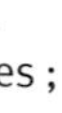

C 50-150 cm. Grappe florale feuillée. Fleurs de 10-20 mm (juillet-août), rose-pourpre, à 4 pétales ; style plus long que les 8 étamines ; stigmate en croix. Tige rameuse, ronde. Feuilles (6-12 cm) lancéolées, dentées, semi-embrassantes, éventuellement un peu décurrentes, pilosité molle. Fruits : capsules allongées, étroites, paraissant pendant la floraison.
H Fossés, prairies humides, bord de l'eau, lisières.
Rare : Midi méditerranéen.
P Graines pourvues de soies comme celles d'*E. angustifolium*.

Cardamine des prés

Cardamine pratensis

C 10-40 cm. Fleurs (15-25 mm) mauves, roses ou blanches (avril-juillet) ; étamines jaunes ; 4 sépales ; 4 pétales. Feuilles en rosette radicale à 3-11 folioles, les supérieures arrondies, les inférieures étroites ; feuilles caulinaires pennées, à folioles étroites. Tige ronde, creuse.
H Prairies humides, tourbières, forêts riveraines, bords de l'eau.
Rare : Corse, Midi méditerranéen.
P L'une des premières fleurs printanières des prairies.

Joubarbe P

Sempervivum arachnoideum

C 4-12 cm. Fleurs (juillet-septembre) rouge carmin pâle à l'extrémité d'une hampe dressée ; 8-10 pétales à nervure médiane foncée (7-10 mm de long). Feuilles en petites rosettes (diamètre : 13 cm), brun rougeâtre ayant des soies arachnéennes à l'extrémité. Feuilles caulinaires rouges au bout.
H Rochers, éboulis, vieux murs ; jusqu'à 2 900 m. Alpes, Massif central, Pyrénées.
P Espèce souvent cultivée dans les jardins.

Orpin, reprise

Sedum telephium

C 20-50 cm. Fleurs (juin-septembre) à 5 pétales, en panicule ombelliforme dense ; pétales généralement jaunes à pourpres. Feuilles charnues, ovales, dentées irrégulièrement, les caulinaires supérieures sessiles, arrondies à la base. Tiges dressées.
H Forêts sèches, rocailles, murs de pierre.
P *S. maximum* lui ressemble, mais a des fleurs jaune-vert.

Sanguisorbe

Sanguisorba officinalis

C 30-100 cm. Fleurs (juin-septembre) rouge foncé, groupées en têtes à l'extrémité des tiges ; hermaphrodites, ont 4 étamines et 1 style. Feuilles en rosette radicale, imparipennées, chaque segment (2-4 cm) pétiolulé, avec 12 dents de chaque côté, dessous glauque.
H Milieux humides (prairies tourbeuses, marécageuses, bords des chemins). Manque en Corse. Surtout en montagne.
P La souche contient des tanins et des saponines (jadis, plante médicinale soignant diarrhée et maux de rein).

Benoîte des ruisseaux

Geum rivale

C 20-60 cm. Fleurs penchées (avril-mai) sur tiges velues-glanduleuses ; pétales extérieurement rougeâtres, jaunes à l'intérieur ; calice brun-rouge, appliqué ; style coudé au milieu, velu. Feuilles radicales longuement pétiolées, pennées, grande foliole terminale trilobée ; feuilles caulinaires supérieures faiblement lobées. Souche à odeur d'essence de giroflée.
H Forêts riveraines, forêts marécageuses, bords des ruisseaux, prairies humides, aulnaies. Nord, Est, Sud-Est, Centre et Pyrénées.
P Pollinisée surtout par bourdons, qui percent la corolle pour atteindre le nectar. Ancienne plante médicinale.

Renouée bistorte
Polygonum bistorta

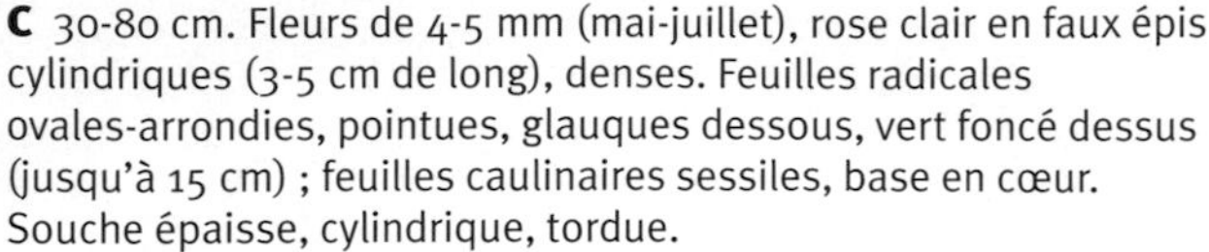

C 30-80 cm. Fleurs de 4-5 mm (mai-juillet), rose clair en faux épis cylindriques (3-5 cm de long), denses. Feuilles radicales ovales-arrondies, pointues, glauques dessous, vert foncé dessus (jusqu'à 15 cm) ; feuilles caulinaires sessiles, base en cœur. Souche épaisse, cylindrique, tordue.
H Prairies humides où elle forme de vastes colonies, fossés. Est, Sud-Est, Centre, Pyrénées et Nord-Ouest.
P La souche contient des tanins (jadis, plante médicinale). Plante mellifère.

Renouée amphibie
Polygonum amphibium

C 30-100 cm. Fleurs roses, 4 mm (juin-septembre), à 5 étamines, en fausse grappe terminale de 3-5 cm, sortant de l'eau chez la forme aquatique. Feuilles submergées vert foncé, coriaces, elliptiques-allongées, à long pétiole. Tige contenant des canaux aérifères.
H Eaux stagnantes ou lentes.
P Outre la forme aquatique, il existe une forme terrestre aux feuilles lancéolées et velues, vivant sur les rives, etc.

Valériane officinale
Valeriana officinalis

C 50-150 cm. Fleurs mauves à blanchâtres, 3-6 mm (juin-août), odorantes, en panicule ombelliforme. Tige nue.
Feuilles pennées, à 7-9 paires de segments, entières à dentées ; seules les inférieures sont pétiolées.
H Forêts humides, fourrés, fossés, prairies tourbeuses. Absente : Midi méditerranéen.
P Attire les chats. Plante médicinale employée comme calmant, contre les crampes (principes actifs extraits de la souche).

Butome, jonc fleuri
Butomus umbellatus

C 50-150 cm. Fleurs roses à nervures foncées (juin-août), en ombelle à l'extrémité d'une hampe ronde ; 6 divisions pétaliformes, 9 étamines et 6 carpelles. Feuilles coupantes, étroites, en rosette radicale (10 mm de large).
H Eaux stagnantes et lentes.
P Croît essentiellement sur les fonds vaseux.

Géranium herbe-à-Robert

Geranium robertianum

C 20-50 cm. Fleurs roses (mai-septembre) ; pétales (9-12 mm) à nervures fourchues ; anthères brun-rouge ; sépales (6-7 mm) de moitié plus courts que les pétales. Espèce très velue-glanduleuse. Feuilles très découpées, presque incisées jusqu'à la nervure médiane. Tiges rouges. Forte odeur désagréable.
H Jardins, vieux murs, lieux incultes, lisières, coupes.
Rare : Midi méditerranéen.
P Plante d'ombre, jadis médicinale. Graines expulsées par les fruits à long bec.

Mauve sylvestre

Malva sylvestris

C 40-120 cm. Fleurs mauves (mai-septembre) ; pétales (2,5-3 cm) 3-4 fois plus longs que les sépales, avec 3 lignes foncées, très ciliés à la base, profondément échancrés. Fleurs généralement par 2-6 à l'aisselle des feuilles ; celles-ci à 5-7 lobes dentés, cordiformes à arrondies, alternes.
H Bords des chemins, vieux murs, haies, décombres.
P Jadis, mangée comme légume. Plante médicinale.

Petite mauve

Malva neglecta

C 10-50 cm. Diffère de la précédente par ses pétales (1 cm), seulement 2 fois plus longs que le calice, profondément échancrés, roses à blancs ; fleurs (juin-novembre) à l'aisselle des feuilles. Après la floraison, les pédoncules s'inclinent. Feuilles longuement pétiolées, arrondies, palmées, échancrées, velues dessous.
H Décombres, bord des champs, jardins, vignobles.
Rare : Midi méditerranéen.
P Indicatrice de la présence d'azote. Jadis, plante médicinale.

Liseron des champs

Convolvulus arvensis

C 30-60 cm. Fleurs roses, pédonculées (mai-octobre), 3 cm, à l'aisselle des feuilles, en entonnoir (pétales soudés), à 5 bandes blanches ; 2 stigmates ; 2 bractéoles filiformes sur le pédoncule floral. Tiges rampantes, volubiles, atteignant 1 m. Feuilles en forme de fer de hallebarde (3-4 cm).
H Bords des chemins, mauvaise herbe des champs et des jardins, clôtures.
P Les fleurs s'ouvrent un seul jour, de 8 à 14 h environ.

Œillet des chartreux

Dianthus carthusianorum

C 15-40 cm. Fleurs de 20-25 mm (juin-septembre), pourpres, par 2-10 en têtes, entourées de bractées brunes à longue pointe ; pétales dentés au bout. Feuilles étroites (2-4 mm) à bord rêche, opposées, soudées à la base (gaine) ; pédoncules floraux dépassant nettement les tiges sans fleurs.
H « Pelouses » sèches, landes, forêts claires sur sols sableux. Rare : Ouest, Midi méditerranéen.
P Jadis, cultivé par les moines chartreux.

Saponaire

Saponaria officinalis

C 30-70 cm. Fleurs jusqu'à 3 cm (juin-septembre), mauve pâle à blanches, en têtes denses (cymes bipares) ; 2 écailles à la base des pétales échancrés ; calice tubuleux, nu, teinté de rougeâtre. Tiges dressées, finement velues. Feuilles caulinaires opposées, elliptiques à lancéolées (jusqu'à 10 cm).
H Bords des chemins, talus, décombres, sur sols humides, bancs de gravier, aussi forêts riveraines.
P La racine contient de la saponine, capable de mousser et jadis employée pour la lessive. Plante médicinale.

Saponaire faux-basilic

Saponaria ocymoides

C 10-30 cm. Petites fleurs rouges (septembre-octobre), en fausses ombelles rameuses ; pétales arrondis ; à la base, corolle secondaire ; calice (sépales soudés) tubuleux, à pilosité dense et courte. Tiges couchées-ascendantes. Feuilles opposées, ovales à spatulées.
H Pentes rocailleuses, éboulis, jusqu'à 2 200 m. Montagnes sauf les Vosges.
P Seulement sur roches calcaires. Originaire de la région méditerranéenne. Souvent cultivée dans les jardins de rocaille, d'où elle s'échappe.

Silène acaule

Silene acaulis

C 1-5 cm. Plante en coussinet. Fleurs rose vif, 15-25 mm (juin-septembre) ; sépales soudés (10 nervures sur le calice). Feuilles linéaires, coriaces, ciliées au bord (12 mm de long).
H Alpages rocailleux, pentes rocheuses. 1 500-3 400 m. Alpes, Pyrénées.
P Racines profondes, qui assurent sa nutrition, même en terrain rocheux.

Compagnon rouge

Silene dioica

C 30-80 cm. Fleurs rose foncé, unisexuées (mai-octobre), en panicule ombelliforme ; 5 pétales bilobés ; 5 styles ; calice renflé, velu, à 10 nervures. Fruits (capsules) à 10 dents rabattues vers l'extérieur. Feuilles ovales-pointues. Tige rameuse en haut. Espèce velue-glanduleuse.
H Bords des routes, prairies et lieux humides, coupes, forêts riveraines. Absent : Corse, Midi méditerranéen.
P Fleurs ouvertes seulement de jour, pollinisées par papillons et bourdons. Inodores. Indique la présence d'humidité.

Fleur de coucou

Lychnis flos-cuculi

C 30-80 cm. Fleurs roses (mai-août), à pétales divisés en 4 lanières inégales ; calice à 10 nervures ; inflorescence peu ramifiée. Feuilles rêches, linéaires, les radicales plutôt spatulées. Tige non collante sous les nœuds.
H Prairies humides, prairies tourbeuses.
P Indicatrice d'humidité. Pollinisée par des papillons diurnes à longue trompe.

Nielle des blés P

Agrostemma githago

C 30-100 cm. Fleurs rouge pourpre, 3-5 cm (juin-septembre) ; 5 sépales soudés en tube, à longues pointes, dépassant nettement la corolle. Feuilles opposées, linéaires, soudées à la base. Plante velue et grise.
H Champs de céréales, mais devenue rare.
P Jadis, ses graines toxiques la rendaient indésirable dans les champs de céréales.

Arméria, jonc marin

Armeria maritima

C 5-40 cm. Fleurs roses en têtes globuleuses (mai-juillet) ; bractées ne dépassant pas les têtes ; gaine brunâtre à la base des hampes florales. Feuilles linéaires, en rosette.
H Sols sableux, rochers au bord de la mer (falaises), dunes, landes. En montagne, jusque vers 3 000 m (Alpes, Pyrénées). Côtes de la Manche et de l'Atlantique.
P Genre très riche en espèces. On a distingué plusieurs sous-espèces. Taille variable selon les conditions du milieu.

Hottonie des marais P

Hottonia palustris

C 50-120 cm. Fleurs roses, 20-25 mm (mai-juillet), jaunes à la gorge, en verticilles de 3-6 disposées en pyramide qui sort de la surface de l'eau. Feuilles submergées en rosette, vert clair, pennées, à nombreux segments linéaires.
H Eaux stagnantes des marais, mares, fossés. Rare en France.
P Unique espèce du genre *Hottonia*.

Mouron

Anagallis arvensis

C 5-30 cm. Fleurs rouges, rarement bleues, 8-10 mm (mai-octobre), à l'aisselle des feuilles, longuement pédonculées. Tiges quadrangulaires couchées. Pétales ovales, glanduleux au bord ; sépales lancéolés, étroits, presque égaux aux pétales. Feuilles opposées, ovales-obtuses, ponctuées de noir dessous (glandes).
H Mauvaise herbe des jardins, champs, décombres.
P Contient de la saponine, jadis plante médicinale.

Primevère farineuse P

Primula farinosa

C 5-30 cm. Fleurs pourpre clair à rouge-pourpre, 8-16 mm (mai-juillet), à gorge jaune vif ; en ombelles à nombreux rameaux ; tube de la corolle presque aussi long que le calice. Feuilles ovales, échancrées à dentées, un peu ridées, farineuses dessous comme le calice et l'extrémité de la hampe florale.
H Prairies humides, tourbières plates. Jusqu'à 2 600 m. Jura, Alpes et Pyrénées.
P La « farine » est une sécrétion des poils glanduleux.

Primevère hirsute

Primula hirsuta

C 2-10 cm. Fleurs parfumées, rose-rouge, 10-20 mm (avril-juillet), à gorge blanche ; en ombelles (jusqu'à 20 fleurs) ; pétales étalés, échancrés sur 1/4 de leur longueur ; calice écarté. Pédoncule floral plus court que les feuilles, qui sont ovales, charnues, dentées et rétrécies-ailées à la base. Espèce velue-glanduleuse.
H Crevasses de rocher, alpages rocailleux (700-3 000 m). Alpes, Pyrénées.
P S'hybride avec *P. auricula* (p. 100), d'où sont issues les fleurs cultivées.

Cyclamen
Cyclamen purpurascens

C 6-15 cm. Fleurs rose-pourpre (juin-septembre) ; pétales rabattus, elliptiques, avec tache foncée à la base ; calice guère plus long que la corolle. Feuilles en rosette radicale (issues d'un tubercule globuleux), persistantes, réniformes, faiblement échancrées, tachetées de blanchâtre dessus, rougeâtres dessous.
H Sols caillouteux, forêts de feuillus, fourrés, en montagne (Jura, Alpes). Jusqu'à 1 200 m.
P Contient un glucoside toxique.

Fritillaire, damier P
Fritillaria meleagris

C 15-30 cm. Fleurs penchées, 3-4 cm (avril-mai), à l'extrémité d'une hampe ; rouge-pourpre à brun-pourpre, pétales quadrillés de pourpre et de blanchâtre. 4-5 feuilles gris-vert, linéaires (largeur : 5 mm), canaliculées.
H Prairies humides, forêts riveraines. Localisée. Absente : Midi méditerranéen. Devenue très rare.
P Famille des Liliacées. Issue d'un bulbe globuleux contenant des alcaloïdes toxiques. Pollinisée par des abeilles. Indicatrice de sol humide.

Lis martagon
Lilium martagon

C 30-120 cm. Fleurs de 3-5 cm (juin-juillet), pendantes, en grappe lâche ; 6 pétales rose-mauve avec taches plus foncées ; étamines et style dépassent largement la corolle. Feuilles ovales-lancéolées, en verticilles de 3-10 au milieu de la tige, les supérieures alternes.
H Sols calcaires riches ; forêts de feuillus et mixtes en montagne, alpages, mégaphorbiaies. En montagne et localement dans l'Est.
P Fleurs mangées par le chevreuil (p. 520). Pollinisation par des papillons diurnes et des sphinx. Le tubercule se maintient à une certaine profondeur grâce à des racines contractiles.

Salicaire

Lythrum salicaria

C 50-150 cm. Fleurs rose-pourpre, 8-12 mm (juin-septembre), en longs épis à l'extrémité des tiges ; 10-12 étamines ; longueur du style et des étamines différentes, ce qui empêche l'autofécondation. Feuilles en cœur à la base, lancéolées-pointues (jusqu'à 12 cm). Tiges quadrangulaires. Plante velue.
H Bord des étangs, rivières, fossés, tourbières.
P Plante médicinale, jadis employée comme hémostatique.

Eupatoire

Eupatorium cannabinum

C 50-150 cm. Capitules de 4-6 fleurs roses, rarement blanches (juillet-septembre), disposés en corymbes. Nombreuses feuilles, opposées, palmées, à 3-7 segments. Stigmate rose jaunâtre dépassant la corolle.
H Fossés, berges, forêts riveraines, lieux humides des forêts.
P Pollinisé par des papillons diurnes. Contient divers principes employés en phytothérapie.

Bardane

Arctium tomentosum

C 50-120 cm. Capitules pourpres entourés de bractées variées, les externes crochues, les internes rougeâtres à pointe rectiligne, toutes couvertes de poils laineux, qui les relient (juillet-septembre). Feuilles ovales-cordiformes, pétiolées, laineuses et blanches dessous.
H Bords des chemins, berges, terrains vagues. Rare localement.
P Fruits crochus dispersés par des animaux (s'accrochent à leur pelage et se fixent ailleurs par frottement).

Pétasite officinal

Petasites hybridus

C 30-120 cm. Capitules rougeâtres, 4-12 mm (mars-avril), disposés en grappes denses, ovoïdes ; fleurs mâles 2 fois plus grandes que les femelles. Feuilles radicales dentées, laineuses dessous, à leur base lobes presque contigus sur le pétiole, atteignent 1 m de long et 60 cm de large ; pétiole rainuré. Fruits indéhiscents (ne s'ouvrent pas), groupés, pourvus d'aigrettes.
H Prairies humides, berges, lisières humides, terrains vagues. Localisée.
P Pollinisée par des insectes. Jadis, plante médicinale.

Fumeterre officinale

Fumaria officinalis

C 10-30 cm. Dressée. Fleurs de 6-9 mm (avril-octobre), rose violacé, extrémité rouge noirâtre, éperon d'environ 8 mm ; disposées en grappe ; sépales plus étroits que la corolle, atteignant le tiers de sa longueur. Feuilles glauques, 2 fois pennées.
Fruits ronds, tronqués en haut.
H Mauvaise herbe des jardins, champs, décombres.
P Plante médicinale (affections de la peau, troubles digestifs).

Corydale creuse

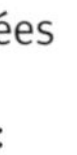

Corydalis cava (= C. bulbosa)

C 10-30 cm. Fleurs rouge-pourpre ou blanches, 18-28 m (mars-avril), en grappe terminale de 4-20 ; pétales internes soudés au bout, pétale supérieur éperonné, l'inférieur forme une large lèvre, bractées ovales, entières. Feuilles glauques, à 3 folioles divisées 2 fois.
H Forêts de feuillus, forêts riveraines, hêtraies. Rare ou absente : Nord-Ouest, littoral méditerranéen ; localement dans Ouest, Sud-Ouest.
P Pollinisée par abeilles et bourdons. Tubercule devenant creux, contenant des alcaloïdes (jadis, plante médicinale).

Balsamine géante

Impatiens glandulifera

C 150-300 cm. Fleurs rouge à pourpre clair, 2,5-4 cm (juillet-septembre), à gros éperon, par 2-14 en grappes longuement pédonculées ; sépale inférieur en forme de dé.
Tige très robuste, translucide, renflée aux nœuds. Feuilles dentées, ovales-lancéolées ; glandes sur le pétiole et sur les dents de la base.
H Lieux humides (fossés, bord de l'eau, forêts riveraines).
Localisée en France.
P Asiatique ; introduite. Au contact, les fruits (capsules) éclatent (v. *I. noli-tangere*, p. 120).

Ononis, bugrane

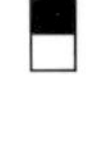

Ononis spinosa

C 20-60 cm. Fleurs roses à pourpres, 8-25 mm (juin-août), à l'aisselle des feuilles et au bout des rameaux ; pédoncule bref ; pilosité faible ; odeur douceâtre. Pousses velues-glanduleuses.
Feuilles à 3 folioles elliptiques dentées.
H « Pelouses » sèches, bords des chemins.
P Plante médicinale (affections des reins, de la vessie ; goutte, rhumes).

Trèfle des prés, trèfle violet

Trifolium pratense

C 10-30 cm. Fleurs roses à rougeâtres, 10-20 mm (mai-septembre), en têtes denses, globuleuses ou ovoïdes ; calice velu à 10 nervures. Feuilles à 3 folioles entières avec tache claire ; stipules terminées en pointe.
H Prairies, bords des chemins, forêts claires.
P Bon fourrage (cultivé), car riche en protéines. L'azote nécessaire à leur formation est prélevé dans l'air par des bactéries symbiotiques vivant dans des nodosités sur les racines.

Coronilla varia

Coronilla varia (= Securigera varia)

C 30-100 cm. Papilionacée. Fleurs (mai-septembre) à étendard rose, carène et ailes blanches. Tiges couchées-ascendantes. Feuilles brièvement pétiolées, à 4-12 paires de folioles obovales, recourbées au bout. Fruits : gousses à 4 angles.
H « Pelouses » calcaires, fourrés.
P Contient des glucosides toxiques, mais sert de fourrage.

Sainfoin

Onobrychis viciifolia

C 30-60 cm. Fleurs roses striées de rouge, 10-14 mm (mai-août), en grappe (jusqu'à 50 fleurs) brièvement pédonculées ; calice à longues dents, velu-laineux. Feuilles composées de 13-25 folioles linéaires (largeur : 5-8 mm), velues dessous. Tiges dressées-ascendantes.
H Prairies sèches, « pelouses » calcaires.
P Cultivé depuis le XVIe siècle (plante fourragère) ; actuellement, souvent à l'état sauvage.

Gesse tubéreuse

Lathyrus tuberosus

C 20-100 cm. Fleurs rouge carmin vif, odorantes (juin-juillet). Tiges anguleuses, non ailées. Feuilles par paires, opposées, elliptiques à ovales, avec vrille fourchue. Stipules linéaires, lancéolées. Issue des rejets de racines tubéreuses.
H Champs de céréales, décombres, bords des chemins. Rare.
P Tubercules comestibles. Avec ses vrilles, s'accroche à d'autres végétaux. Le genre *Lathyrus* comprend de nombreuses espèces.

Lathrée écailleuse

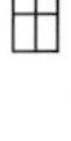

Lathraea squamaria

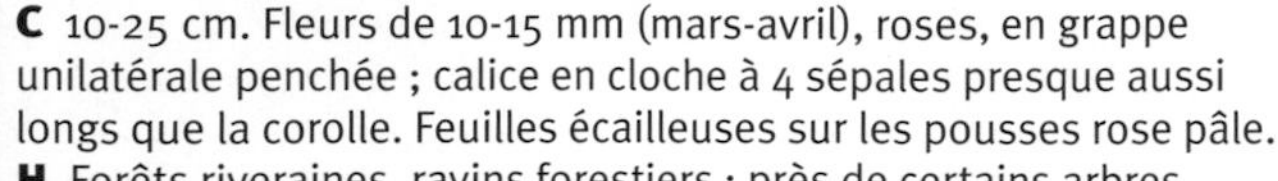

C 10-25 cm. Fleurs de 10-15 mm (mars-avril), roses, en grappe unilatérale penchée ; calice en cloche à 4 sépales presque aussi longs que la corolle. Feuilles écailleuses sur les pousses rose pâle.
H Forêts riveraines, ravins forestiers ; près de certains arbres. Rare ou absente localement.
P Parasite sur les racines des aulnes, ormes, hêtres, noisetiers, etc. (prélève eau et sels minéraux), dépend d'eux pour la photosynthèse (n'a pas d'organes verts). Issue d'une grosse souche écailleuse (jusqu'à 5 kg).

Digitale pourpre

Digitalis purpurea

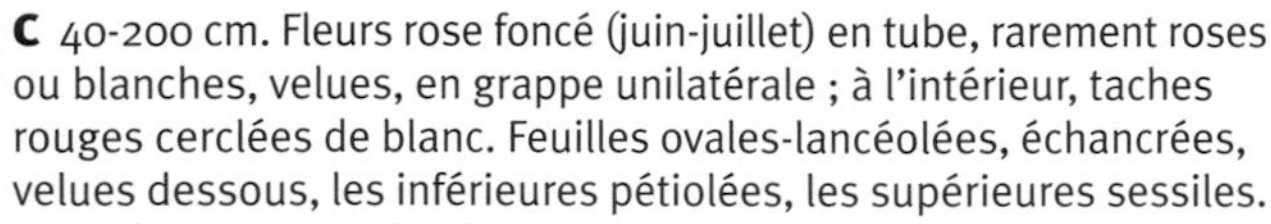

C 40-200 cm. Fleurs rose foncé (juin-juillet) en tube, rarement roses ou blanches, velues, en grappe unilatérale ; à l'intérieur, taches rouges cerclées de blanc. Feuilles ovales-lancéolées, échancrées, velues dessous, les inférieures pétiolées, les supérieures sessiles.
H Forêts, coupes, clairières, bords des chemins.
Absente : Midi méditerranéen et localement dans le Sud-Ouest.
P En terrain acide. Très toxique, contient un glucoside (digitaline) employé pour soigner les troubles du cœur et de l'appareil circulatoire. Pollinisée par des bourdons.

Marjolaine, origan sauvage

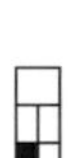

Origanum vulgare

C 30-60 cm. Fleurs roses (juillet-septembre), en panicule ombelliforme lâche ; corolle : lèvre supérieure dressée, échancrée, lèvre inférieure trilobée. Parfum aromatique. Feuilles ovales, entières, ponctuées-glanduleuses dessous ; stipules et dents du calice rougeâtres.
H Bords des chemins, « pelouses » sèches, haies, fourrés.
P Plante médicinale (calme les crampes, la toux ; expectorante).

Serpolet petit-chêne

Thymus pulegioides

C 5-20 cm. Fleurs rose-pourpre, 3-6 mm (juin-octobre), en tête globuleuse ; dents du calice ciliées. Tiges à 4 angles, dressées ou ascendantes, à 4 lignes de poils.
Feuilles ovales, glabres (rarement à faible pilosité).
H « Pelouses » maigres, landes, lisières ensoleillées.
P Appartient à l'espèce collective polymorphe *T. serpyllum*.

Lamier pourpre
Lamium purpureum

C 10-30 cm. Fleurs de 10-15 mm (mars-octobre), en verticilles terminaux, pyramidaux ; anneau de poils sur la gorge de la corolle ; pétales 2 fois plus longs que le calice. Feuilles inférieures arrondies, peu échancrées, rougeâtres, les supérieures triangulaires.
H Champs, jardins, décombres, vignobles, bords des chemins.
P Indique la présence d'azote. Mauvaise herbe des cultures.

Ortie rouge
Lamium maculatum

C 20-80 cm. Plus grand et plus robuste que le précédent. Fleurs pourpres, 2-3 cm (avril-septembre) ; anneau interne de poils blancs ; lèvre inférieure tachetée ; tube de la corolle dressé. Feuilles longuement pétiolées, ovales-triangulaires, dentées, acuminées (jusqu'à 8 cm).
H Forêts, fourrés, bords des chemins. Absent : Ouest et Nord-Ouest.
P Pollinisé par des bourdons à longue trompe et des papillons. Des fourmis dispersent les graines.

Galéopsis, ortie royale
Galeopsis tetrahit

C 10-80 cm. Fleurs de 1,5-2 cm (juillet-octobre), rouges à blanchâtres ; lèvre supérieure en casque ; lobe central de l'inférieure presque quadrangulaire, tacheté de rouge avec marque jaune ; fleurs en faux verticilles. Feuilles pétiolées, ovales-lancéolées. Tiges très renflées et ciliées aux nœuds.
H Bords des chemins, champs, décombres ; sols pierreux, riches en azote. Absent : Corse, Midi méditerranéen.
P Hybrides fréquents chez les *Galeopsis. G. tetrahit* est probablement un hybride fixé (= devenu une espèce stable).

Galeopsis pubescens
Galeopsis pubescens

C 20-60 cm. Fleurs rouge foncé, 18-25 mm (juillet-septembre) ; corolle 2 fois plus longue que le calice ; gorge jaune, dilatée, avec 2 renflements coniques. Contrairement à *G. tetrahit*, il y a sous les nœuds, outre des soies raides, des poils mous appliqués et des poils glanduleux. Feuilles velues.
H Terrains vagues, champs, coupes, fourrés, bord des eaux.

Épiaire des bois, ortie puante

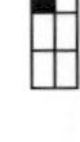

Stachys sylvatica

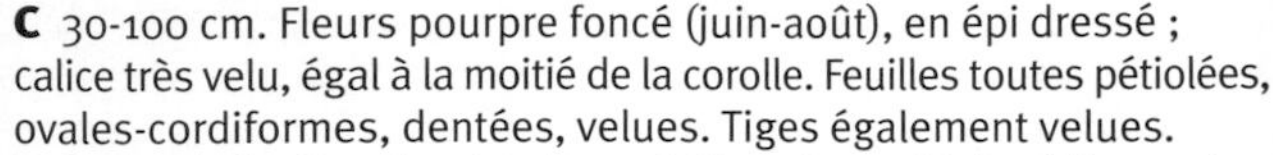

C 30-100 cm. Fleurs pourpre foncé (juin-août), en épi dressé ; calice très velu, égal à la moitié de la corolle. Feuilles toutes pétiolées, ovales-cordiformes, dentées, velues. Tiges également velues.
H Forêts de feuillus, bord de l'eau, lisières. Rare : Midi méditerranéen.
P Issue d'une souche rampante (rhizome). Supporte un fort ombrage.

Épiaire des marais

Stachys palustris

C 10-60 cm. Contrairement à *S. sylvatica*, fleurs pourpre clair (juin-août), en épi à 10 fleurs au maximum. Feuilles lancéolées, crénelées à dentées, pilosité faible appliquée (presque glabres), les supérieures sessiles.
H Prairies et champs humides, bord de l'eau, fossés. Principalement dans la moitié Nord.
P Chez tous les *Stachys*, les fleurs ont 2 lèvres, inférieure et supérieure (famille des Labiées ou Lamiacées).

Céphalanthère rouge

Cephalanthera rubra

C 20-60 cm. Orchidée. Fleurs rose à pourpre (mai-juillet), en épi lâche. En pleine floraison, pièces florales étalées. Labelle strié de lignes sinueuses jaunâtres. Feuilles ovales-lancéolées, pointues. Tige brièvement velue en haut. Issue d'un rhizome ramifié.
H Forêts claires de feuillus et de résineux, jusqu'à 1 800 m. Absente dans le Nord-Ouest.
P Vit à l'ombre. Pollinisée par des abeilles.

Orchis tacheté P

Dactylorhiza maculata

C 15-50 cm. Orchidée. Fleurs mauves à roses (mai-juillet), en inflorescence pyramidale, puis cylindrique. Fleurs : éperon présent, labelle à 3 lobes peu marqués, le central plus petit que les latéraux arrondis ; lignes et taches rose foncé sur le labelle. 6-10 feuilles tachetées de brun foncé, lancéolées, n'atteignant pas l'inflorescence. Tige pleine, robuste.
H Prairies humides, forêts claires, tourbières plates, landes. Dans toutes les régions, Corse incluse.
P Comme la majorité des orchidées, vit en symbiose avec des champignons qui favorisent la germination des graines.

Orchis militaire P

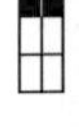

Orchis militaris

C 20-60 cm. Fleurs de 12-20 mm (mai-juin). Casque rose pâle, ovale ; labelle pourpre, ponctué de rouge foncé, à lobe central 2 fois plus large que les latéraux, élargi et bilobé au bout. Inflorescence lâche, pyramidale, puis allongée. Feuilles elliptiques, légèrement engainantes.
H « Pelouses », pentes ensoleillées, lisières, forêts claires. Surtout moitié Nord. Sols calcaires.
P S'hybride souvent avec d'autres *Orchis*. Issu de 2 tubercules ovoïdes.

Nigritelle noire, orchis vanillé

Nigritella nigra

C 5-25 cm. Inflorescence conique, puis globuleuse. Fleurs de 4-6 mm (mai-septembre), rouge noirâtre à brun-noir ; labelle relevé ; éperon plus court que l'ovaire. Forte odeur persistante de vanille. Feuilles linaires, pointues. Tige un peu anguleuse.
H En montagne (absente : Vosges). Prairies entre 1 000 et 2 500 m. Calcicole.
P 3 variétés de couleurs différentes.

Ophrys mouche P

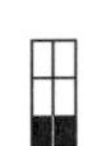

Ophrys insectifera

C 15-40 cm. Orchidée. Fleurs (mai-juin) évoquant une mouche, groupées par 2-10 en grappe lâche ; labelle trilobé, brun-rouge, lobe central divisé en 2 avec, au centre, marque rectangulaire gris-bleu ; les pièces florales internes ressemblent à des antennes d'insecte, les 3 externes sont ovales et verdâtres. Feuilles lancéolées, le plus souvent en bas de la tige.
H « Pelouses » ensoleillées sur sol calcaire. Localisée. Pollinisation remarquable : les fleurs, qui imitent des insectes femelles, sont visitées par des mâles qui essayent de s'accoupler et, ce faisant, les pollinisent. Attractivité des fleurs renforcée par leur odeur, semblable aux phéromones des insectes.

Lunaire vivace

Lunaria rediviva

C 30-150 cm. Fleurs violet pâle, parfumées, 20-25 mm (mai-juillet), à 4 divisions, en grappe dense ; sépales presque de moitié plus courts que les pétales. Feuilles toutes pétiolées, en cœur, dentées piquantes. Fruits : silicules elliptiques, pointues aux 2 bouts, longues de 4-9 cm et larges de 3 cm au maximum, à fausse cloison médiane argentée.
H Forêts humides, ravins boisés. Alpes, Massif central, Pyrénées, Est.
P Pollinisée par des papillons nocturnes. La monnaie-du-pape, espèce voisine, est cultivée.

Gentiane d'Allemagne P

Gentianella germanica

C 5-30 cm. Fleurs rose-violet, 2-4 cm (mai-octobre), sur de brefs pédoncules en haut de la tige ; 5 pétales lancéolés ; gorge frangée ; lobes du calice pointus, égaux. Feuilles caulinaires sessiles, les radicales ovales-lancéolées.
H Alpages, prairies, « pelouses » ; plaine et montagne (1 500-2 600 m). Localisée.
P Comprend de nombreuses sous-espèces ; certaines ont une forme printanière à floraison précoce et une autre, automnale, à floraison tardive.

Soldanelle des Alpes

Soldanella alpina

C 5-15 cm. Fleurs de 8-15 mm (avril-juillet), en cloche, violettes à bleu azur, groupées par 2-3 en haut de la hampe glanduleuse, devenant nue ; corolle à nombreux lobes étroits séparés jusqu'à la moitié ; style dépassant la corolle. Feuilles entières, arrondies radicales, épaisses.
H Alpages, combes à neige (1 000-2 900 m). Montagnes, sauf Vosges.
P Hybrides fréquents entre les diverses espèces de soldanelles.

Colchique

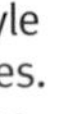

Colchicum autumnale

C 5-20 cm. Fleurs solitaires, mauves (août-octobre), formées de 6 divisions (jusqu'à 20 cm), soudées en tube à la base ; 3 styles et 6 étamines. Grandes feuilles lancéolées, paraissant au printemps avec les fruits (capsules).
H Prairies humides, forêts riveraines. Rare : Midi méditerranéen.
P Le bulbe contient de la colchicine, substance toxique médicamenteuse, mutagène.

Anémone pulsatille P

Pulsatilla vulgaris

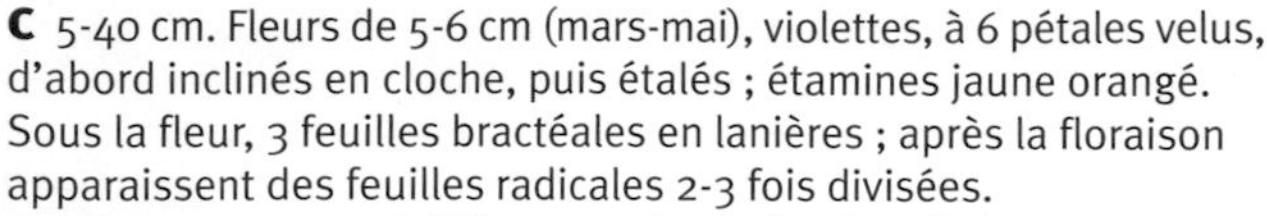

C 5-40 cm. Fleurs de 5-6 cm (mars-mai), violettes, à 6 pétales velus, d'abord inclinés en cloche, puis étalés ; étamines jaune orangé. Sous la fleur, 3 feuilles bractéales en lanières ; après la floraison apparaissent des feuilles radicales 2-3 fois divisées.
H « Pelouses » ensoleillées sur sol calcaire. Localisée.
P Fruits avec longue arête plumeuse. Plante médicinale.

Géranium des bois

Geranium sylvaticum

C 30-60 cm. Fleurs de 3-3,5 cm (juin-juillet), par 2, rouge violacé ; pédoncules dressés, persistant après la floraison. Feuilles divisées en 7 segments irrégulièrement dentés sur plus de la moitié. Tiges et pédoncules velus-glanduleux.
H Prairies de montagne, mégaphorbiaies. France : montagnes.
P Contient des tanins, surtout dans la souche.
Graines propulsées par éclatement des fruits.

Campanule gantelée

Campanula trachelium

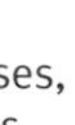

C 30-100 cm. Fleurs violettes, 3-4 cm (juillet-septembre), à corolle en cloche, groupées en grappe feuillée. Tiges anguleuses, velues-raides. Feuilles ovales-triangulaires, dentées, semblables à celles des orties, les inférieures longuement pétiolées. À la base des pédoncules floraux, 2 bractéoles plus petites que les feuilles.
H Fourrés, lisière des bois, haies. Rare dans l'Ouest. Jusqu'à 1 700 m.
P Le genre *Campanula* comprend de nombreuses espèces.
Le pollen mûrit avant les ovules, ce qui empêche l'autofécondation.
Fruits : capsules.

Campanule étalée

Campanula patula

C 20-60 cm. Fleurs bleu-violet, 15-25 mm (mai-août), en panicule lâche ; corolle penchée, fendue jusqu'au milieu ; calice à divisions lancéolées ; 2 petites bractéoles au milieu du pédoncule floral. Feuilles caulinaires lancéolées, les radicales brièvement pétiolées, ovales, échancrées.
H Prairies grasses, fourrés, sols humides, argileux.
Rare : Midi méditerranéen et moitié Nord.
P Exige beaucoup de lumière. Pollinisation par des abeilles.

Pulmonaire officinale
Pulmonaria officinalis

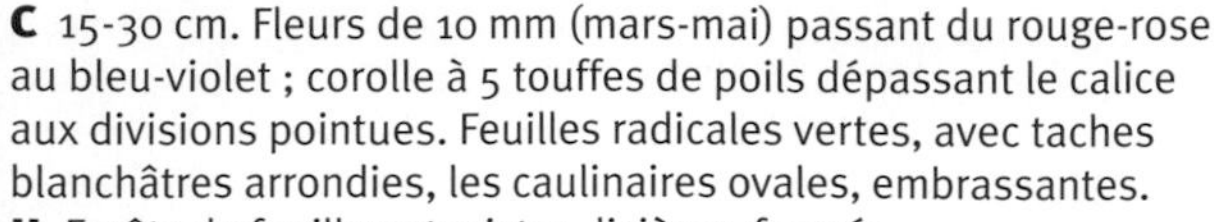

C 15-30 cm. Fleurs de 10 mm (mars-mai) passant du rouge-rose au bleu-violet ; corolle à 5 touffes de poils dépassant le calice aux divisions pointues. Feuilles radicales vertes, avec taches blanchâtres arrondies, les caulinaires ovales, embrassantes.
H Forêts de feuillus et mixtes, lisières, fourrés.
P Plante médicinale employée comme vulnéraire et contre la toux et les affections des poumons. Changement de couleur des fleurs dû à une modification de leur degré d'acidité.

Consoude officinale
Symphytum officinale

C 30-100 cm. Fleurs violettes ou jaunâtres, 12-18 mm (mai-juillet), en cloche, en brève grappe terminale, longues écailles à la gorge. Tiges ramifiées dès la base, creuses, velues-raides.
Feuilles (jusqu'à 25 cm) lancéolées, ciliées, décurrentes.
H Bord des ruisseaux, prairies humides, fossés, forêts riveraines.
P Jadis, plante médicinale employée pour soigner les fractures. Racine pivotante atteignant 30 cm.

Lavande de mer, statice, saladelle P
Limonium vulgare

C 20-50 cm. Petites fleurs serrées, bleu-violet (août-septembre), en épis unilatéraux. Tiges rondes, ramifiées. Feuilles oblongues, sempervirentes, entières, se rétrécissant sur le pétiole, pointues-piquantes, cartilagineuses, devenant rouges ou jaune vif une fois sèches.
H Sols et vases salés des côtes (Manche, Atlantique, Méditerranée).
P Contient beaucoup de sel, ce qui permet l'absorption d'eau dans des sols salés.

Belladone
Atropa belladonna

C 50-150 cm. Fleurs de 2,5-3 cm (juin-août), en cloche, brun-violet extérieurement, vert-jaune veiné de violet à l'intérieur, à 5 lobes très courts au bord. Feuilles ovales, entières, velues, glanduleuses. Fruits : baies noires brillantes, très toxiques.
H Clairières des forêts, coupes. Absente : Midi méditerranéen.
P Contient des alcaloïdes, telle l'atropine, très toxique.

Douce-amère

Solanum dulcamara

C 30-200 cm. Fleurs violettes (juin-août), en grappe lâche ; corolle à 5 divisions étalées ; étamines jaunes, soudées, au centre. Plante grimpante, tiges ligneuses sauf jeunes rameaux. Feuilles ovales-lancéolées, les supérieures à 2 folioles à la base. Fruits : baies rouge brillant, ovales.
H Forêts riveraines, fourrés, fossés, haies.
P Contient des alcaloïdes toxiques. Jadis, plante médicinale.

Aster maritime

Aster tripolium

C 15-60 cm. Un ou généralement plusieurs capitules, 10-30 mm (juin-octobre), sur chaque hampe souvent rougeâtre ; fleurs ligulées mauves, les tubuleuses orange ; sépales ovales-longs, obtus, glabres. Feuilles charnues, lancéolées, entières, ciliées au bord.
H Prés salés des côtes (Manche, Atlantique, Méditerranée) et en Lorraine (mares salées).
P Plante typique des terrains salés (halophyte). Ses feuilles charnues retiennent l'eau ; ses racines ont des vésicules remplies d'air (adaptation à un sol vaseux, pauvre en oxygène).

Aster des Alpes

Aster alpinus

C 5-20 cm. Contrairement au précédent, il n'y a généralement qu'un seul capitule sur chaque hampe (juin-août) ; 25-40 fleurs ligulées violettes à roses, les tubuleuses jaune d'or. Tiges velues-dressées. Feuilles entières, velues-duveteuses, les supérieures lancéolées, sessiles, les radicales spatulées, brièvement pétiolées.
H Alpages maigres, rochers. 1400-2800 m. Jura, Alpes, Pyrénées, Cévennes.
P Souvent en compagnie de l'edelweiss (p. 144). Pollinisé par des papillons.

Centaurée jacée

Centaurea jacea

C 20-80 cm. Capitules pourpres, tubuliflores, 2-6 cm (juin-octobre) ; fleurs externes plus grandes que les autres ; écailles de l'involucre brun-noir à blanchâtre, découpées au bout. Tiges anguleuses-rudes. Feuilles radicales pétiolées, les caulinaires lancéolées, sessiles.
H Prairies, bords des chemins, « pelouses », prés tourbeux.
P Le mouvement des étamines dépose le pollen sur le corps des insectes butineurs.

Knautie (= scabieuse) des champs

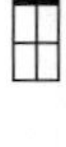

Knautia arvensis

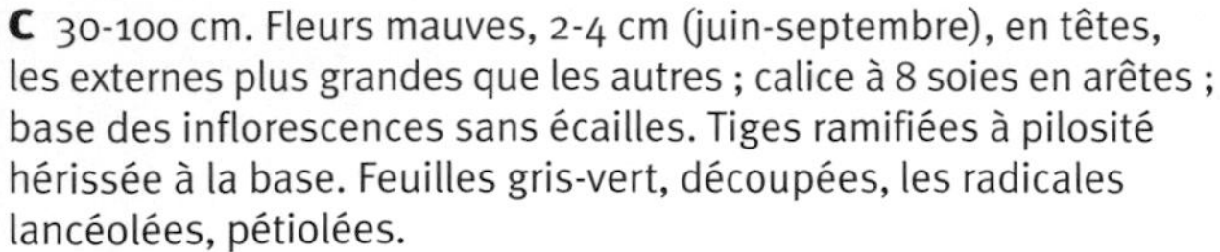

C 30-100 cm. Fleurs mauves, 2-4 cm (juin-septembre), en têtes, les externes plus grandes que les autres ; calice à 8 soies en arêtes ; base des inflorescences sans écailles. Tiges ramifiées à pilosité hérissée à la base. Feuilles gris-vert, découpées, les radicales lancéolées, pétiolées.
H Prairies sèches, bords des chemins, lisières.
P Jadis, plante médicinale (contient des tanins et des principes amers). Pollinisée par abeilles et papillons.

Cardère, cabaret des oiseaux

Dipsacus silvestris

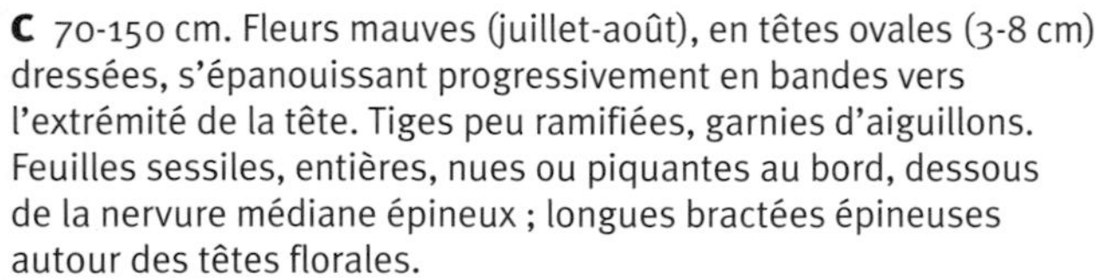

C 70-150 cm. Fleurs mauves (juillet-août), en têtes ovales (3-8 cm) dressées, s'épanouissant progressivement en bandes vers l'extrémité de la tête. Tiges peu ramifiées, garnies d'aiguillons. Feuilles sessiles, entières, nues ou piquantes au bord, dessous de la nervure médiane épineux ; longues bractées épineuses autour des têtes florales.
H Bords des chemins, terrains vagues, décombres.
P Pollinisé par bourdons, abeilles et mouches.

Cirse des champs

Cirsium arvense

C 50-150 cm. Capitules mauves, 1,5-3 cm (juillet-septembre), à l'extrémité des rameaux, entourés d'un involucre d'écailles pointues, pourpres, velues-laineuses. Tige très rameuse. Feuilles caulinaires lancéolées, dentées ou entières, épineuses.

H Mauvaise herbe des champs, bords des chemins, décombres. Manque en Corse.
P Racines très profondes (jusqu'à 3 m). Plante pionnière.

Cirse lancéolé

Cirsium vulgare

C 60-180 cm. Capitules, 2-4 cm (juillet-septembre), pourpres, généralement par 2 ou 3 ; involucre non laineux, très gros. Feuilles dentées-épineuses, terminées par une longue pointe jaunâtre, velues et blanches dessous, décurrentes contrairement à celles de *C. arvense*.
H Décombres, terrains vagues, bords des chemins.
P Indique la présence d'azote. Pollinisé par bourdons et coléoptères.

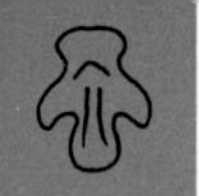

Gesse du printemps

Lathyrus vernus

C 20-40 cm. Fleurs de couleur variant du pourpre au bleu et au gris-bleu (avril-mai), par 3-8, en grappes. Tiges dressées non ramifiées avec écailles à la base. Feuilles supérieures pennées, à 4-6 folioles (3-7 cm), pointues, luisantes dessous.
H Surtout Est, Sud-Est, Cévennes, Pyrénées. Forêts de feuillus et de résineux, hêtraies.
P Au cours de leur vie, les fleurs passent du violacé au bleu, car l'acidité du contenu cellulaire change et modifie la pigmentation.

Vesce cracca, jarosse

Vicia cracca

C 20-150 cm. Fleurs violettes, 8-12 mm (juin-juillet), en grappes de 10-30 ; bractée de l'inflorescence aussi longue que celle-ci. Tige anguleuse, nue ou velue (pilosité appliquée).
Feuilles composées de 15-20 folioles lancéolées.
H Prairies, champs, talus, lisières, fourrés.
P S'accroche à d'autres végétaux avec les vrilles situées au bout des feuilles. Pollinisée par des abeilles.

Vesce des haies

Vicia sepium

C 30-60 cm. Fleurs jusqu'à 15 mm (mai-août), en grappes de 3-5, brun violacé ; dents du calice inégales. Feuilles composées de 8-14 folioles ovales, terminées par une vrille ramifiée.
Tige dressée ou non.
H Prairies, bords des champs, chemins, fourrés.
Rare : Midi méditerranéen.
P Nectaires sous les stipules ; leur nectar attire les fourmis.
Le genre *Vicia* réunit beaucoup d'espèces, entre autres *V. sativa*, riche en protéines (fourrage).

Luzerne

medicago sativa

C 20-80 cm. Fleurs violettes ou blanchâtres, 8-12 mm (mai-septembre), en grappes courtes. Feuilles à 3 folioles dentées à l'extrémité.
H Bords des chemins, fourrés ; cultivé comme fourrage (ensilé).
P Plante fourragère importante en raison de sa teneur en protéines.
Fixe l'azote de l'air grâce aux bactéries symbiotiques de ses racines.

Lierre terrestre, gléchome

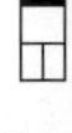

Glechoma hederacea

C 15-60 cm. Fleurs violettes (mars-mai), par 2-3 en demi-verticilles ; lèvre inférieure trilobée, lobe central le plus grand ; lèvre supérieure échancrée, dressée ; étamines et style dépassent le tube de la corolle. Tiges et feuilles peu velues.
Feuilles réniformes-arrondies, brillantes dessus, vert mat dessous, souvent violacées. Tiges rampantes s'enracinant aux nœuds.
H Forêts, prairies humides, vieux murs. Rare : Midi méditerranéen.
P Jadis, plante médicinale, vulnéraire (contient des tanins).

Brunelle

Brunella vulgaris

C 10-30 cm. Fleurs violettes, 2-2,5 cm (juin-septembre), en épi court ; tube incurvé ; lèvre supérieure en casque ; calice à 2 lèvres, dent médiane de la supérieure plus large que les latérales.
Feuilles ovales, un peu velues.
H Bords des chemins, prairies, gazons, lisières.
P Se propage par stolons. Graines projetées quand des gouttes de pluie frappent les fruits. Jadis, plante médicinale.

Menthe des champs

Mentha arvensis

C 10-45 cm. Fleurs mauves (juillet-septembre), en têtes (faux verticilles) à l'aisselle des feuilles ; calice en cloche à 5 dents égales, peu velues extérieurement ; têtes florales jamais terminales.
Tiges dressées, quadrangulaires. Feuilles ovales à elliptiques.
H Fossés, prairies humides, bord de l'eau.
Rare : Midi méditerranéen.
P Contient des esters. Parfum typique quand on la froisse.

Menthe aquatique

Mentha aquatica

C 20-80 cm. Fleurs de 5-8 mm (juillet-octobre), mauves, en têtes arrondies superposées ; corolle velue intérieurement ; étamines dépassant la corolle. Tiges anguleuses. Feuilles caulinaires opposées, ovales à lancéolées, pétiolées, finement dentées.
H Bord de l'eau, prairies humides, fossés.
P Les menthes *(Mentha)* s'hybrident souvent ;
toutes contiennent des esters.

Violette des bois

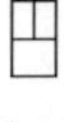

Viola reichenbachiana (= V. sylvestris)

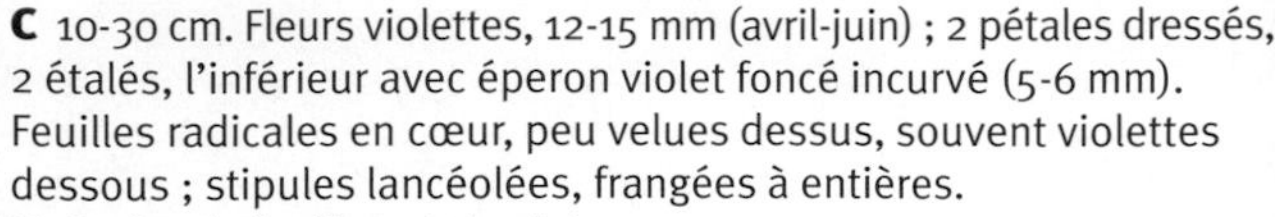

C 10-30 cm. Fleurs violettes, 12-15 mm (avril-juin) ; 2 pétales dressés, 2 étalés, l'inférieur avec éperon violet foncé incurvé (5-6 mm). Feuilles radicales en cœur, peu velues dessus, souvent violettes dessous ; stipules lancéolées, frangées à entières.
H Forêts de feuillus et de résineux.
P Entomogamie – Nectar produit par des appendices des étamines et déposé dans l'éperon. Graines dispersées par des fourmis.

Violette odorante

Viola odorata

C 5-10 cm. Fleurs violettes (mars-avril). Diffère de la précédente par ses fleurs violet foncé, parfumées et leur éperon rectiligne. Feuilles radicales finement velues, arrondies-réniformes à cordiformes ; stipules entières, pointues.
H Forêts claires de feuillus, jardins, bords des ruisseaux.
P Ses substances odorantes sont employées en parfumerie.

Grassette vulgaire P

Pinguicula vulgaris

C 5-15 cm. Fleurs bleu-violet (mai-août) ; corolle à 2 lèvres, à long éperon étroit ; une tache blanche dans la gorge ; sépales soudés jusqu'au milieu. Feuilles en rosette basale, ovales ou elliptiques, entières, incurvées au bord, vert clair à surface glanduleuse.
H Espaces mouillés des tourbières plates et bombées, fentes des rochers. Jusqu'à 1900 m. Montagnes.
P Plante carnivore (insectivore) : les insectes restent collés sur les feuilles aux poils glanduleux et sont digérés par des enzymes.

Linaire cymbalaire

Cymbalaria muralis

C 30-60 cm. Fleurs mauves et blanches à 2 taches jaunes, longuement pédonculées, solitaires à l'aisselle des feuilles (juin-septembre). Feuilles longuement pétiolées, arrondies, souvent violettes dessous. Tiges nues, rampantes, fines.
H Vieux murs, rochers.
P Originaire de la région méditerranéenne, naturalisée ailleurs.

Bartsie des Alpes

Bartsia alpina

C 5-10 cm. Fleurs violettes, 15-25 mm (juin-août), à l'aisselle des feuilles, en grappes courtes ; corolle étroite à sa base ; lèvre supérieure en casque non divisé, l'inférieure trilobée ; calice tubuleux-renflé à 4 lobes velus-glanduleux. Feuilles ovales, cordiformes à la base, pilosité courte, les supérieures teintées de violet.
H Alpages et autres lieux humides. 900-2 500 m. Montagnes.
P Plante hémi-parasite d'autres végétaux herbacés (extrait eau et sels minéraux de leurs racines).

Orchis bouffon P

Orchis morio

C 8-30 cm. Orchidée. Fleurs pourpres striées de vert ; labelle pourpre violacé, trilobé (lobes latéraux larges) ; éperon renflé, rectiligne ou incurvé (avril-juillet). Tige anguleuse. Feuilles sans taches, lancéolées.
H Prairies sèches ou humides. En montagne dans le Midi méditerranéen.
P Tubercule contenant des mucilages utilisables en phytothérapie.

Orchis moustique

Gymnadenia conopsea

C 20-60 cm. Fleurs mauves, 10-15 mm (mai-juin), en long épi (10-25 cm) ; éperon 1,5-2 fois plus long que l'ovaire, étroit, incurvé au bout ; pétales latéraux ovales ; labelle s'élargissant, trilobé. Feuilles lancéolées (jusqu'à 15 cm).
H « Pelouses » calcaires, forêts claires, prairies tourbeuses ; jusqu'à 2 400 m.
P Tubercule palmé ; pollinisé par des papillons, qui aspirent le nectar dans l'éperon.

Orchis à larges feuilles P

Dactylorhiza majalis

C 15-60 cm. Orchidée. Fleurs pourpres à mauves, en épi dense, ovale (mai-juin) ; labelle très large, trilobé, avec lignes pourpres. Feuilles généralement tachetées de brun, lancéolées.
H Tourbières plates, prairies humides, sur sol calcaire. Surtout Est, Sud-Est et Pyrénées.
P Les *Dactylorhiza* vivent surtout sur les sols pauvres, mais celui-ci tolère les sols riches.

Myosotis des marais

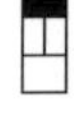

Myosotis palustris

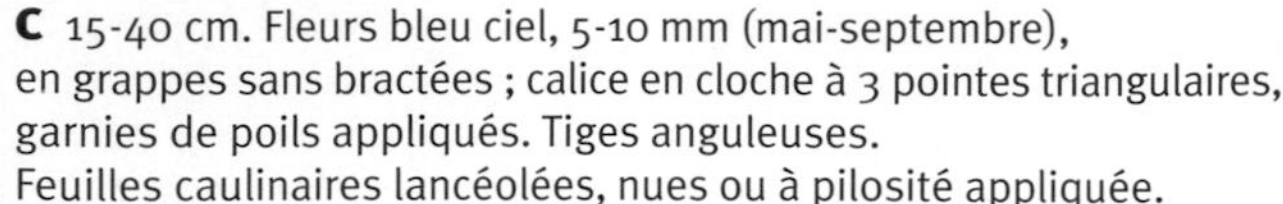

C 15-40 cm. Fleurs bleu ciel, 5-10 mm (mai-septembre), en grappes sans bractées ; calice en cloche à 3 pointes triangulaires, garnies de poils appliqués. Tiges anguleuses. Feuilles caulinaires lancéolées, nues ou à pilosité appliquée.
H Prairies humides, fossés, marécages, berges des rivières. Rare : Midi méditerranéen.
P Boutons floraux souvent roses, car le pigment se modifie selon le degré d'acidité des cellules.

Bleuet

Centaurea cyanus

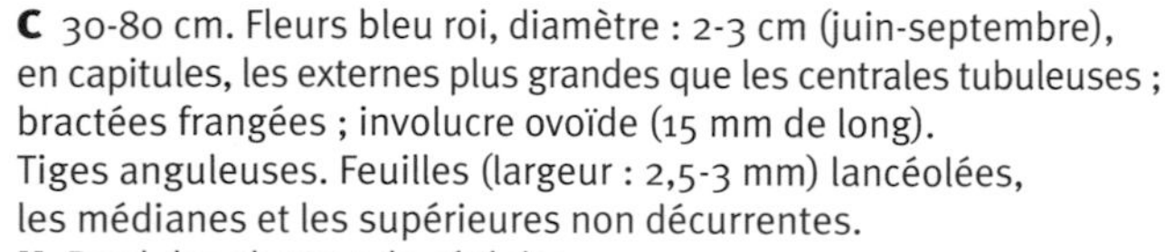

C 30-80 cm. Fleurs bleu roi, diamètre : 2-3 cm (juin-septembre), en capitules, les externes plus grandes que les centrales tubuleuses ; bractées frangées ; involucre ovoïde (15 mm de long). Tiges anguleuses. Feuilles (largeur : 2,5-3 mm) lancéolées, les médianes et les supérieures non décurrentes.
H Bord des champs de céréales.
P Devenu rare (semences triées, emploi d'herbicides). Jadis, plante médicinale employée dans les affections des yeux et de la vessie.

Chicorée sauvage

Cichorium intybus

C 25-120 cm. Capitules bleu ciel, 3-4 cm (juin-septembre), liguliflores ; involucre à 2 rangs de bractées velues, glanduleuses. Tiges rameuses, raides. Feuilles radicales très découpées, soyeuses dessous, les caulinaires lancéolées, entières à peu dentées.
H Bords des chemins, terrains vagues, champs, prairies.
P A fourni la chicorée cultivée, employée en boisson, associée (ou non) au café. Jadis, plante médicinale (affections du foie) et salade.

Centaurée des montagnes

Centaurea montana

C 30-70 cm. Capitules violets, 6-8 cm (mai-septembre) ; fleurs latérales bleues, les centrales violettes ; écailles de l'involucre noires, avec appendice pectiné. Feuilles lancéolées, feutrées dessous, les supérieures ailées, décurrentes.
H Clairières des forêts de montagne, mégaphorbiaies ; jusqu'à 2 100 m. Est, Centre, Sud-Ouest et Midi.
P Se propage par rhizomes. Sols argileux.

Géranium des prés

Geranium pratense

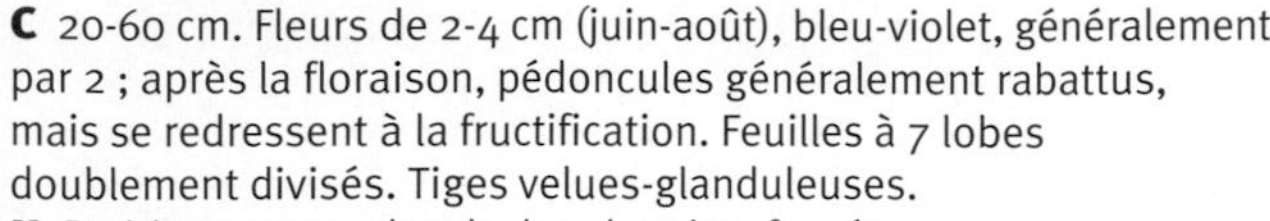

C 20-60 cm. Fleurs de 2-4 cm (juin-août), bleu-violet, généralement par 2 ; après la floraison, pédoncules généralement rabattus, mais se redressent à la fructification. Feuilles à 7 lobes doublement divisés. Tiges velues-glanduleuses.
H Prairies grasses, bords des chemins, fossés.
P Pollinisé par des abeilles. Graines projetées à l'ouverture des fruits (leur arête incurvée se détend).

Anémone hépatique

Hepatica nobilis

C 5-15 cm. Fleurs bleues, 1,5-3 cm (mars-avril), rarement blanches ; corolle à 6-9 divisions ; au-dessous, 3 bractées entières. Feuilles paraissant après la floraison, radicales, à 3 lobes arrondis, longuement pétiolées.
H Forêts de feuillus et de résineux. Vosges, Jura, Alpes, Cévennes, Bourgogne, Pyrénées.
P Entomogamie. Des fourmis dispersent les graines. Jadis, plante médicinale (affections du foie et de la vésicule biliaire).

Petite pervenche

Vinca minor

C 15-20 cm. Fleurs mauves, 20 mm (mars-mai), solitaires, à l'aisselle des feuilles ; corolle à 5 lobes étalés. Tiges rampantes. Feuilles lancéolées, vert foncé, sempervirentes (4 cm), coriaces.
H Forêts de feuillus, fourrés ; généralement en colonies. Rare : Midi méditerranéen.
P Se propage surtout par stolons mais aussi par graines dispersées par des fourmis. Cultivée pour couvrir le sol.

Scille à deux feuilles

Scilla bifolia

C 10-20 cm. Fleurs bleu clair (mars-avril) ; hampe ronde, 2-8 fleurs à son extrémité ; étamines violettes ; bractées (6-9 mm) elliptiques. En général, seulement 2 feuilles linéaires, qui entourent la base de la hampe (engainantes), celle-ci issue d'un bulbe.
H Forêts de feuillus, prairies humides, forêts riveraines. Surtout Est et Centre. En colonies.
P Exige un sol riche en humus. Entomogamie ou autofécondation.

Gentiane printanière P

Gentiana verna

C 4-15 cm. Fleurs bleues à blanchâtres (mars-juillet), solitaires, rarement par 2-3 sur la même tige ; appendices bidentés à la base des divisions de la corolle ; calice anguleux. Feuilles en rosette, trois fois plus longues que larges, obtuses, rudes.
H Alpages, tourbières plates, zone des arbres nains en montagne (jusqu'à 2 600 m). Sols calcaires en plaine. Absente : Vosges.
P Si l'automne est chaud, seconde floraison possible.

Gentiane ciliée P

Gentiana ciliata

C 8-25 cm. Fleurs bleues, 5 cm de long (août-octobre) ; 4 lobes soudés en tube frangé au bord ; fleurs généralement solitaires en haut des tiges. Feuilles caulinaires (1-3) linéaires, pointues.
H Prairies, friches, lisières et clairières des forêts. Jusqu'à 2 200 m. Montagnes, Bourgogne.
P Pollinisée par des bourdons.

Gentiane de Clusius P

Gentiana clusii

C 4-8 cm. Fleurs bleues (avril-août) en cloche ; corolle bleu verdâtre extérieurement, toujours sans taches verdâtres à l'intérieur ; sépales lancéolés, pointus, atteignant le milieu de la corolle, bord rêche, échancrures aiguës ; pédoncule très court ou absent. Feuilles en rosette radicale, lancéolées, à pointe très aiguë.
H Alpages, crevasses des rochers, tourbières plates ; calcicole. Jura et Alpes. 1 200-2 600 m.
P Facilement confondue avec la gentiane acaule (*G. acaulis*), qui a des taches vertes dans la corolle, les bords du calice lisses, à larges échancrures –et non pas anguleuses– et enfin, qui est calcifuge.

Gentiane à feuilles d'asclépiade P

Gentiana asclepiadea

C 30-70 cm. Fleurs bleu vif, 3,5-5 cm (juillet-septembre), généralement solitaires ou par 2-3 à l'aisselle des feuilles supérieures ; corolle bleu clair, striée ou ponctuée de violet rougeâtre à l'intérieur ; 5 lobes ovales-aigus, 1 dent obtuse entre eux. Feuilles opposées, ovales-lancéolées à 5 nervures.
H Alpages, forêts de montagne. Jura, Alpes, Corse.
P Feuilles semblables à celles du dompte-venin (p. 134).

Campanule agglomérée

Campanula glomerata

C 20-60 cm. Fleurs violettes, rarement blanches, 1,5-3 cm (juillet-août), en têtes denses, terminales ; corolle en entonnoir, velue ; le style ne la dépasse pas. Feuilles radicales ovales-obtuses, en cœur ou arrondies à la base, les caulinaires pointues, demi-embrassantes ou pétiolées ; toutes les caulinaires et la tige sont couvertes de poils mous.
H Prairies, friches boisées, broussailles ; jusqu'à 1900 m.
P Espèce de demi-ombre ou de lumière. Entomogamie.

Campanule à feuilles rondes

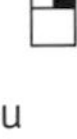
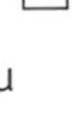

Campanula rotundifolia

C 10-50 cm. Fleurs bleu foncé (juin-septembre), en panicule peu fournie, penchées (dressées en bouton) ; corolle divisée dans le tiers supérieur. Feuilles radicales longuement pétiolées, arrondies à cordiformes, les caulinaires étroites, lancéolées, glabres.

H « Pelouses » maigres, landes, bois clairs.
Rare localement : Ouest, Sud-Ouest, Midi méditerranéen, Centre.
P Également héliophile.

Muscari P

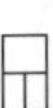

Muscari botryoides

C 10-25 cm. Fleurs bleu-violet, bordées de blanc, en cloche, 2-5 mm (avril-mai), déposées en grappe dense (10-20) cylindrique. 2-3 feuilles radicales dressées (largeur : 10 mm), linéaires, atteignant la longueur de la hampe florale.
H Prairies sèches, vignobles, champs. Localisé.
P Solitaire ou en colonies. Entomogamie. En France, il y a 4 autres espèces de muscaris, toutes devenues rares. Variétés cultivées.

Globulaire

Globularia cordifolia

C 3-10 cm. Fleurs mauves (6-8 mm), en tête globuleuse, diamètre : 10-15 mm (mai-juin) ; fleurs à lèvre supérieure profondément divisée (3 lobes) ; dents du calice égales ou plus courtes que le tube de la corolle ; bractées ovales ou lancéolées, ciliées. Feuilles radicales (largeur : 5 mm), spatulées, échancrées au bout. Forme des colonies.
H Éboulis, rocailles. Jura, Alpes, Causses, Pyrénées. Jusqu'à 2 200 m.
P Se propage par rejets rampants qui s'enracinent.

Raiponce

Phyteuma orbiculare

C 10-40 cm. Fleurs de 10-15 mm (mai-septembre), en épi globuleux, bleues, entourées par des bractées lancéolées-ovales ; corolle fortement courbée avant la floraison. Feuilles en rosette radicale, en cœur-ovales-lancéolées, dentées ou entières, les supérieures sessiles.
H Alpages, « pelouses » maigres, prés tourbeux, jusqu'à 2 400 m. Absente en Bretagne, Nord.
P Entomogamie.

Ancolie vulgaire

Aquilegia vulgaris

C 30-80 cm. Fleurs au diamètre de 3-5 cm (mai-juillet), bleues ou violettes ; corolle à 5 éperons nectarifères incurvés ; au centre, nombreuses étamines jaunes. Feuilles basales glauques, découpées, 2 fois divisées par 3 ; les caulinaires sessiles à 3 lobes.
H Forêts claires de feuillus, clairières, « pelouses ». Absente : Corse, Midi méditerranéen.
P Pollinisation par bourdons à longue trompe, qui prennent le nectar dans les cornes de la corolle.

Iris de Sibérie P

Iris sibirica

C 30-90 cm. Fleurs généralement par 2, bleues (mai-juin), à l'extrémité de la tige ; 3 divisions externes nervurées de bleuâtre à la base, se terminant en onglet veiné de brun-jaune et pourpre ; divisions internes dressées. Feuilles plus courtes que la tige creuse, linéaires (largeur : 2-6 mm).
H Prairies marécageuses, rieds alsaciens, tourbières plates, forêts humides. Alsace, Sud-Ouest, région Rhône-Alpes.
P Protégé. Supporte une inondation passagère ; prospère seulement sur sols non fumés, très pauvres en azote. Localement associé à la molinie (*Molinia caerulea*) (p. 240).

Cresson de cheval

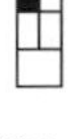

Veronica beccabunga

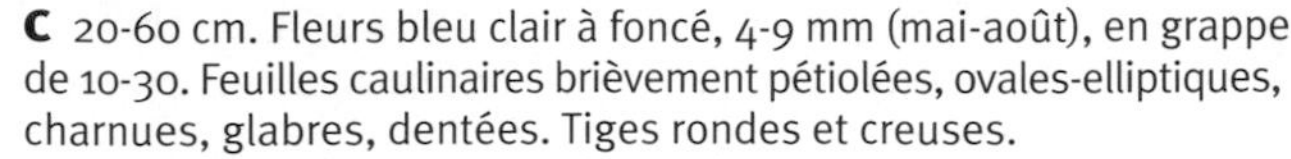

C 20-60 cm. Fleurs bleu clair à foncé, 4-9 mm (mai-août), en grappe de 10-30. Feuilles caulinaires brièvement pétiolées, ovales-elliptiques, charnues, glabres, dentées. Tiges rondes et creuses.
H Bords des ruisseaux, fossés, marécages, près des sources.
P Jadis plante médicinale (affections de la peau).

Véronique petit-chêne

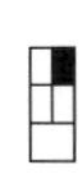

Veronica chamaedrys

C 10-30 cm. Fleurs bleues (mai-août), terminales, en grappes à l'aisselle des feuilles sur les tiges à 2 rangs de poils ; calice à 4 lobes ; veines foncées sur les pétales ; 2 étamines. Feuilles ovales-pointues, échancrées, sessiles, les inférieures pétiolées.
H Forêts claires, prairies ; jusqu'à 2 200 m. Rare : Midi méditerranéen.
P Contient des glucosides toxiques (jadis, plante médicinale employée pour les affections du foie, de l'estomac et de l'intestin). Entomogamie.

Sauge des prés

Salvia pratensis

C 30-60 cm. Fleurs bleu-violet, 18-25 mm (mai-août) en verticilles superposés (4-8) velus-glanduleux ; lèvre supérieure en casque ; bractées vertes plus courtes que le calice et rabattues. Tiges quadrangulaires, velues-ciliées. Feuilles surtout en rosette radicale, dentées, ovales avec pétioles.
H Prairies maigres ou non, bords des chemins.
P Pollinisée par des bourdons qui, en cherchant le nectar, inclinent les étamines, de sorte que le pollen se dépose sur leur abdomen.

Bugle

Ajuga reptans

C 15-30 cm. Fleurs bleues, rarement rougeâtres ou blanches, 20-25 mm (mai-juin), en verticilles superposés à l'aisselle des feuilles ; lèvre supérieure petite ou absente, l'inférieure trilobée ; calice velu, plus court que la corolle. Feuilles radicales spatulées, longuement pétiolées, les caulinaires ovales. Tiges nues en bas, 2 rangs de poils en haut.
H Chemins forestiers, prairies humides, bord de l'eau. Rare : Midi méditerranéen.
P Émet des rejets rampants qui assurent sa propagation. Contient des tanins (jadis plante médicinale). Entomogamie et autofécondation.

Vipérine

Echium vulgare

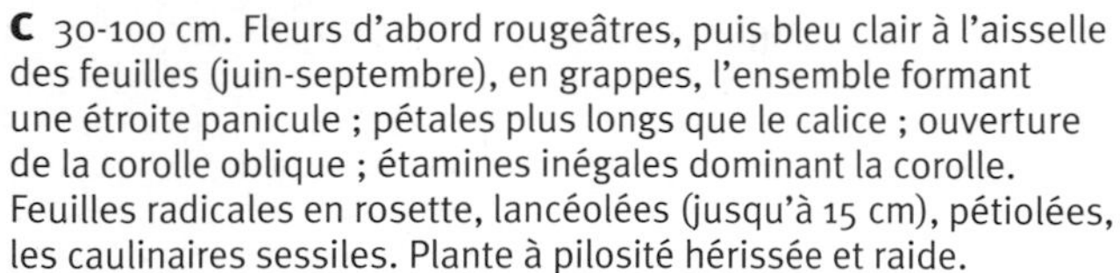

C 30-100 cm. Fleurs d'abord rougeâtres, puis bleu clair à l'aisselle des feuilles (juin-septembre), en grappes, l'ensemble formant une étroite panicule ; pétales plus longs que le calice ; ouverture de la corolle oblique ; étamines inégales dominant la corolle. Feuilles radicales en rosette, lancéolées (jusqu'à 15 cm), pétiolées, les caulinaires sessiles. Plante à pilosité hérissée et raide.
H Bords des chemins, terrains vagues, décombres, vieux murs.
P Espèce pionnière des terres remuées.

Pied d'alouette, dauphinelle P

Consolida regalis

C 15-40 cm. Fleurs violettes, en panicule ou grappe peu fournies (juin-août) ; éperon (jusqu'à 22 mm) droit ou un peu incurvé vers le haut. Feuilles à segments linéaires ; feuilles bractéales linéaires, plus courtes que les pétioles. Tige rameuse.
H Champs, décombres, sur sols calcaires.
P Contient un alcaloïde (jadis, plante médicinale vulnéraire). Pollinisée par papillons et bourdons.

Aconit napel

Aconitum napellus

C 50-150 cm. Fleurs de 3-4 cm (juillet-août), violettes, en grappe dense ; casque plus large que haut, incluant les nectaires à pédicelle courbe. Tige dressée. Feuilles palmées à segments linéaires, vert foncé dessus, plus claires et luisantes dessous.
H Forêts de montagne (clairières), bords des torrents ; jusqu'à 3 000 m. Mégaphorbiaies. Absent : Ouest, Midi méditerranéen.
P Contient un alcaloïde très toxique (aconitine) employé en homéopathie (grippe, douleurs), jadis utilisé comme poison mortel.

Lupin

Lupinus polyphyllus

C 60-150 cm. Fleurs bleues, rarement blanches (juin-septembre), en grappe terminale dense de 15-60 cm de long ; pétales : 12-14 mm ; calice à 2 lèvres. Fruits : gousses s'ouvrant par 2 valves. Feuilles formées de 9-15 folioles en éventail, lancéolées-oblongues.
H Cultivé comme fourrage, mais aussi échappé des cultures (prairies). Plante ornementale.
P Originaire d'Amérique du Nord. Confusion possible avec *L. angustifolius*, qui a des feuilles à 5-9 folioles.

Hellébore fétide

Helleborus foetidus

C 30-50 cm. Fleurs vertes (mars-avril), en cloche, pendantes ; corolle formée des seuls sépales, pétales transformés en nectaires ; odeur désagréable. Feuilles inférieures pétiolées, palmées à 7-9 folioles, les supérieures sessiles, simples ou à 3 divisions, se transforment progressivement en bractées.
H Friches boisées, fourrés, forêts de montagne ; seulement sur sols calcaires. Absent : Bretagne.
P Proche parent de la rose de Noël, *H. niger* (p. 128).

Asaret

Asarum europaeum

C 5-10 cm. Fleurs terminales, solitaires, penchées, 10-15 mm (mars-mai), brunâtres (intérieur pourpre), à 3 lobes. Tiges rampantes ; rameaux dressés avec écailles brunâtres sur 2 rangs et 2 feuilles longuement pétiolées, arrondies à réniformes, luisantes dessus.
H Forêts de feuillus et de résineux, forêts riveraines, fourrés ; surtout sols calcaires. Est, Nord, Centre, Pyrénées.
P Les feuilles ont une odeur poivrée due à des esters. Autofécondation ; graines dispersées par des fourmis.

Scrophulaire noueuse

Scrophularia nodosa

C 50-100 cm. Fleurs rougeâtres brunâtres, verdâtres à la base, 6-8 mm (juin-juillet), lèvres peu distinctes ; calice à lobes ovales, un peu membraneux au bord. En panicules non feuillées, lâches, velues-glanduleuses. Tiges quadrangulaires. Feuilles ovales, dentées, à pétiole quadrangulaire. Issue d'un rhizome.
H Forêts humides, fourrés, bord de l'eau.
Rare : Midi méditerranéen.
P Contient des saponines, alcaloïdes et glucosides (jadis, plante médicinale pour soigner les ulcères).

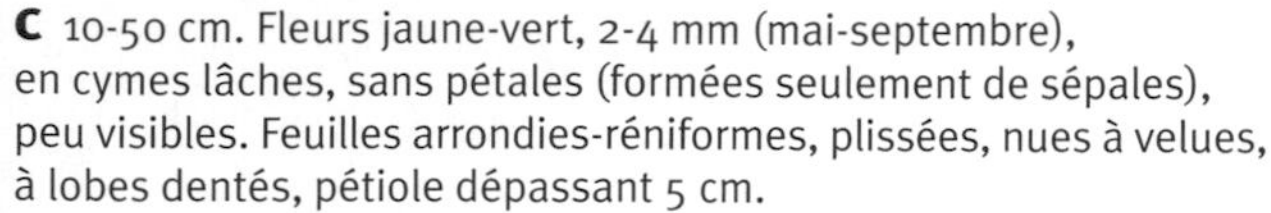

Alchémille vulgaire

Alchemilla vulgaris

C 10-50 cm. Fleurs jaune-vert, 2-4 mm (mai-septembre), en cymes lâches, sans pétales (formées seulement de sépales), peu visibles. Feuilles arrondies-réniformes, plissées, nues à velues, à lobes dentés, pétiole dépassant 5 cm.
H Prairies, forêts, lisières.
P Le matin, on remarque sur les feuilles des « gouttes d'eau », issues des stomates situés au bord.

Pourpier de mer

Honckenya peploides

C 10-30 cm. Fleurs blanches, unisexuées, 6-10 mm (juin-juillet), en fausses ombelles denses ; 5 pétales et 5 sépales verts, 10 étamines ; pétales des fleurs femelles égaux aux sépales (plus courts chez les fleurs mâles). Tiges charnues, rampantes-ascendantes, ovales, nues, sessiles, opposées.
H Dunes côtières (zone des embruns) : mer du Nord, Manche, Atlantique.
P Réserves d'eau dans les tissus (adaptation à la sécheresse d'un milieu salé).

Adoxe

Adoxa moschatellina

C 5-20 cm. Fleurs vert jaunâtre (mars-mai), par 4-6 en inflorescence cubique formée de fleurs différentes : terminale à 4 pétales et 2 sépales, 8 étamines ; les latérales à 5 pétales, 3 sépales et 10 étamines. 2 feuilles opposées, à 3 folioles découpées, les radicales 2 fois trilobées.
H Forêts humides de feuillus, forêts riveraines ; jusqu'à 1800 m. Absente : Bretagne, Sud-Ouest, Midi méditerranéen.
P Fleurs fanées à odeur musquée.

Euphorbe faux-amandier

Euphorbia amygdaloides

C 30-80 cm. Fleurs en ombelles très rameuses (avril-juin) ; bractées en gobelet, soudées par 2 ; glandes nectarifères en croissant. Feuilles ovales-lancéolées (4-7 cm), nues ou duveteuses.
H Hêtraies, chênaies sur sol calcaire ou non.
P Comme d'autres euphorbes, contient un suc laiteux jaunâtre.

Mercuriale vivace

Mercurialis perennis

C 15-30 cm. Fleurs vert-jaune unisexuées, 3-5 mm (avril-mai) ; calice vert à 3 divisions ; fleurs mâles en glomérules formant un épi, 3 pétales, 9-12 étamines ; fleurs femelles : ovaire à 2 styles. Feuilles pétiolées, elliptiques à lancéolées. Tiges rondes.
H Forêts de feuillus, résineux, ravins.
P Contrairement aux autres euphorbes, n'a pas de suc laiteux. Plante médicinale (rhume).

Plantain lancéolé, herbe à cinq côtes

Plantago lanceolata

C 10-50 cm. Fleurs brunâtres, en épi terminal ovoïde (mai-septembre), hampe nue, à 5 nervures ; corolle brune, longues étamines (anthères jaunes). Feuilles en rosette radicale, lancéolées-étroites, à nervures parallèles.
H Prairies, bords des chemins, décombres ; jusqu'à 1800 m.
P Plante médicinale (feuilles écrasées : vulnéraire ; en infusion, employées contre la toux et les affections de la vessie).

Grand plantain

Plantago major

C 5-40 cm. Fleurs en épi cylindrique aussi long que la hampe (juin-octobre) ; fleurs blanc jaunâtre, étamines blanches ou rouges, corolle à 4 divisions. Feuilles longuement pétiolées, limbe ovale-large, à 3-7 nervures, un peu velu.
H Bords des chemins, fossés, prairies, décombres.
P Plante médicinale ; vulnéraire, antiallergique des voies respiratoires.

Matricaire

Matricaria discoidea

C 5-40 cm. Fleurs verdâtres jaunâtres (juin-août), en forme de têtes coniques, sans ligules, constituées de fleurs tubuleuses à 4 divisions. Feuilles découpées en fines lanières. Tiges dressées, rameuses, nues. Répand une forte odeur.
H Chemins, talus, décombres, terrains vagues.
P Odeur due à des esters sans valeur médicinale, contrairement à *M. chamomilla* (p. 142).

Armoise

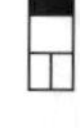

Artemisia vulgaris

C 50-240 cm. Capitules tubuliflores, 3-4 mm (juillet-octobre), jaunâtres à brun rougeâtre, en verticilles formant une panicule ; bractées feutrées. Tige très rameuse. Feuilles très divisées, feutrées et blanches dessous ; divisions des supérieures souvent enroulées au bord. Odeur désagréable.
H Chemins, bord de l'eau, décombres, terrains vagues ; jusqu'à 1600 m.
P Plante culinaire dans certains pays ; jadis, plante médicinale. En France, 2 sous-espèces dont l'une vit seulement sur les côtes.

Parelle

Rumex crispus

C 30-100 cm. Fleurs nombreuses, en verticilles feuillés jusqu'au sommet (mai-juillet) ; bractées internes arrondies en cœur, certaines avec renflements. Feuilles raides (jusqu'à 30 cm), lancéolées, ondulées au bord.
H Terrains vagues, champs, prairies, déblais, rives.
P Polymorphe comme de nombreux autres *Rumex*. Indique la présence d'azote. Plante médicinale : extraits des racines laxatifs ; fruits antidiarrhéiques.

Arroche étalée

Atriplex patula

C 30-100 cm. Fleurs (juillet-octobre), unisexuées, en glomérules disposés en faux épis. Fruits à 3 pans ; valves fructifères à pointe lancéolée, courtes dents latérales.
Feuilles lancéolées, peu dentées. Rameaux étalés.
H Terrains vagues sur sols riches en azote ; une race sur les côtes.
P Le genre *Atriplex* comporte une dizaine d'espèces en France.

Chénopode blanc

Chenopodium album

C 20-150 cm. Plante blanchâtre farineuse. Fleurs (mai-octobre) disposées en glomérules axillaires, groupés en épis plus ou moins pyramidaux, sans feuilles ; calice à 5 divisions, farineux.
Feuilles losangées à lancéolées, dentées à lobées.
H Terrains vagues, champs, bords des chemins, des eaux.
P Mauvaise herbe des cultures. Espèce pionnière sur les terres remuées.

Salicorne d'Europe

Salicornia europaea

C 20-40 cm. Fleurs (août-octobre) très petites, en épis terminaux (1-5 cm) sur des tiges rameuses, charnues, articulées, glauques à vertes, devenant rouges en automne. Feuilles réduites à des écailles soudées aux tiges.
H Vases salées, marais salants (côtes et mares salées de Lorraine).
P Plante « succulente », c'est-à-dire dont les tissus contiennent beaucoup d'eau (adaptation à un milieu salé empêchant la dessiccation). Jadis, plante médicinale (voies urinaires, action déshydratante).

Pesse

Hippuris vulgaris

C 10-80 cm. Fleurs minuscules (2-4 mm), verdâtres, à l'aisselle des feuilles (mai-août), sans périanthe, réduites à 1 étamine et 1 ovaire. Feuilles en verticilles de 6-12, linéaires, raides, entières, sortant de l'eau ; feuilles submergées brunâtres et molles.
H Eaux stagnantes ou très lentes.
P En général, forme des colonies. Anémogamie ; dispersion des graines par des oiseaux aquatiques ou par le courant.

Potamot

Potamogeton natans

C 50-150 cm. Fleurs petites (mai-août), en épi dense atteignant 8 cm de long, sortant de l'eau. Feuilles flottantes ovales (jusqu'à 12 cm), à pétiole en gouttière dessus ; feuilles submergées molles, linéaires, généralement disparues à la floraison.
H Étangs, lacs, rivières lentes ; jusqu'à 1 500-2 000 m.
P Issu d'un rhizome ; jadis employé pour nourrir les porcs. Des poissons pondent sur ses feuilles.

Myriophylle

Myriophyllum spicatum

C 10-300 cm. Fleurs rougeâtres (juin-septembre), en épis dressés, terminaux, sortant de l'eau, sur des tiges rosées. Feuilles pectinées, en verticilles de 4.
H Eaux stagnantes ou lentes. Plante submergée.
P Fait partie des espèces aquatiques typiques des eaux riches en calcaire. Offre abri et nourriture aux poissons.

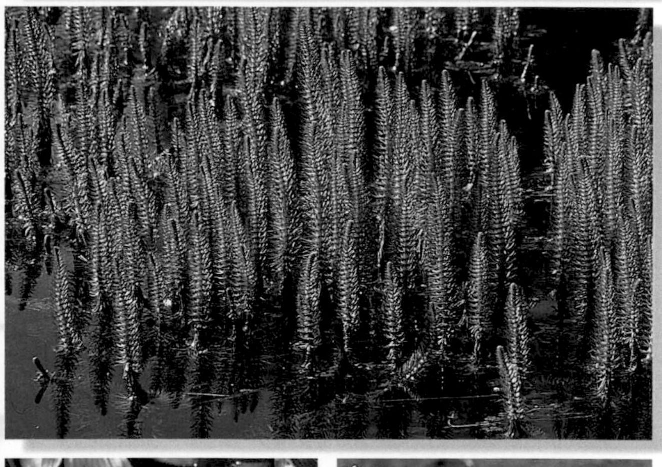

Renouée des oiseaux, traînasse

Polygonum aviculare

C 5-50 cm. Fleurs blanchâtres ou rosées (mai-septembre), par 1-5 à l'aisselle des feuilles ; pétales : 2-3 mm. Feuilles elliptiques-lancéolées, pétiole engainant à la base. Tiges couchées, ascendantes, rameuses, à stries foncées.
H Chemins, décombres, jardins, bord des champs.
P Mauvaise herbe des cultures. Plante médicinale (affections pulmonaires).

Grande ortie

Urtica dioica

C 30-120 cm. Espèce dioïque (il y a des pieds mâles et d'autres femelles). Fleurs (juin-octobre) en grappes pendantes, jaunâtres, plus longues que les pétioles foliaires. Feuilles dentées, opposées, à poils raides et urticants. Tiges anguleuses.
H Bords des chemins, vieux murs, décombres, jardins.
P Au contact, les poils urticants injectent dans la peau un liquide provoquant irritation et démangeaisons.

Rubanier dressé

Sparganium erectum

C 30-150 cm. Fleurs verdâtres en capitules globuleux, diamètre : 10-20 mm (juin-août), les mâles au-dessus des femelles, sur les rameaux de la tige. Feuilles linéaires, raides, à 3 angles à la base, carénées jusqu'à l'extrémité (largeur : 3-15 mm). Souche avec stolons rampants.
H Bords des étangs, lacs, sur fond vaseux (zone des phragmites)
P Eaux riches en éléments nutritifs. Fruits flottants.

Vératre, varaire

Veratrum album

C 50-150 cm. Fleurs blanches intérieurement, verdâtres extérieurement –ou entièrement– (juin-août), groupées en longue panicule (jusqu'à 50 cm). Feuilles alternes, ovales-larges, entières, pliées en long, duveteuses dessous, base embrassante. Plante très odorante.
H Prairies humides en montagne, tourbières plates (800-2 200 m).
P Contient des alcaloïdes très toxiques. Jadis, plante médicinale (éruptions de la peau). Confusion possible avec la gentiane jaune (p. 102).

Typha à larges feuilles, massette

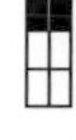

Typha latifolia

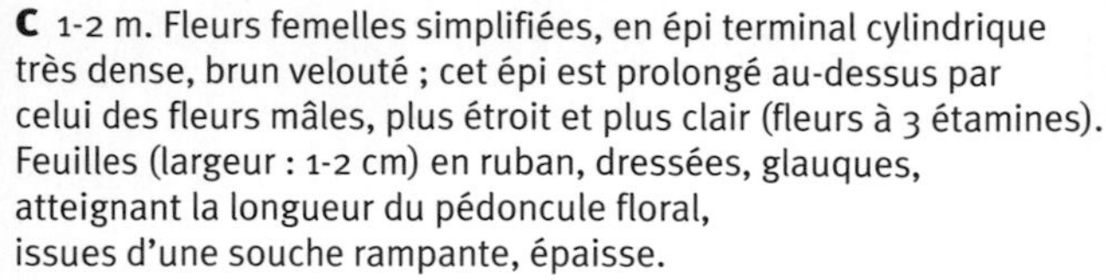

C 1-2 m. Fleurs femelles simplifiées, en épi terminal cylindrique très dense, brun velouté ; cet épi est prolongé au-dessus par celui des fleurs mâles, plus étroit et plus clair (fleurs à 3 étamines). Feuilles (largeur : 1-2 cm) en ruban, dressées, glauques, atteignant la longueur du pédoncule floral, issues d'une souche rampante, épaisse.
H Bord des étangs, lacs, fossés.
P Par ses rhizomes rampants, contribue au comblement des pièces d'eau.

Parisette à quatre feuilles

Paris quadrifolia

C 10-40 cm. Fleur solitaire (mai-juin), longuement pédonculée, au centre d'un verticille de 4 feuilles ; enveloppe florale à 9-10 divisions, cercle externe vert, l'interne jaunâtre ; 6-10 étamines ; ovaire à 4-5 styles libres.
Feuilles ovales, pointues, à nervures réticulées. Fruit noir, toxique.
H Forêts de feuillus et mixtes, forêts riveraines, sur sols humides. Rare : Sud-Ouest, Midi méditerranéen, Bretagne.
P Contient des saponines toxiques (baies, etc.). Jadis, plante médicinale. Les oiseaux mangent les fruits impunément et dispersent les graines.

Arum, gouet, pied-de-veau

Arum maculatum

C 15-50 cm. Fleurs à la base d'un axe charnu (spadice) entouré d'une grande bractée vert jaunâtre (spathe). L'axe porte à sa base un anneau de fleurs femelles surmonté par les fleurs mâles. Feuilles radicales triangulaires, tachetées – ou non – de noirâtre.
H Forêts de feuillus et mixtes, forêts riveraines, fourrés. Rare : Midi méditerranéen, Corse.
P L'inflorescence constitue un piège pour les insectes attirés par son odeur ; parvenus à l'intérieur, ils ne peuvent en sortir que si les fleurs femelles sont pollinisées et que les mâles ont produit le pollen. Fruits toxiques : baies rouges groupées en faux épi.

Helléborine à larges feuilles P

Epipactis helleborine

C 25-80 cm. Orchidée. Fleurs verdâtres rougeâtres (juin-septembre), en longue grappe (15-30 cm) lâche, unilatérale. Divisions externes verdâtres, labelle teinté de rougeâtre, partie externe ovale, rose violacé, 2 bosses basales ; anthères sessiles. Feuilles inférieures ovales-larges, les supérieures lancéolées ; bractées linéaires. Tige rougeâtre à la base.
H Forêts claires de feuillus et de résineux, fourrés.
Rare : Ouest, Midi méditerranéen.
P Pollinisation par des guêpes.

Néottie nid-d'oiseau

Neottia nidus-avis

C 20-50 cm. Orchidée. Fleurs brun clair (mai-juin), en grappe de 10-30 ; divisions externes formant un casque ; grand labelle élargi et bilobé à l'extrémité. Plante beige, sans chlorophylle. Feuilles en écailles en haut de la tige.
H Forêts de feuillus et de résineux, à l'ombre.
P Vit en symbiose avec des champignons mycorhiziens. Racines enchevêtrées évoquant la forme d'un nid.

Listère ovale

Listera ovata

C 20-65 cm. Orchidée. Fleurs vert jaunâtre (mai-juillet), en grappe étroite ; divisions externes rapprochées ; labelle bilobé, étroit, jaunâtre. Deux grandes feuilles ovales-larges, raides (5-18 cm), opposées, à nervures bien visibles.
H Forêts humides de feuillus, forêts riveraines, « pelouses » sèches ; jusqu'à 2 000 m.
P Issue d'une souche rameuse, rampante ; pollinisée par coléoptères et ichneumonidés.

Linaigrette P

Eriophorum latifolium

C 20-60 cm. Fleurs hermaphrodites (avril-mai), par 4-12 en épillets, nues, divisions externes réduites à des cils et des soies molles qui, à la fructification, forment une houppe blanche, servant d'aile pour la dispersion des graines. Hampe à section triangulaire. Feuilles (largeur : 3-8 mm), terminées en pointe à 3 angles, les inférieures avec gaine brun-noir. Ne produit pas de rejets.
H Prairies marécageuses, tourbières plates ; jusqu'à 2 000 m.
P Contribue à la formation de la tourbe. Se raréfie.

Jonc des chaisiers

Scirpus lacustris

C 1-3 m. Fleurs (juin-juillet) en épillets brun rougeâtre, groupés en têtes ou faux panicules ; 3 stigmates. Tige (diamètre : jusqu'à 15 mm) ronde, verte, sans feuilles.
H Bord des étangs, lacs, rivières lentes ; jusqu'à 1 400 m.
P Tiges sèches employées pour tresser corbeilles, nattes ; leur moelle servait jadis à faire du papier.

Luzule des bois

Luzula sylvatica

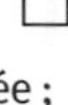

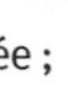

C 30-90 cm. Fleurs (avril-mai) par 3-4 en inflorescence lâche, ramifiée ; pétales bruns ou roussâtres avec raie médiane verte ; bractées inférieures plus courtes que l'inflorescence. Feuilles vert foncé luisant (largeur : 10-15 mm), velues au bord et au niveau de la gaine.
H Landes, forêts sur sol acide, riche en humus ; jusqu'à 2 300 m. Rare en plusieurs régions : Midi méditerranéen, etc.
P Forme souvent d'importantes colonies. Les cervidés ne la mangent guère.

Pâturin annuel

Poa annua

C 2-30 cm. Épillets à 1-8 fleurs de 3 mm (janvier-décembre), en panicule lâche ; rameaux inférieurs par 2, le plus bas horizontal ; glumes pointues, la plus large au milieu ; glumelles vertes à rouge violacé, velues sur l'arête et au bord. Chaumes (tiges) creux, légèrement rugueux.
H Très résistant, peu exigeant. Dans presque tous les lieux herbeux, très commun.
P Mauvaise herbe des cultures.

Chiendent

Agropyron repens (= Elymus r.)

C 20-150 cm. Épillets ovoïdes (juin-juillet) sur 2 rangs, en épi ; 3-8 fleurs aux glumes lancéolées, à plusieurs nervures, presque aussi longues que les glumelles à brève arête. Chaumes dressés. Feuilles pruineuses, vertes ou bleuâtres, nervures à poils raides en haut ; à la base, courtes oreillettes en croissant, limbe ondulé à côtelé dessus.
H Bords des chemins, berges, fourrés, jardins, terrains vagues.
P Produit des rhizomes blanchâtres, qui pénètrent dans les sols les plus compacts ; il est donc difficile de l'extirper. Mauvaise herbe des cultures.

Ray-grass

Lolium perenne

C 20-60 cm. Épi de 10-20 cm de long. À la floraison (mai-septembre), épillets dressés. Épi et axe des épillets nus ; glumes un peu plus longues que les glumelles appliquées, celles-ci sans arête. Feuilles d'abord pliées en long, puis planes, finement cannelées dessus.
H Prairies, bords des chemins, décombres.
P Plante fourragère cultivée ; employée dans les mélanges pour gazon en raison de sa robustesse.

Fléole

Phleum pratense

C 20-100 cm. Inflorescence cylindrique dense, jusqu'à 20 cm (juin-septembre) ; glumes non soudées, velues, terminées par une pointe ; étamines violettes. Feuilles (largeur : 3-9 mm) rêches des 2 côtés ; ligules ovales (1-5 mm).
H Prairies, gazons, chemins.
P Bon fourrage (cultivée). Diffère d'*Alopecurus pratensis* (ci-dessous) par ses épillets paraissant fourchus à 2 pointes (*Alopecurus p.* : épillets lancéolés-oblongs à 1 pointe).

Vulpin des prés

Alopecurus pratensis

C 30-100 cm. Inflorescence (diamètre : 10 mm) atteignant 10 cm de long (mai-juillet) ; 4-6 épillets par rameau ; glumes soudées presque jusqu'à la moitié, velues seulement aux nervures ; une arête à la base des glumelles pointues. Chaume dressé, lisse, avec feuilles (largeur : 6-10 mm), rêches dessus.
H Prairies, bord de l'eau, jardins.
P L'un des meilleurs fourrages (cultivé).

Crételle

Cynosurus cristatus

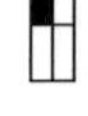

C 20-60 cm. Épi unilatéral (3-10 cm), denté de profil (juin-juillet) ; 2 rangs d'épillets verts de 3-4 mm ; épillets fertiles recouverts par un autre, stérile. Feuilles luisantes dessus, vert mat dessous, sillonnées ; ligules : environ 1 mm.
H Prairies sur sols riches ; jusqu'à 1800 m.
P Bon fourrage très nutritif.

Brize, amourette

Briza media

C 20-50 cm. Panicule lâche (mai-août) ; pédicelle des épillets très fin, ondulé ; épillets inclinés, en cœur, sans arête, souvent teintés de violet. Chaumes minces et lisses. Feuilles (largeur : 2-5 mm) rêches au bord ; ligule : 1 mm.
H Prairies sèches, «pelouses», friches.
P En raison de la finesse de leur pédicelle, les épillets tremblent au moindre souffle de vent. Espèce adaptée aux sols pauvres.

Calamagrostis

Calamagrostis epigejos

C 60-150 cm. Panicule rameuse atteignant 30 cm (mai-août). Rameaux dressés ; glumelles avec arête dorsale dépassant les glumes. Feuilles (largeur : 5-10 mm) rêches des 2 côtés. Plante glauque à gris-vert.
H Forêts claires, dunes, bord de l'eau. Rare : Nord-Ouest, Sud-Ouest.
P Longs rhizomes. Très proche de *C. pseudophragmites* (= *C. littorea*), qui vit seulement au bord des cours d'eau.

Dactyle

Dactylus glomerata

C 50-120 cm. Panicule formée de groupes d'épillets en grosses touffes (mai-juin) ; rameaux de plus en plus courts vers l'extrémité de l'inflorescence ; épillets souvent violacés, à 3-5 fleurs ; glumes vertes, arête : 1-2 mm. Chaumes rêches.
Feuilles (largeur : 4-5 mm).
H Dans tous les types de prairies, bords des chemins, forêts claires.
P Sans rhizome, mais forme de grosses touffes. Prairies riches en nutriments ; bon fourrage ; indique la présence d'azote.

Oyat, gourbet

Ammophila arenaria

C 60-100 cm. Panicules fuselées, blanchâtres jaunâtres, jusqu'à 25 cm (juin-juillet) ; épillets à 1 fleur (environ 10 mm), à glumes pointues ; glumelles sans arête, velues à la base. Feuilles (jusqu'à 60 cm) glauques, pointues, sillonnées dessus, presque toujours enroulées ; longue ligule (jusqu'à 25 mm).
H Dunes des côtes marines.
P Contribue à maintenir le sable grâce à ses très longs rhizomes. A été planté à cet effet.

Grande glycérie

Glyceria maxima

C 90-200 cm. Panicule lâche (juillet-août) ; pédicelles raides ; épillets linéaires à 5-8 fleurs, d'abord vert clair, puis brunâtres ou violacées. Feuilles (largeur : 10-20 mm), rêches en haut et au bord, en bas, seulement sur la nervure médiane.
H Vase au bord de l'eau, roselières, fossés.
P Comme le phragmite (ci-dessous), a servi à faire des toitures.

Roseau, Phragmite

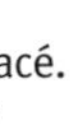
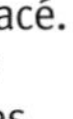

Phragmites australis

C 2-4 m. Panicule unilatérale (20-40 cm), à nombreuses fleurs, soyeuse-argentée à la floraison (juillet-septembre), puis brun violacé. Chaumes dressés, raides, robustes ; souche émettant des rejets souterrains (jusqu'à 1 m de long) ou en surface. Feuilles glauques (environ 50 cm) ; une couronne de poils blancs remplace la ligule.
H Bord des étangs, lacs, rivières. Très commun.
P Sert d'abri et de site de reproduction pour amphibiens, petits mammifères, poissons et oiseaux.
Paille employée pour couvrir des toits.

Molinie, guinche

Molinia caerulea

C 30-200 cm. Panicule gris ardoisé à verdâtre, dressée, jusqu'à 1 m, peu dense (juillet-octobre) ; épillets (4-6 mm) à 2-5 fleurs ; glumelles des fleurs inférieures (3-4 mm) arrondies au bout. Feuilles glauques (largeur : 5-8 mm), raides.
H Prairies humides ou tourbeuses, forêts claires.
Rare : Midi méditerranéen.
P Forme souvent de grandes colonies. Sur sols acides. Aucune valeur fourragère. Jadis employée pour faire de petits balais ou des liens.

Blé, froment

Triticum aestivum

C 1-1,50 m. Épis dressés, quadrangulaires, dépassant 5 cm (juin-juillet), formés d'épillets serrés à 4 fleurs (espaces de 4-8 mm entre épillets) ; sauf blés barbus, épillets sans arête, mais petite pointe (chez les blés barbus, l'arête atteint 15 cm). Feuilles : longues oreillettes nues à la base.
H Sols fertiles, assez secs et chauds ; jusqu'à 1 000 m environ.
P Très importante espèce de grande culture, cultivée depuis très longtemps ; on en a obtenu de très nombreuses variétés. Semé en hiver ou au printemps. Fournit farine, semoule, germes, gruau (fine « fleur »).

Seigle

Secale cereale

C 1-2 m. Épis mûrs penchés, 8-15 cm (mai-juin), comportant de nombreux épillets à 2 fleurs fertiles (4-8 cm) ; bord des glumelles cilié, arête atteignant 3 cm. Oreillettes des feuilles courtes et nues. Plante glauque.
H Cultivé dans toute l'Europe jusqu'à 1 200 m.
P Peu exigeant sur la qualité du sol, pousse même en terrain sablonneux. Généralement cultivé en céréale d'hiver pour la farine ; également employé comme fourrage et pour préparer de l'eau-de-vie. Originaire d'Asie.

Orge, escourgeon

Hordeum vulgare

C 100-120 cm. Épis à 4 ou 6 rangs (escourgeon) de grains, selon la variété, 5-8 cm de long (juin-juillet) ; épillets à 3 fleurs sur les encoches de l'axe, longues arêtes. Oreillettes des feuilles très longues et embrassantes, glabres.
H Espèce de grande culture. Escourgeon : orge d'hiver.
P Cultivée pour l'obtention de farine, nourriture du bétail. Les orges chevaliers *(H. distichon)* sont destinés à la malterie pour la préparation de la bière.

Avoine

Avena sativa

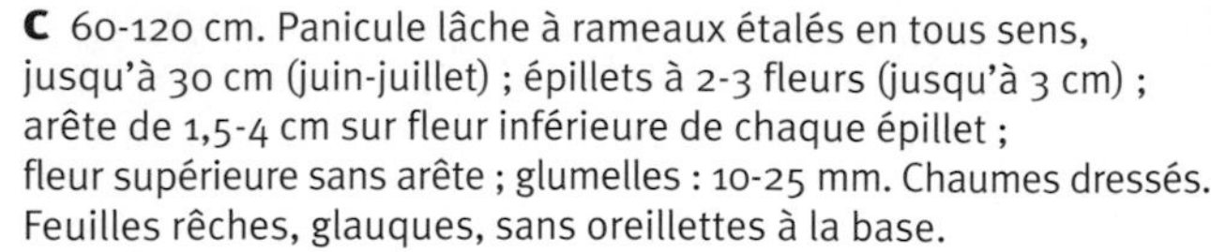

C 60-120 cm. Panicule lâche à rameaux étalés en tous sens, jusqu'à 30 cm (juin-juillet) ; épillets à 2-3 fleurs (jusqu'à 3 cm) ; arête de 1,5-4 cm sur fleur inférieure de chaque épillet ; fleur supérieure sans arête ; glumelles : 10-25 mm. Chaumes dressés. Feuilles rêches, glauques, sans oreillettes à la base.
H Préfère les sols humides. Cultivée pour l'alimentation humaine et animale.
P Nombreux cultivars (variétés) fournissant les flocons d'avoine, le fourrage vert, l'alimentation des chevaux. Avant l'introduction de la pomme de terre, l'orge préparée en bouillie était une importante source d'hydrates de carbone.

Maïs

Zea mays

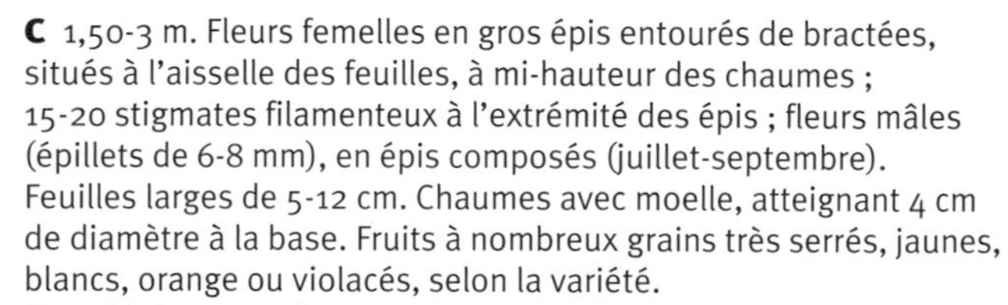

C 1,50-3 m. Fleurs femelles en gros épis entourés de bractées, situés à l'aisselle des feuilles, à mi-hauteur des chaumes ; 15-20 stigmates filamenteux à l'extrémité des épis ; fleurs mâles (épillets de 6-8 mm), en épis composés (juillet-septembre). Feuilles larges de 5-12 cm. Chaumes avec moelle, atteignant 4 cm de diamètre à la base. Fruits à nombreux grains très serrés, jaunes, blancs, orange ou violacés, selon la variété.
H Cultivé en grand.
P Originaire d'Amérique du Sud et centrale. Exige beaucoup de chaleur et d'eau. Grains employés pour la production de farine, semoule. Maïs fourrage en ensilage pour le bétail.

Navet (Crucifères)

Brassica napus

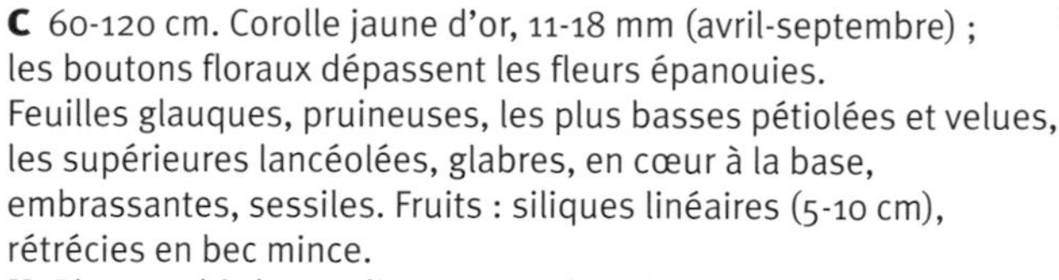

C 60-120 cm. Corolle jaune d'or, 11-18 mm (avril-septembre) ; les boutons floraux dépassent les fleurs épanouies. Feuilles glauques, pruineuses, les plus basses pétiolées et velues, les supérieures lancéolées, glabres, en cœur à la base, embrassantes, sessiles. Fruits : siliques linéaires (5-10 cm), rétrécies en bec mince.
H Plante cultivée sur divers types de sols.
P Issu du chou sauvage *(B. oleracea)* dont on a obtenu de nombreuses variétés cultivées. Le rutabaga, proche du colza, est aussi cultivé comme légume (racines tubéreuses).

Betterave à sucre (Chénopodiacées)

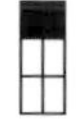

Beta vulgaris rapacea var. *altissima*

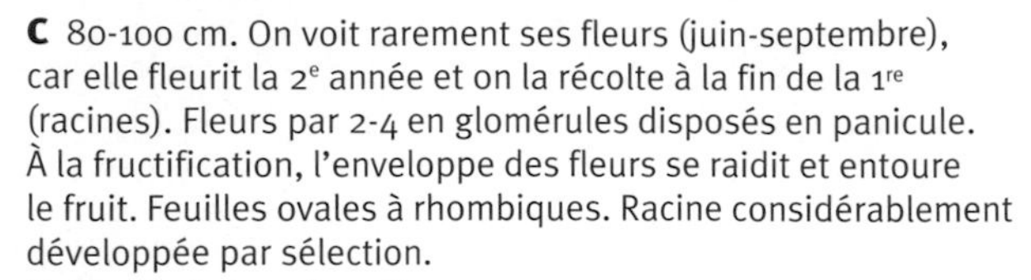

C 80-100 cm. On voit rarement ses fleurs (juin-septembre), car elle fleurit la 2e année et on la récolte à la fin de la 1re (racines). Fleurs par 2-4 en glomérules disposés en panicule. À la fructification, l'enveloppe des fleurs se raidit et entoure le fruit. Feuilles ovales à rhombiques. Racine considérablement développée par sélection.
H Plante de grande culture.
P La teneur en sucre est d'environ 20 g pour 100 g. Très grande importance pour la fabrication de sucre et d'alcool. Variétés voisines : *B. vulgaris rapacea* var. *crassa* (bette, poirée) ; *B. vulgaris rapacea* var. *conditiva* (betterave rouge).

Pomme de terre (Solanacées)

Solanum tuberosum

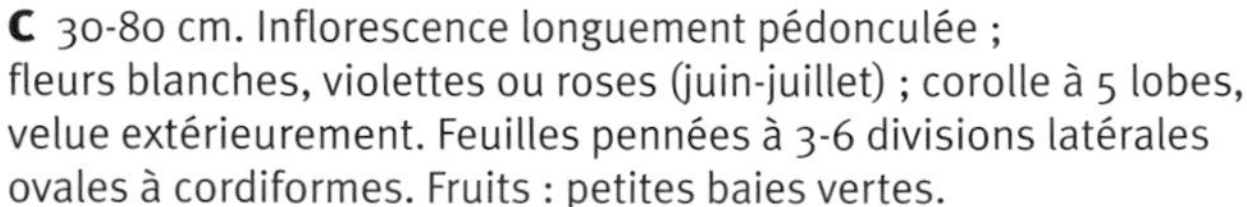

C 30-80 cm. Inflorescence longuement pédonculée ; fleurs blanches, violettes ou roses (juin-juillet) ; corolle à 5 lobes, velue extérieurement. Feuilles pennées à 3-6 divisions latérales ovales à cordiformes. Fruits : petites baies vertes.
H Plante de grande culture. Originaire des Andes (Pérou, Bolivie, nord de l'Argentine). Grande valeur nutritive (hydrates de carbone).
P Les pommes de terre sont des tubercules, renflements de tiges souterraines, donc ni des racines, ni des fruits. Normalement, les tubercules sont les organes de survie en hiver, d'où sortent, au printemps les germes au niveau des « yeux ».

Fève (Papilionacées)

Vicia faba

C 80-140 cm. Grandes fleurs (15-20 mm), blanches avec tache noir-violet sur les ailes, en grappes de 1-9 (mai-août). Feuilles sans vrilles, paripennées, ovales, épaisses, glauques. Tiges quadrangulaires. Gousses brièvement velues (12-16 cm), renflées, charnues, noirâtres à maturité en août-septembre.
H Cultivée en nombreuses variétés.
P Graines très grosses (2-3 cm), brunes, riches en nutriments et de goût agréable. Comme chez toutes les Papilionacées, forte teneur en protéines (farine employée pour certains pains et alimentation animale).

Rhizostoma pulmo

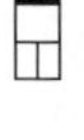

Rhizostoma pulmo

C Ombrelle bombée, blanc laiteux à bleuâtre (diamètre max. 60 cm), bord lobé, bleu foncé. Caractérisée par les 8 bras buccaux crépus, situés sous l'ombrelle.

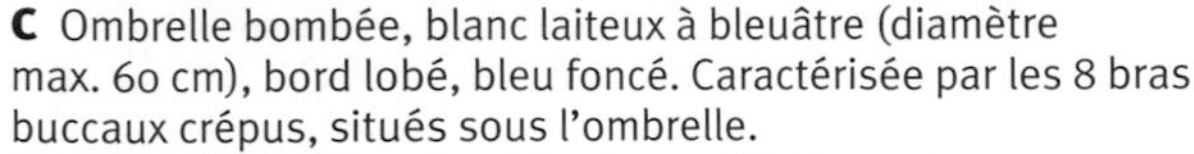

H Mer du Nord, Manche, Atlantique, Méditerranée. Souvent en grand nombre sur les côtes en été et en automne. Entraînée par les courants ou se déplace en contractant son ombrelle (déplacements par réaction).
P Aspire de petits animaux (plancton) par les pores de ses bras buccaux. Reproduction : production de polypes fixés qui se reproduisent de façon asexuée en se divisant transversalement en éléments empilés ; ceux-ci deviennent de petites méduses libres.

Chrysaora hysoscella

Chrysaora hysoscella

C Ombrelle transparente, plate (diamètre max. 30 cm), avec 16 triangles jaunes à bruns évoquant la rose des vents ; 24 longs tentacules au bord de l'ombrelle.
H Mer du Nord, Manche, Atlantique, Méditerranée. Souvent en groupe.
P Se nourrit de plancton. D'abord mâle, puis hermaphrodite et enfin femelle ; l'autofécondation est donc possible.

Aurelia aurita

Aurelia aurita

C Ombrelle plate, transparente (diamètre max. 40 cm) ; bras buccaux frangés, épais ; 4 organes reproducteurs en fer à cheval, rose-violet, visibles à travers la masse gélatineuse de l'ombrelle.
H Toutes les mers du monde. En grands groupes, l'été.
P Se nourrit de plancton. Cellules urticantes peu dangereuses pour l'homme. Reproduction (voir ci-dessus) avec alternance de générations.

Cyanea lamarckii

Cyanea lamarckii

C Ombrelle (diamètre max. 30 cm) bleu foncé, bord ondulé, à nombreux tentacules fins.
H Mer du Nord, Manche, Atlantique. En été, souvent en grand nombre sur les côtes.
P Tentacules porteurs de très nombreuses cellules urticantes (cnidoblastes, servant à capturer les proies). Au contact de la peau, provoquent des sensations de brûlure et une douleur persistante.

Pisidie

Pisidium spec.

C Coquille (2,5-11 mm de long, 5-8 mm de large) ovale-oblique, brun jaunâtre à gris-brun, à côtes concentriques.
L'identification des espèces du genre *Pisidium* est difficile.
H Eaux stagnantes et courantes en plaine et jusqu'en haute montagne.
P Les pisidies peuvent ramper juste sous la surface de l'eau ; elles occupent des milieux très différents : sable fin des étangs, graviers des ruisseaux et rivières, lacs gelés une grande partie de l'année en montagne et dans l'Arctique.

Moule zébrée

Dreissena polymorpha

C Coquille trigone (2,5-4 cm) brun jaunâtre brillant avec bandes brun foncé dentelées concentriques. Seule moule d'eau douce ayant un byssus (v. p. 252 en haut).
H Rivières, lacs. À l'origine, espèce marine qui s'est propagée dans les fleuves et les lacs de presque toute l'Europe depuis quelques décennies.
P Filtre les particules nutritives dans l'eau. Des glandes produisent un byssus dont les filaments cornés la fixent sur les pieux, pierres, bateaux (propagation). Sexes séparés. Spermatozoïdes et ovules rejetés dans l'eau ; les larves, libres, se transforment en 8 jours environ en jeunes moules, qui se fixent.

Anodonte des cygnes P

Anodonta cygnaea

C Coquille ovale-allongée (max. 20 cm), mince, brunâtre verdâtre extérieurement, intérieur nacré ; sommet ridé, à peine corrodé ; charnière sans dents (nom du genre).
H Étangs, lacs, rivières très lentes. Espèce très polymorphe.
P Avec son large pied en coin, laboure la vase pour obtenir sa nourriture (filtre aussi le plancton). Reproduction : le mâle aspire les ovules dans sa cavité palléale où ils sont fécondés. Les larves sont expulsées dans l'eau, grandissent fixées sur la peau de poissons et, en 8-10 semaines, deviennent de jeunes anodontes.

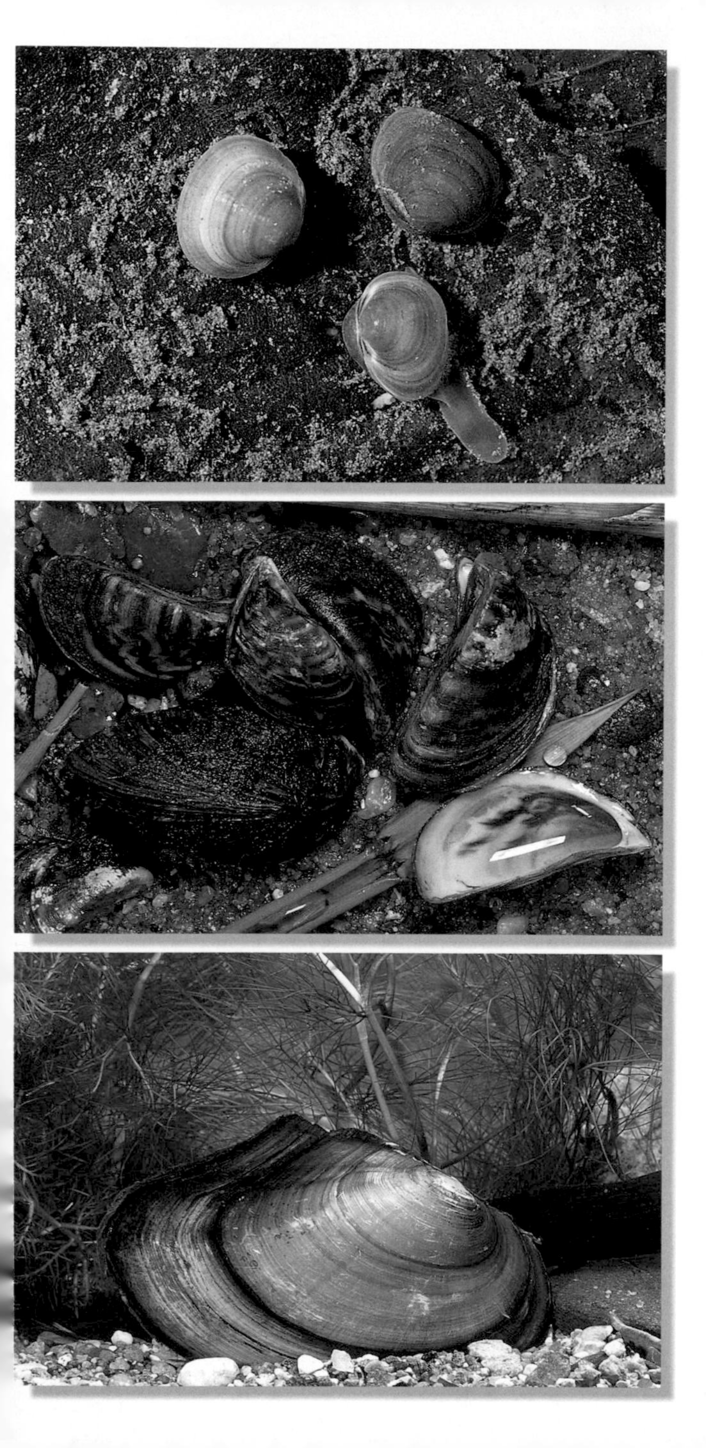

Moule comestible

Mytilus edulis

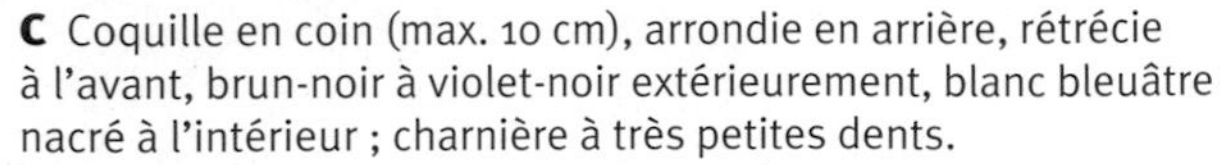

C Coquille en coin (max. 10 cm), arrondie en arrière, rétrécie à l'avant, brun-noir à violet-noir extérieurement, blanc bleuâtre nacré à l'intérieur ; charnière à très petites dents.
H Toutes les mers de France. Côtes rocheuses.
P Fixée sur rochers, pierres, pieux, autres moules, digues ; généralement en grandes colonies. S'attache à son support avec les filaments de son byssus sécrété par une glande. Filtre le plancton. Ferme sa coquille pour éviter la dessiccation à marée basse. Reproduction par larves libres. Atteint 15 ans. Élevée (mytiliculture) pour la consommation.

Couteau

Ensis ensis

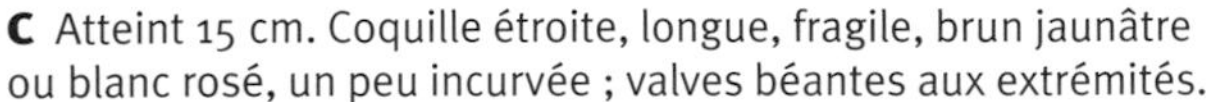

C Atteint 15 cm. Coquille étroite, longue, fragile, brun jaunâtre ou blanc rosé, un peu incurvée ; valves béantes aux extrémités.
H Dans le sable des plages. Littoral des mers de France.
P Avec son pied très mobile, à l'avant du corps, s'enfouit rapidement dans le sable et y vit dans un terrier atteignant 1 m de long où il monte et descend. Filtre le plancton dans l'eau. Des œufs sortent des larves nageuses, dispersées par les courants ; tombées au fond, elles se transforment en jeunes mollusques.

Huître comestible, huître plate

Ostrea edulis

C Valves inégales, arrondies (diamètre max. 15 cm), gris blanchâtre à gris-beige ; valve gauche écailleuse, fixée sur le substrat, la droite plus plate, la recouvre.
H Sur toutes nos côtes à fond rocheux (ou entassées les unes sur les autres). Sensible à la sécheresse et évite le sable.
P Surtout entre 1,5 et 9 m de profondeur. Nourriture : plancton filtré dans l'eau. Hermaphrodite protandrique : change de sexe et produit alternativement ovules et spermatozoïdes au cours des différentes périodes de reproduction. Les œufs restent dans la cavité palléale jusqu'à l'éclosion des larves ; celles-ci, d'abord libres, se fixent ensuite. Comestible. Élevée (colonies sauvages devenues rares).

Lithophage

Petricola pholadiformis

C Coquille ovale-allongée (max. 8 cm), jaunâtre à blanche ; arrière plus étroit, presque lisse ; avant plus large, côtelé-denté.
H Toutes les mers de France. Introduit en 1890 (originaire des côtes orientales de l'Amérique) ; devenu fréquent dans les vasières.
P Avec des pointes de sa coquille, fore la vase, les roches calcaires, le bois, la tourbe ; avec son siphon, aspire l'eau de respiration et sa nourriture (plancton). Reproduction, comme chez la plupart des mollusques bivalves, au moyen de larves libres ; les siennes s'enfoncent dans le substrat où elles grandissent.

Bec de jar, clanque, mye

Mya arenaria

C Coquille elliptique (max. 13 cm), brun jaunâtre ; coquilles vides blanc crayeux ; charnière édentée ; valve gauche un peu plus petite que la droite ; elles restent un peu entrebâillées.
H Mer du Nord, Manche, Atlantique. Vases, sables littoraux.
P Enfoncé jusqu'à 30 cm dans le fond ; filtre sa nourriture et absorbe l'oxygène de l'eau avec son très long siphon à 2 tubes brunâtres, ridés, qui restent hors de la coquille. Reproduction par larves libres. Comestible apprécié.

Mye tronquée

Mya truncata

C Semblable à *M. arenaria* mais ne dépasse pas 7 cm. Valves tronquées à l'arrière ; elles restent béantes à ce niveau où sort le siphon inclus dans une gaine cornée.
H Mer du Nord, Manche, Atlantique. Sables, vasières.
P S'enfonce profondément dans le substrat et reste en contact avec la surface par son siphon extensible, qui atteint 4 fois la longueur de la coquille ; paroi interne du siphon sensible à l'intensité lumineuse : si elle augmente, le siphon ne sort pas du substrat. Reproduction par larves libres.

Coque, sourdon, bucarde

Cardium edule (= Cerastoderma e.)

C Coquille ventrue, arrondie en cœur (max. 5 cm), brun jaunâtre, gris-bleu ou blanche, toujours blanche à l'intérieur, fortement côtelée et striée transversalement, bord crénelé.
H Vasières, plages de sable ; toutes les côtes de France.
P Enfoncée à 2-4 cm dans le substrat ; aspire les particules alimentaires et l'eau de respiration avec ses deux siphons séparés, inhalant et exhalant. Se déplace sur le substrat et, avec son pied coudé, peut franchir 50 cm en sautant. Les œufs produisent des larves libres. Comestible apprécié.

Macoma baltica

Macoma baltica

C Coquille arrondie-ovale, un peu bombée (2-3 cm). Coloration très variable : blanchâtre, jaunâtre, rougeâtre, brunâtre ou bleuâtre avec bandes concentriques ; intérieur rose argenté.
H Mer du Nord, Manche, Atlantique.
P Vit en bancs, enfoncée de quelques centimètres dans le substrat (jusqu'à 10 m de profondeur et dans la Baltique jusqu'à 140 m, car la salinité y est plus forte que dans les eaux de surface). Évite le ressac. En contact avec la surface par son court siphon qui apporte eau de respiration et nourriture. Reproduction comportant un stade larvaire libre.

Scrobiculaire

Scrobicularia plana

C Coquille arrondie-ovale (max. 5,5 cm), mince, blanc sale, un peu béante ; 2 siphons séparés, extensibles (jusqu'à 6 fois la longueur de la coquille).
H Toutes les côtes de France.
P Profondément enfoncée dans le substrat ; aspire les particules alimentaires à la surface (siphon inhalant) ; en cas de danger, rétracte ses siphons et s'enfonce plus bas dans la vase avec son pied. Reproduction comportant un stade larvaire libre.

Crépidule commune

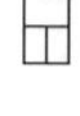

Crepidula fornicata

C Coquille spiralée, plus ou moins conique (jusqu'à 4-5 cm), à 1-2 tours qui s'accroissent rapidement, blanc jaunâtre souvent nuancé de rougeâtre ; ouverture large avec cloison horizontale mince et blanche ; aspect de bonnet phrygien.
H Eaux peu profondes des côtes de France.
Originaire d'Amérique du Nord, introduite en Europe. Commune.
P Fixée sur des pierres ou d'autres mollusques (moules, etc.). Aspire leur nourriture. Souvent groupée en « chaînes » (jusqu'à 12 individus) pour se reproduire : les plus grands (femelles) sont les plus âgés et se reproduisent ; les plus hauts sont d'abord mâles puis femelles ; au milieu, sujets hermaphrodites ; les mâles se déplacent en rampant pour la fécondation ; les œufs se développent sous la coquille.

Buccin ondé

Buccinum undatum

C Coquille gris jaunâtre à gris bleuâtre ; chez les sujets vivants, elle est couverte d'une pellicule brunâtre (max. 12 cm) ; 6-8 tours renflés avec côtes longitudinales et rides transversales.
H Mer du Nord, Manche, Atlantique. Jusqu'à 100 m de profondeur. Après les tempêtes, souvent rejeté sur les plages.
P Chasse d'autres petits animaux ; détecte les charognes (odorat subtil). Œufs en grappes (jusqu'à 1 000) grosses comme le poing, dont seulement 10 se développeront aux dépens des autres. Les jeunes font 3 mm à l'éclosion. Les pontes vides, parcheminées-spongieuses (photo), servaient jadis aux pêcheurs pour se nettoyer les mains.

Bigorneau

Littorina littorea

C Coquille conique (max. 3 cm) brun olive foncé, à paroi épaisse ; 6-7 tours, le dernier le plus grand ; ouverture ovale-oblique, pointue en haut.
H Zone de balancement des marées. Toutes les côtes de France.
P Protégée du ressac par son épaisse coquille ; tolère une salinité forte ou faible (dans ce dernier cas, coquille plus petite). Ronge des algues avec sa radula (lame cornée) ; s'oriente d'après le soleil quand il se déplace pour se nourrir et perçoit les variations de la lumière polarisée. Sexes séparés comme chez de nombreux mollusques prosobranches (= à branchies antérieures). Amas d'œufs pondus au printemps, flottant librement ; les larves éclosent au bout de 3 semaines environ.

Limnée des étangs

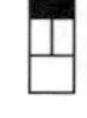

Lymnaea stagnalis

C Coquille couleur de corne (max. 6 cm) à spire pointue, presque aussi haute que l'ouverture ; dernier tour largement dilaté. Forme très variable selon la qualité de l'eau.
H Eaux stagnantes et courantes à végétation abondante.
P Mollusque pulmoné, qui doit venir à la surface pour respirer. Avec sa radula (lame cornée), râpe algues, autres végétaux aquatiques, cadavres. Hermaphrodite ; œufs déposés en cordons sur feuilles et pierres ; les jeunes éclosent 3 semaines après.

Radix ovata

Radix ovata

C Coquille couleur corne claire, translucide, fine (max. 25 mm) à 4-5 tours, le dernier très renflé. Aspect très variable.
H Presque toutes les eaux, même saumâtres et polluées.
P Mollusque pulmoné. Se nourrit de végétaux, cadavres et détritus. Hermaphrodite. Les cordons d'œufs sont déposés sur des végétaux aquatiques ; éclosion quelques semaines plus tard.

Planorbe commun

Planorbis planorbis

C Coquille discoïde, robuste, brune, souvent avec revêtement foncé (jusqu'à 17 mm) ; 6 tours dont la face supérieure est carénée ; face inférieure déprimée.
H Presque toutes les eaux douces stagnantes ou très lentes.
P Mollusque pulmoné ; se nourrit d'algues et de débris de végétaux morts. Hermaphrodite ; amas d'œufs ovales, aplatis ; les jeunes éclosent au bout de 2 semaines.

Planorbe corné

Planorbarius corneus

C Coquille épaisse, brune (max. 3 cm), à 5 tours de spire vite élargis ; ouverture réniforme à bord aigu.
H Eaux stagnantes et lentes, riches en végétation.
P Mollusque pulmoné. Comme les autres planorbes, son sang contient de l'hémoglobine, qui fournit davantage d'oxygène dans les eaux de médiocre qualité. Omnivore. Hermaphrodite. Capsules cornées plates et ovales remplies d'œufs, collées sur la face inférieure de végétaux aquatiques. Le développement embryonnaire dure 2-3 semaines.

Limace rouge

Arion rufus

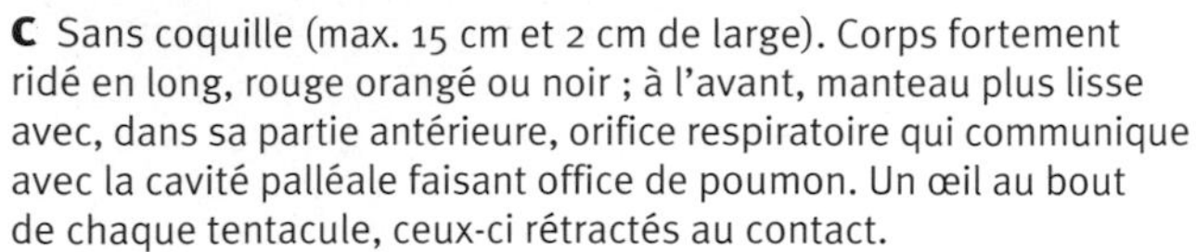

C Sans coquille (max. 15 cm et 2 cm de large). Corps fortement ridé en long, rouge orangé ou noir ; à l'avant, manteau plus lisse avec, dans sa partie antérieure, orifice respiratoire qui communique avec la cavité palléale faisant office de poumon. Un œil au bout de chaque tentacule, ceux-ci rétractés au contact.
H Forêts humides de feuillus et de résineux, prairies, jardins, champs.
P Mollusque pulmoné terrestre ; active surtout par temps humide et quand il y a de la rosée. Se déplace par contractions successives de son pied musculeux sur un film de mucus sécrété par la face inférieure. Nourriture : débris végétaux, champignons, cadavres. Hermaphrodite, fécondation croisée. Œufs blanchâtres pondus dans un trou de terre ; les jeunes éclosent quelques semaines plus tard.

Grande loche grise

Limax maximus

C Sans coquille (max. 15 cm) ; corps svelte ; dessous du pied d'un gris uni ; corps gris-brun avec bandes ou rangées de taches noires ; manteau tacheté ; orifice respiratoire en arrière de son milieu. Prairies, jardins, caves, près des habitations.
P Mollusque pulmoné terrestre. Râpe les plantes cultivées, les provisions dans les caves et d'autres limaces. Hermaphrodite. Œufs pondus dans un trou, sous des planches, etc. Éclosion au bout de quelques semaines.

Limace tachetée

Deroceras reticulatus

C Sans coquille. Atteint 6 cm. Jaunâtre, grise ou brun roussâtre avec lignes et taches brun-noir qui dessinent une sorte de réseau ; taches foncées sur le manteau. Mucus blanc.
H Forêts, prairies, champs, jardins.
P Mollusque pulmoné terrestre. Omnivore, absorbe même des excréments et peut donc véhiculer des bactéries, virus ou œufs de parasites de l'homme. Fait des dégâts dans les jardins et les serres. Hermaphrodite ; accouplement : les partenaires s'accolent en spirale. Œufs pondus sous des pierres, planches dans la mousse ou la terre humide. Les jeunes limaces éclosent au bout de quelques semaines et atteignent la maturité sexuelle à 3 mois.

Escargot de Bourgogne

Helix pomatia

C Coquille beige à brun clair ; au maximum 5 tours de spire (diamètre : 5 cm), obturable par du mucus qui durcit et, pendant le repos hivernal, par une plaque calcaire (opercule).
H Forêts de feuillus et mixtes, prairies, vignobles, jardins.
P Végétarien. Hermaphrodite ; fécondation croisée, précédée d'un prélude durant lequel un dard calcaire est enfoncé dans le partenaire. Œufs pondus dans un trou creusé dans la terre ; éclosion des jeunes quelques semaines plus tard ; maturité sexuelle à 3-4 ans. Longévité : 6 ans.

Escargot des bois

Cepaea nemoralis

C Coquille (diamètre : 25 mm) jaunâtre à roussâtre, généralement avec 1-5 bandes noires ou brunes ou bien de couleur unie ; lèvres de l'ouverture brun-noir.
H Champs, haies, parcs, bosquets, forêts, talus, jardins.
P Mollusque pulmoné terrestre. Yeux sur les tentacules supérieurs, les inférieurs, plus courts, ont des organes olfactifs. Pendant le repos hivernal, ouverture fermée par un opercule muqueux incrusté de calcaire. Hermaphrodite, fécondation croisée comme chez l'escargot de Bourgogne (ci-dessus).

Hélice jardinière

Cepaea hortensis

C Coquille (diamètre : 20 mm) jaunâtre ou rosée, verdâtre, généralement avec 5 bandes foncées ; bord de l'ouverture blanc. Il y a des hybrides entre les deux espèces.
H Forêts, fourrés, haies, jardins, murs.
P Mollusque pulmoné terrestre. Biologie : cf. escargot des bois.

Ambrette amphibie

Succinea putris

C Coquille ovale-pointue (16-22 mm) translucide, jaune à brune, fine, à 3-4 tours de spire, le dernier ventru.
H Végétaux aquatiques, prairies humides, forêts riveraines.
P Mollusque pulmoné terrestre. Ne se retire pas entièrement dans sa coquille, car son organisme renferme beaucoup d'eau. Nourriture : végétaux aquatiques. Hermaphrodite ; pendant la copulation, un partenaire est actif comme femelle et l'autre est passif. Amas d'œufs pondus sur des végétaux ou la terre humide. Souvent hôte intermédiaire d'un ver parasite des oiseaux.

Spirorbis spirorbis

Spirorbis spirorbis

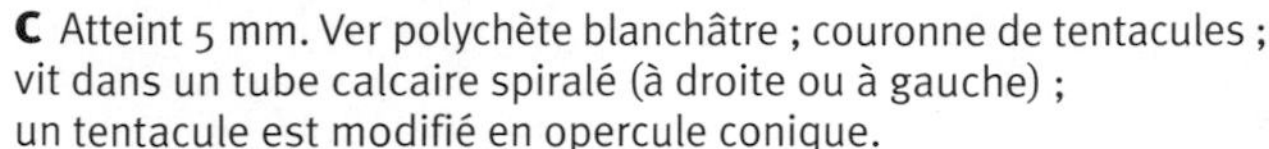

C Atteint 5 mm. Ver polychète blanchâtre ; couronne de tentacules ; vit dans un tube calcaire spiralé (à droite ou à gauche) ; un tentacule est modifié en opercule conique.
H Côtes de mer du Nord, Manche, Atlantique. Sur pierres, coquilles de moules, algues, bois flotté.
P Prélève plancton et détritus en agitant ses tentacules. Hermaphrodite, fécondation croisée. Œufs pondus dans le tube où les larves éclosent ; elles vivent librement peu de temps, puis se fixent souvent près des adultes. En colonies.

Arénicole

Arenicola marina

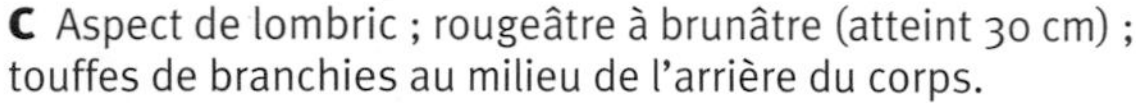

C Aspect de lombric ; rougeâtre à brunâtre (atteint 30 cm) ; touffes de branchies au milieu de l'arrière du corps.
H Vasières, plages de sable ; toutes nos côtes.
P Vit dans un terrier en forme de U, creusé à environ 25 cm dans le sable, la vase ; entrée enfoncée, sortie marquée par un tortillon de sable (excréments). Avec sa trompe, filtre ses aliments dans le sable. Sexes séparés. Copulation et ponte à la nouvelle lune ou pleine lune de la 2e moitié d'octobre. Larves en surface.

Ver de terre, lombric

Lumbricus terrestris

C Corps circulaire, comportant 110-180 anneaux (atteint 30 cm), rose à brun violacé ; « ceinture » (= clitellum) du 32e au 37e anneau.
H Terres humides, généralement argileuses, sous les feuilles mortes. Commun.
P Creuse des galeries jusqu'à 2 m de profondeur. Se nourrit de débris végétaux pourris. Contribue à l'aération des sols et la formation d'humus. Hermaphrodite, fécondation croisée. Œufs et jeunes dans des cocons.

Sangsue

Erpobdella octoculata

C Corps allongé toujours formé de 33 segments (atteint 6 cm), légèrement aplati ; à l'arrière, grande ventouse, une plus petite à l'avant. Coloration variable, souvent avec points jaunâtres et lignes claires.
H Étangs, rivières lentes. Très commune.
P Carnivore ; avec sa bouche dilatable, musculeuse, capture larves d'insectes, autres vers. Hermaphrodite. Œufs en cocons bruns, en forme de citron, fixés sur végétaux et pierres.

Anatife, pouce-pied

Lepas spec.

C Crustacé cirripède ; carapace comprimée formée de 5 plaques calcaires blanchâtres ou blanc bleuâtre, fixée par un pédoncule brunâtre, flexible (jusqu'à 10 cm).
H Mer du Nord, Manche, Atlantique ; sur épaves, bouées, algues.
P Se nourrit en agitant l'eau avec ses appendices thoraciques. Hermaphrodite ; fécondation par un organe tubulaire. Larves libres, se fixant près d'autres anatifes.

Balane

Balanus balanoides

C Crustacé cirripède ; carapace formée de 6 plaques calcaires blanchâtres (jusqu'à 20 mm), fermée par un petit opercule en losange.
H Zone de balancement des marées sur les côtes rocheuses. Mer du Nord, Manche, Atlantique.
P Fixée en très grand nombre sur rochers, pieux, moules, coquilles, carapaces de crabes. Agite l'eau rythmiquement pour s'alimenter et respirer. Hermaphrodite, fécondation croisée. Larves libres.

Gammare, crevette des ruisseaux

Gammarus pulex

C Petit crustacé (mâle : atteint 21 mm ; femelle : atteint 12-14 mm). Corps comprimé latéralement, gris-brun.
H Ruisseaux, rivières, lacs, étangs.
P Se déplace avec ses pattes sur le fond de l'eau et peut nager contre le courant par mouvements saccadés de l'arrière du corps. Maturité sexuelle après 10 mues. La femelle se fixe pendant 8 jours et les 20-100 œufs sont fécondés dans sa poche incubatrice ; les larves y demeurent 1-2 jours.

Crevette grise

Crangon crangon

C Crustacé décapode. Corps allongé ; coloration variable selon celle du substrat (gris-brun, gris-vert) ; antennes presque aussi longues que le corps (atteint 7 cm). Très petites pinces sur les 2 premières paires de pattes.
H Toutes nos côtes. En grand nombre sur les plages, dans les eaux peu profondes (aussi eaux saumâtres en été).
P Dans la journée, enfoncée dans le sable ; la nuit, se nourrit sur le fond (vers marins, autres crustacés, algues). Reproduction en eau profonde et calme. Comestible, pêchée avec des filets traînants ou des nasses.

Écrevisse à pieds rouges P

Astacus astacus

C Crustacé décapode à 5 paires de pattes ambulatoires, la première avec fortes pinces, petites pinces sur les 2 suivantes (femelle : jusqu'à 12 cm ; mâle : 16-20 cm).
H Eaux courantes riches en oxygène. Très rare actuellement.
P Nocturne ; le jour, généralement dans un terrier qu'elle a creusé. Régime : végétaux aquatiques, mollusques (escargots, bivalves), vers, cadavres. Reproduction en septembre-octobre ; œufs (70-250) fixés sur les pattes postérieures jusqu'à l'éclosion des larves en mai. Maturité sexuelle dès la 3e année.

Crabe enragé, crabe vert

Carcinus maenas

C Crustacé décapode. Carapace de couleur variable (mâle : 5,5 cm ; femelle : 6 cm) ; abdomen court, replié dessous, souvent brun ; 5 paires de pattes ambulatoires ; fortes pinces sur les 2 premières, pinces plus petites sur la deuxième paire.
H Toutes nos côtes. Fréquent sur les plages ; aussi en eau saumâtre.
P En général, court rapidement, de côté. Surtout nocturne, enfoui à marée basse. Régime : poissons, petits crustacés, vers. L'accouplement peut durer 1-4 jours (le mâle tourne la femelle sur le dos ; elle a mué depuis peu). 4 stades larvaires.

Corophium volutator

Corophium volutator

C Petit crustacé amphipode (7 paires de pattes thoraciques), gris-brun ; corps étroit (15 mm, dont la moitié pour la seconde paire d'antennes).
H Plages, vasières, estuaires. Mer du Nord, Manche, Atlantique.
P En été, dans un terrier en U, à 4 cm de profondeur dans le substrat (l'hiver jusqu'à 12 cm, protection contre le froid). Régime : diatomées qu'il prend à la surface de la vase avec sa 2e paire d'antennes. Croissance comportant plusieurs mues.

Bernard-l'ermite, pagure

Eupagurus bernhardus

C Crustacé décapode (max. 10 cm). Protège son abdomen mou dans la coquille vide d'un mollusque gastéropode.
H Toutes nos côtes. Plages, vasières, fonds rocheux.
P La coquille qu'il occupe porte souvent une anémone de mer (actinie), qui profite de la nourriture du pagure (petits animaux marins, détritus) ; les cellules urticantes de l'anémone protègent le pagure.

Cloporte

Porcellio scaber

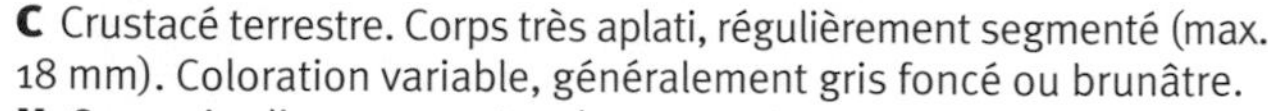

C Crustacé terrestre. Corps très aplati, régulièrement segmenté (max. 18 mm). Coloration variable, généralement gris foncé ou brunâtre.
H Caves, jardins, serres, tas de compost.
P Surtout nocturne. Adapté à la vie terrestre grâce à son appareil respiratoire, qui, outre les branchies, comporte des pseudo-trachées. Régime : feuilles et même bois déchiquetés avec ses puissantes mandibules. Mue après l'accouplement. Poche incubatrice abdominale, où les œufs restent 40-50 jours.

Gloméris

Glomeris marginata

C Mille-pattes diplopode. Corps comprimé (max. 20 mm) ; anneaux noir brillant. Menacé, se met en boule, pattes et antennes cachées, et rejette une sécrétion répulsive.
H Forêts humides de feuillus, sous les pierres, dans les souches.
P Régime : feuilles pourrissantes, champignons, mousse, pollen. Œufs entourés d'une masse d'excréments, qui les protège ; pondus un par un dans une minuscule logette dans la terre. Développement : 3-4 semaines.

Iule

Schizophyllum sabulosum

C Corps brun-noir brillant (max. 45 mm), circulaire, avec au moins 35 segments ; à l'exception des 3 premiers et du dernier, tous portent des paires de pattes (diplopode).
H Presque partout dans les couches superficielles du sol.
P Locomotion : pattes déplacées de façon alternative par 7 « vagues ». Menacé, s'enroule en spirale, la tête au centre, et rejette une sécrétion nauséabonde, toxique. Régime : terre, bois et feuilles pourris.

Chilopode

Lithobius forficatus

C Corps comprimé brunâtre (max. 30 mm) ; chaque segment du corps porte une seule paire de pattes, au total : 15 paires pour cette espèce.
H Litière en forêt, sous écorces et pierres.
P Très agile. Chasse insectes (adultes et larves), vers. Mandibules puissantes, associées à des glandes sécrétant un poison qui, chez l'homme, peut provoquer enflure et douleur (comme une piqûre d'abeille). Œufs portés un certain temps entre les pattes postérieures de la femelle, puis pondus isolément. Durée du développement jusqu'à la maturité sexuelle : 3 ans.

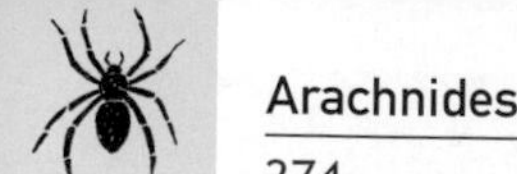

Épeire diadème

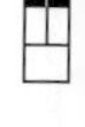

Araneus diadematus

C Coloration très variable jaunâtre à brun foncé avec, sur l'abdomen, un dessin blanc en croix. Femelle : 10-18 mm ; mâle : 4,5-9 mm.
H Forêts, jardins, fourrés, prairies (juillet-octobre).
P Se tient généralement au centre de sa toile orbiculaire, à nombreux fils adhésifs, construite pour capturer des proies ; celles-ci sont paralysées par une piqûre et leur contenu est aspiré ultérieurement. Reproduction : en été. Le mâle fuit la femelle juste après la copulation pour ne pas être mangé. Œufs pondus en automne dans un cocon ; éclosion l'année suivante.

Araneus ceropegius

Araneus ceropegius

C Abdomen ovale-allongé, pointu aux deux extrémités, brunâtre avec dessin jaunâtre crénelé ; femelle : max. 14 mm ; mâle : 7 mm.
H Prairies humides non fauchées, palissades.
P Biologie, reproduction comme chez l'épeire diadème, mais les jeunes hivernent déjà à la moitié de leur croissance.

Argiope

Argiope bruennichii

C Femelle : abdomen jaune vif zébré de noir ; mâle et jeunes plus pâles. Femelle : max. 25 mm ; mâle : 3-8 mm.
H Lieux secs, ensoleillés, friches, prairies. Surtout moitié sud et ouest de la France.
P Toile comportant un zigzag de soie blanche (stabilimentum), sur lequel l'araignée se tient à l'affût, la tête en bas. Pendant la copulation, la femelle enveloppe le mâle dans de la soie et le mange ensuite. Œufs dans un gros cocon (en août), d'où les jeunes sortent en mai de l'année suivante.

Tégénaire

Tegenaria ferruginea

C Abdomen foncé sauf centre clair bordé de noir (9-14 mm ; pattes étalées, atteint 60 mm).
H À l'angle des murs dans maisons, granges, aussi en forêt. Toute l'année.
P Tisse une toile en nappe horizontale, associée à un abri latéral en forme de sac. La toile ne comporte pas de fils collants ; au moindre ébranlement, l'araignée sort de sa retraite et capture la proie. Reproduction en été ; œufs pondus sur une toile spéciale proche de celle qui sert à capturer les proies.

Dolomedes fimbriatus

Dolomedes fimbriatus

C Abdomen brun roussâtre, souvent pointillé de blanc et bordé de blanc jaunâtre comme l'avant du corps (céphalothorax). Atteint 20 mm.
H À la surface des eaux douces (sans phragmites), marécages, tourbières, forêts riveraines.
P Épie ses proies sur les feuilles des végétaux aquatiques et capture les insectes qui se déplacent à la surface de l'eau. Menacée, plonge. La femelle porte le cocon rempli d'œufs sous son corps et, après l'éclosion des jeunes, elle l'accroche à des feuilles d'herbe réunies.

Agélène

Agelena labyrinthica

C Dos gris-noir avec taches jaune roussâtre anguleuses ; bande médiane gris clair sur la face ventrale (atteint 15 mm). Longues filières.
H En général, vit en colonies parmi les végétaux herbacés, les buissons (lieux ensoleillés). Juillet-novembre.
P Court agilement ; épie ses proies depuis sa toile en forme de nappe fixée à des végétaux herbacés ou ligneux.
Fécondation des ovules lors de la ponte, comme chez la plupart des araignées (la femelle garde le sperme dans une poche spéciale après la copulation).

Tetragnatha extensa

Tetragnatha extensa

C Abdomen long, étroit, vert-jaune brillant avec dessin foncé en chevron (atteint 12 mm). Chélicères (crochets) épineuses, très longues chez la femelle.
H Toujours près de l'eau. Juin-octobre.
P Inquiétée, se plaque sur une feuille ou une tige, les pattes antérieures tendues, les postérieures appliquées contre l'abdomen, également allongées. Toile avec espace vide au centre (sans « moyeu »).

Lycose

Pardosa lugubris

C Brune avec bande claire médiane sur le céphalothorax (dessin en partie formé par des poils, souvent incomplet chez les sujets âgés). Atteint 8 mm.
H À terre, en forêt (lieux ensoleillés, secs), haies. Mars-septembre.
P Ne tisse pas de toile ; chasse à terre (se précipite sur ses proies). Dès la mi-mai, la femelle transporte, fixé à ses filières, un cocon lenticulaire, et cela durant 4-6 semaines.

Salticide

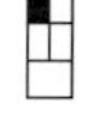

Salticus scenicus

C Corps trapu, brun-noir avec taches blanches latérales. Atteint 7 mm. 8 pattes courtes et robustes ; 4 paires d'yeux.
H Troncs, rochers, murs ensoleillés. Février-octobre.
P Au soleil, chasse des insectes ; voit très bien formes et couleurs. Bondit sur sa proie, assurée par un fil d'ancrage attaché au substrat. Le mâle danse autour de la femelle, qui pond dans un cocon qu'elle surveille.

Araignée-crabe

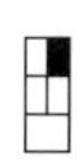

Diaea dorsata

C Verte sauf abdomen brunâtre, clair sur les bords. Atteint 7 mm.
H Strate des buissons en forêt. Mai-octobre.
P Ne tisse pas de toile. Épie ses proies, les pattes antérieures étendues sur feuilles et fleurs (comme toutes les araignées-crabes). Copulation : femelle raidie, suspendue à un fil ; le mâle se place sur sa face ventrale ; œufs dans un cocon.

Misumena varia

Misumena varia

C Abdomen ovale. Femelle : atteint 10 mm ; mâle : 3-5 mm. La femelle est capable de modifier sa coloration selon celle du substrat (du blanc au jaune et inversement, grâce à des pigments) ; flancs souvent roussâtres.
H Sur les fleurs jaunes et blanches. Avril-août.
P Comme les autres araignées-crabes, peut se déplacer latéralement et à reculons. Paralyse ses proies (des insectes butineurs) avec son venin ; avec ses longues pattes, se tient écartée des abeilles et des guêpes pour ne pas être piquée.

Opilion, faucheux

Phalangium opilio

C Corps d'une seule pièce (5-6 mm). Caractérisé par ses très longues pattes épineuses, qui atteignent 15 fois la longueur du corps.
H Litière en forêt, champs, jardins ; pénètre dans les maisons. Toute l'année.
P Ne fait pas de toile. Capture insectes, cloportes, acariens en courant. Avec un organe de ponte (ovipositeur), les femelles placent les œufs dans la terre humide, les fentes d'écorce ou dans l'angle des murs humides ; elles ne s'en occupent plus ensuite.

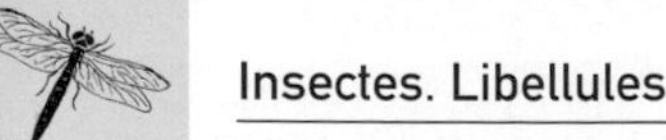

Caloptéryx éclatant P

Calopteryx splendens

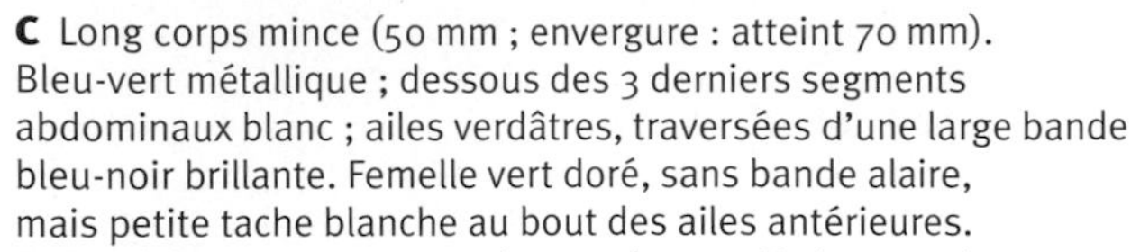

C Long corps mince (50 mm ; envergure : atteint 70 mm). Bleu-vert métallique ; dessous des 3 derniers segments abdominaux blanc ; ailes verdâtres, traversées d'une large bande bleu-noir brillante. Femelle vert doré, sans bande alaire, mais petite tache blanche au bout des ailes antérieures.
H Bord des eaux courantes lentes, étangs. Mai-septembre.
P Chasse des insectes volants (vol assez lent, papillonnant). La copulation dure quelques minutes, partenaires posés. La femelle enfonce son ovipositeur dans des végétaux aquatiques, souvent sous l'eau. Stade larvaire : 2 ans, dans l'eau. L'insecte parfait (imago) ne vit souvent que 2 semaines.

Caloptéryx vierge P

Calopteryx virgo

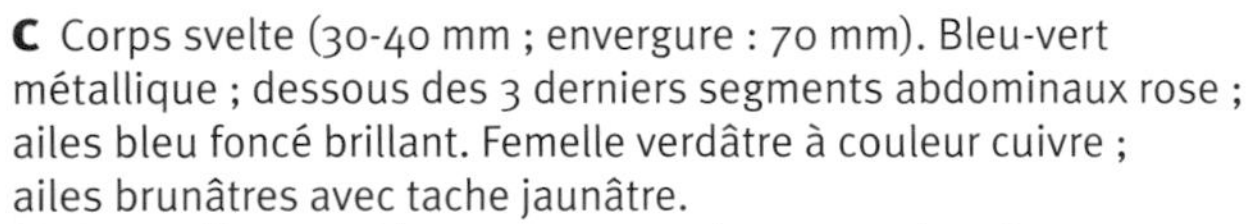

C Corps svelte (30-40 mm ; envergure : 70 mm). Bleu-vert métallique ; dessous des 3 derniers segments abdominaux rose ; ailes bleu foncé brillant. Femelle verdâtre à couleur cuivre ; ailes brunâtres avec tache jaunâtre.
H Cours d'eau rapides, propres, aux berges ombragées. Mai-septembre.
P Vol papillonnant. Souvent posé sur la végétation riveraine. Les mâles défendent un territoire et paradent en volant autour des femelles. Copulation, ponte et développement comme chez *C. splendens* (ci-dessus). Plus sensible que celui-ci à la pollution de l'eau.

Agrion à larges pattes

Platycnemis pennipes

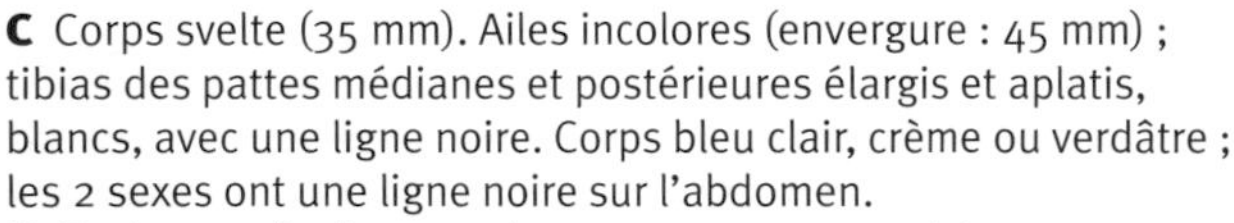

C Corps svelte (35 mm). Ailes incolores (envergure : 45 mm) ; tibias des pattes médianes et postérieures élargis et aplatis, blancs, avec une ligne noire. Corps bleu clair, crème ou verdâtre ; les 2 sexes ont une ligne noire sur l'abdomen.
H Toujours près des eaux lentes ou stagnantes riches en végétation. Mai-septembre.
P Pendant la ponte, mâle et femelle restent attachés, le premier tient la seconde derrière la tête avec ses crochets abdominaux ; les œufs tombent sur la végétation ou sur l'eau ; larves au fond de l'eau, elles hivernent au dernier stade.

Leste vert

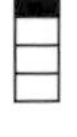

Lestes viridis

C Corps svelte (45 mm) ; ailes étroites, transparentes, avec tache (ptérostigma) brun clair. Envergure : 50 mm. Au repos, ailes généralement écartées en oblique. Corps vert métallique ou cuivré.

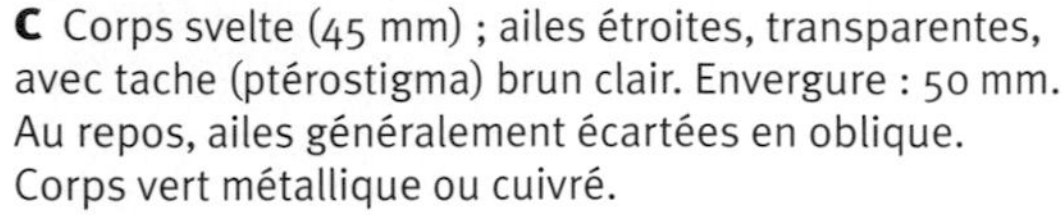

H Réservoirs, étangs de pisciculture, étangs bordés de saules et d'aulnes. Juillet-octobre.
P Chasse de petits insectes. Copulation : partenaires posés ; leurs corps décrivent une roue ; ils sont en tandem pour la ponte (œufs enfoncés dans des rameaux d'aulnes et de saules surplombant l'eau). Œufs hivernant sous l'écorce. En avril, les larves primaires tombent dans l'eau et deviennent des adultes en 2-3 mois.

Leste fiancé

Lestes sponsa

C Corps svelte (35 mm), vert métallique à cuivré ; abdomen du mâle bleu clair aux deux bouts (dessus) ; femelle verdâtre cuivrée. Ailes transparentes, ptérostigma brun-noir. Envergure : 45 mm.
H Étangs, mares, fossés avec joncs, prêles. Juin-octobre.
P Souvent longtemps posé sur la végétation riveraine. Copulation : partenaires posés en roue ; pour la ponte, ils sont en tandem ; œufs enfoncés dans la moelle de végétaux aquatiques (la femelle ne pénètre pas dans l'eau). Les œufs hivernent ; éclosion des larves au printemps ; stade adulte au bout de 2-3 mois.

Agrion au corps de feu

Pyrrhosoma nymphula

C Corps svelte (35 mm), rouge chez les 2 sexes. Mâle : dessins noirs dès les 6e-7e segments abdominaux, bien avant chez la femelle ; ailes transparentes, ptérostigma foncé ; pattes noires. Envergure : 45 mm.
H Étangs, mares des tourbières, cours d'eau lents, fossés. Avril-août.
P Capture pucerons et autres petits insectes, généralement posé. Copulation : partenaires en roue, souvent en vol. Ponte en tandem dans des feuilles flottantes ou des végétaux submergés. Stade larvaire dans l'eau, durant généralement 1 an, rarement 3.

Agrion élégant

Ischnura elegans

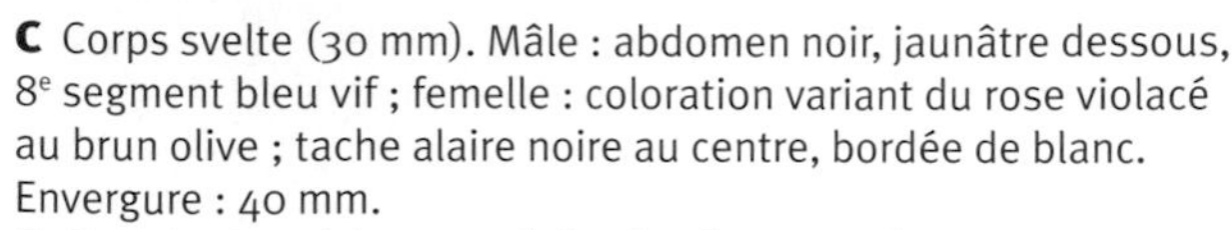

C Corps svelte (30 mm). Mâle : abdomen noir, jaunâtre dessous, 8e segment bleu vif ; femelle : coloration variant du rose violacé au brun olive ; tache alaire noire au centre, bordée de blanc. Envergure : 40 mm.
H Eaux lentes, riches en végétation (manque dans les tourbières bombées).
P Précopulation (quelques minutes) : partenaires en tandem, le mâle remplit son appareil sexuel de sperme ; copulation : partenaires posés, en roue (photo), dure souvent des heures, sur une tige ; la femelle courbe l'abdomen en avant, et fixe son orifice génital pour recevoir le sperme ; elle pond le soir dans des végétaux aquatiques, toujour sans le mâle (elle s'enfonce dans l'eau). Prolarves vermiformes ; les larves primaires hivernent dans l'eau après une mue rapide (quelques minutes).

Agrion jouvencelle

Coenagrion puella

C Corps très svelte (max. 30 mm). Ailes incolores, ptérostigma noir. Envergure : 50 mm. Mâle bleu, marque en U sur le 2e segment abdominal, les suivants avec anneaux noirs de plus en plus larges. Femelle verdâtre brunâtre, espaces noirs plus étendus.
H Près des eaux stagnantes. Mai-septembre.
P Ponte : le mâle tient la femelle au cou avec ses pinces abdominales (photo). La femelle pond, sans plonger dans l'eau, sous les feuilles de végétaux aquatiques. Les larves, verdâtres, brunâtres (max. 15 mm), hivernent sur le fond de l'eau et les adultes se métamorphosent l'année suivante.

Agrion à yeux rouges

Erythromma najas

C Corps svelte (30 mm ; envergure : 40-50 mm). Mâle bleu, yeux rouges. Femelle verdâtre à jaunâtre.
H Eaux stagnantes avec végétaux à feuilles flottantes. Mai-août. Absent : Corse.
P Farouche ; se tient généralement sur les feuilles des nénuphars, à l'écart des rives. Ponte : partenaires en tandem ; œufs pondus sur feuilles et tiges de végétaux aquatiques (les insectes plongent souvent dans l'eau). Larves : marchent rapidement dans l'eau et nagent avec leurs lamelles caudales. Elles hivernent et se métamorphosent en mai de l'année suivante.

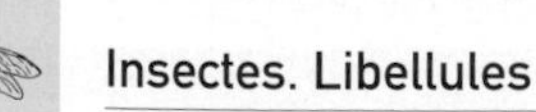

Aeschne bleue

Aeshna cyanea

C Corps vert-jaune marqué de noir (50-70 mm) ; les 3 derniers segments abdominaux du mâle tachetés de bleu (blanchâtres juste après l'éclosion) ; femelle semblable mais abdomen entièrement vert-jaune noirâtre. Ptérostigma noir. Envergure : max. 110 mm. Très gros yeux bleus ou verts.
H Eaux stagnantes mais aussi loin de l'eau dans les clairières des forêts et en ville. Juin-octobre.
P Vol très agile ; capture les insectes aériens les plus rapides. Défend fermement un territoire. Ponte sur des végétaux peu submergés (femelle seule ; elle ne s'immerge pas entièrement). Stade larvaire : 2 ans ; œufs et larves hivernent 1 fois. Larves brun clair à ocre, taches foncées, paires, au milieu de l'abdomen ; masque long, étroit.

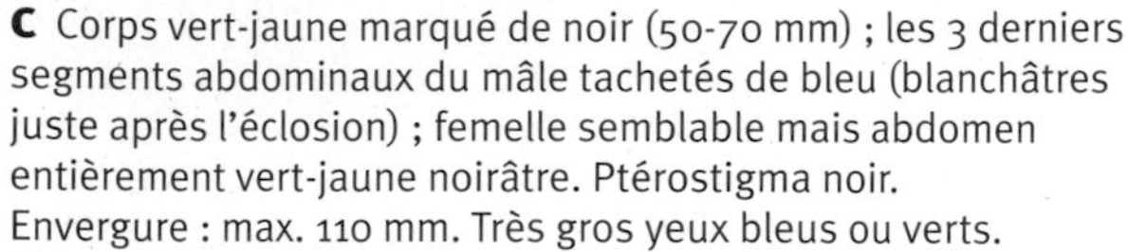

Anax empereur

Anax imperator

C 70-80 mm. Abdomen du mâle bleu vif avec bande noire dentelée ; femelle bleu-vert, bande dorsale brune ; ailes incolores. Envergure : max. 110 mm. Ailes postérieures plus larges que les antérieures, comme chez les autres libellules du groupe des Anisoptères.
H Eaux stagnantes riches en végétation et aussi à distance dans les chemins forestiers. Juin-août.
P Vole très bien (longuement par temps chaud). Chasse au-dessus de l'eau ou loin ; défend un territoire contre ses congénères. Copulation : partenaires en roue (quelques minutes) ; la femelle pond toute seule dans des débris végétaux flottants. Larves carnassières, dans l'eau. Stade larvaire : 1-2 ans.

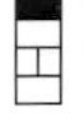

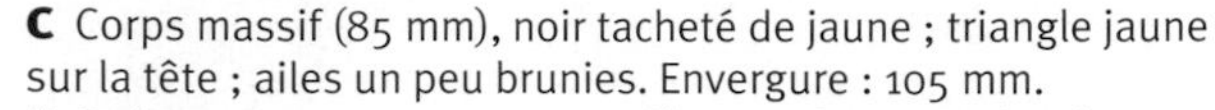

Cordulégastre annelé P

Cordulegaster boltonii

C Corps massif (85 mm), noir tacheté de jaune ; triangle jaune sur la tête ; ailes un peu brunies. Envergure : 105 mm.
H Ruisseaux, sources, torrents. Absent : Corse. Mai-août.
P Chasse souvent au-dessus des clairières, près des sources, mais reste aussi longuement posé. Ponte : tout en volant et se tenant verticalement, la femelle enfonce son long ovipositeur dans le sable des ruisseaux. Larves carnassières ; stade larvaire : 3-5 ans.

Cordulie bronzée

Cordulia aenea

C 50-55 mm. Corps vert foncé ou cuivré métallique ; abdomen plus renflé chez la femelle ; yeux vert métallique à bleu-vert ; ailes incolores, ptérostigma foncé. Envergure : max. 75 mm.
H Eaux stagnantes de faible étendue. Absente : Corse. Mai-août.
P La femelle pond en volant parmi les phragmites ; les œufs s'enfoncent dans l'eau. Stade larvaire : 2-3 ans.

Sympètre commun

Sympetrum vulgatum

C 20-30 mm. Abdomen du mâle rouge sang, thorax brun foncé, d'abord brun clair, puis brun olivâtre ; pattes rayées de jaune. Envergure : max. 55 mm. Confusion possible avec d'autres sympètres.
H Eaux stagnantes de toutes sortes et à distance. Juillet-octobre.
P Chasse à l'affût des insectes volants. Ponte : partenaires en tandem ; la femelle laisse les œufs tomber dans l'eau où ils hivernent. Stade larvaire : 3 mois.

Sympètre rouge sang

Sympetrum sanguineum

C 40 mm max. Yeux et thorax du mâle brun-rouge, abdomen et front rouge vif ; femelle : abdomen brun-jaune. Diffère des dix autres sympètres européens par ses pattes entièrement noires. Envergure : max. 55 mm.
H Eaux stagnantes de toutes sortes, prairies, chemins ; pas toujours près de l'eau. Juin-octobre.
P Chasse à l'affût. Vol rapide. Copulation commencée en vol, finissant sur la végétation. Ponte (partenaires en tandem) en plein vol ; les œufs tombent à terre et hivernent en dehors de l'eau ; au printemps la pluie ou une inondation entraîne les larves dans l'eau.

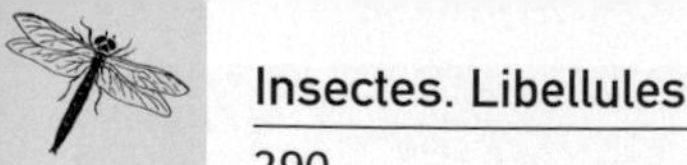

Libellule à quatre taches

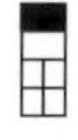

Libellula quadrimaculata

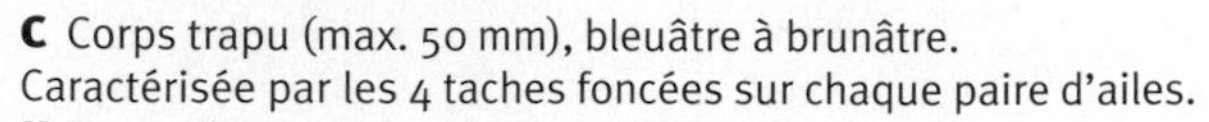

C Corps trapu (max. 50 mm), bleuâtre à brunâtre.
Caractérisée par les 4 taches foncées sur chaque paire d'ailes.
H Toutes les eaux stagnantes. Mai-août.
P Chasse à l'affût. Après une rapide copulation en vol, la femelle lance les œufs dans l'eau par des mouvements vifs de son abdomen. Stade larvaire : 2 ans.

Libellule déprimée

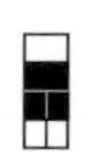

Libellula depressa

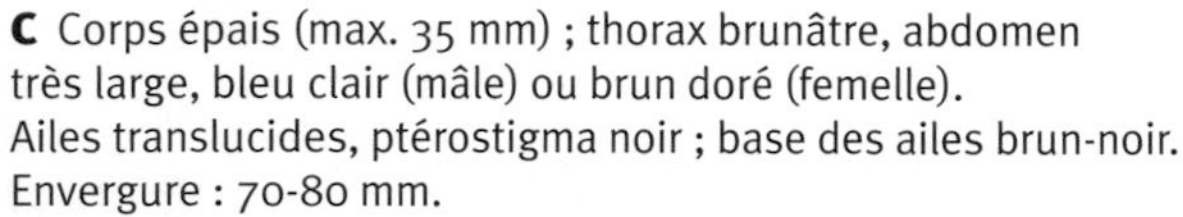

C Corps épais (max. 35 mm) ; thorax brunâtre, abdomen très large, bleu clair (mâle) ou brun doré (femelle).
Ailes translucides, ptérostigma noir ; base des ailes brun-noir.
Envergure : 70-80 mm.
H Eaux douces pauvres en végétation, sur fond sableux, argileux ou de gravier (souvent la première libellule visible sur les nouvelles pièces d'eau, sablières, bassins de jardin).
Mai-août.
P Chasse à l'affût, souvent sur les végétaux aquatiques.
En vol, change fréquemment de direction. Copulation en vol ; la femelle seule pond en vol en agitant l'abdomen ; les œufs tombent dans l'eau. Larves trapues, brun foncé à verdâtre, masque entourant le front. Stade larvaire : 2 ans.
Les larves enfoncées dans la vase résistent plusieurs semaines au dessèchement des mares.

Orthétrum réticulé

Orthetrum cancellatum

C 45 mm. max. Corps plus svelte que *L. depressa*.
Abdomen du mâle âgé bleu, extrémité postérieure noire ; jeunes mâles : abdomen d'abord jaune et noir comme chez les femelles. Ailes incolores, mais leur base n'est pas noire ; ptérostigma foncé. Envergure : max. 80 mm.
H Eaux stagnantes de toutes sortes. Mai-septembre.
P Se chauffe au soleil, posée sur le gravier. Copulation souvent à terre ; la femelle pond seule, en vol. Stade larvaire : 2 ans.

Grande sauterelle verte

Tettigonia viridissima

C 30-40 mm. Vert pré ; longues et fines antennes ; fémurs postérieurs puissants, renflés. Au repos, les grandes ailes sont pliées au-dessus du dos et dépassent nettement l'abdomen ; organe de ponte (oviscapte) long, incurvé vers le bas, un peu brunâtre au bout ; les ailes le dépassent de peu.

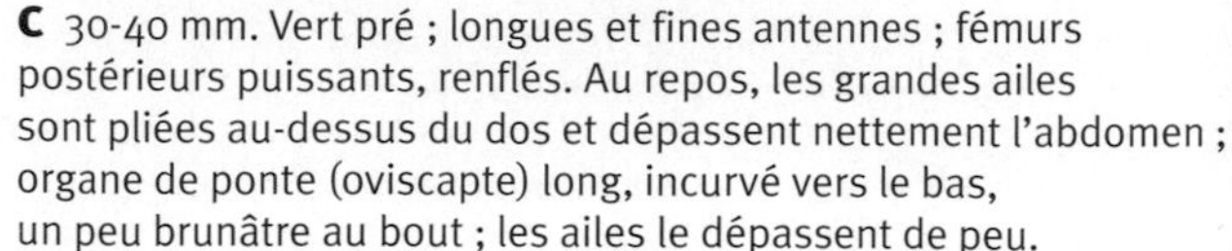

H Arbres, buissons, prairies, champs. Juillet-octobre.
P Capture de petits insectes avec ses pattes antérieures épineuses. Du haut des arbres, les mâles stridulent de midi à la nuit en frottant leurs ailes antérieures l'une contre l'autre. Malgré ses grandes ailes, vole seulement sur de petites distances. Les femelles pondent les œufs dans la terre ou des fentes d'écorce où ils hivernent. Les larves muent plusieurs fois en grandissant.

Dectique

Decticus verrucivorus

C Atteint 45 mm. Plus trapu que *T. viridissima* (ci-dessus). Coloration variable, jaune, verte ou brune ; taches foncées toujours présentes. Les ailes dépassent un peu l'abdomen chez le mâle ; chez la femelle, elles atteignent seulement la moitié de l'oviscapte incurvé vers le haut.
H Prairies, champs, landes. Juin-septembre.
P Chant des mâles perçant, émis à terre. Larves et adultes se nourrissent de petits insectes et de débris végétaux. La femelle enfonce les œufs dans la terre ; éclosion des larves au printemps. Jadis on faisait « mordre » les verrues par cet insecte pour les corroder avec son suc digestif.

Sauterelle du chêne

Meconema thalassinum

C Atteint 17 mm. Vert clair avec marques jaunes ; antennes atteignant 4 fois la longueur du corps ; ailes un peu plus longues que l'abdomen, mais ne dépassant pas l'organe de ponte (oviscapte).
H Forêts de feuillus, sur les chênes, parcs. Juillet-octobre.
P Nocturne. Chasse pucerons et chenilles ; souvent attirée par les lumières. Ne stridule pas comme les autres sauterelles, mais frappe les feuilles avec ses pattes postérieures. Œufs pondus dans des fentes d'écorce et des galles.

Courtilière, taupe-grillon

Gryllotalpa gryllotalpa

C Corps trapu, cylindrique, brun (35-50 mm). Pattes antérieures élargies, transformées en pelles ; tête triangulaire, brèves antennes filiformes ; élytres courts ; longues ailes postérieures coudées ; grands appendices abdominaux (cerques).
H Champs, jardins, prairies. Surtout dans le Sud. Avril-septembre.
P Surtout nocturne. Creuse des galeries ; mange de petits insectes et des végétaux (fait des dégâts dans les planches de légumes : ronge les racines). Chant produit en frottant les élytres. Œufs pondus dans la terre, la femelle les surveille ainsi que les larves qui, comme les adultes, hivernent sous terre.

Grillon champêtre

Gryllus campestris

C Corps trapu (26 mm max.), noir brillant ; grosse tête ; antennes longues et fines ; ailes brunâtres ; cerques abdominaux courts ; organe de ponte (femelle).
H Prairies, intervalles entre les champs (dérayures), pentes ensoleillées. Avril-septembre.
P Surtout nocturne. Régime : végétaux et petits animaux. Le mâle défend un territoire et chante à l'entrée du terrier qu'il a creusé (chant obtenu en frottant les élytres). Œufs pondus dans la terre. Les larves éclosent au bout de 2-3 semaines et hivernent dans le terrier qu'elles ont creusé.

Criquet

Chorthippus parallelus

C Mâle : 16 mm max. ; femelle : 23 mm. max. Coloration très variable ; ailes très courtes surtout chez le mâle ; pattes postérieures noires ; antennes filiformes, non renflées au bout. Ressemble aux autres *Chorthippus*, mais distingué par le chant.
H Prairies humides, pentes sèches. Juin-octobre.
P Herbivore comme les autres criquets. Les mâles émettent des stridulations en frottant rythmiquement les fémurs postérieurs sur les élytres. Œufs pondus dans le sol où ils hivernent. Larves d'abord semblables à des chenilles ; stade adulte atteint en juin après les métamorphoses.

Blatte sylvestre

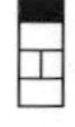

Ectobius sylvestris

C Corps ovale-allongé (max. 13-14 mm), brun-noir ;
ailes brun-jaune, dépassant l'abdomen chez le mâle ; disque noir sur le thorax ; ailes antérieures (élytres) fumées ; les postérieures fonctionnelles pour le vol. Femelle : plus pâle, élytres plus courts, les ailes postérieures réduites.

H Litière forestière, végétation basse. Mai-octobre.
P Diurne ; très agile ; craintive. Régime : petits animaux, débris végétaux. La femelle porte la capsule d'œufs, puis l'enterre ; les larves, semblables aux adultes, hivernent.

Perce-oreille

Forficula auricularia

C Corps plat, allongé (16 mm. max.) ; abdomen brun foncé, le reste plus clair ; cerques du mâle incurvés, dentés à la base ; ceux de la femelle presque rectilignes et sans dents ; ailes postérieures pliées de façon complexe sous les élytres.

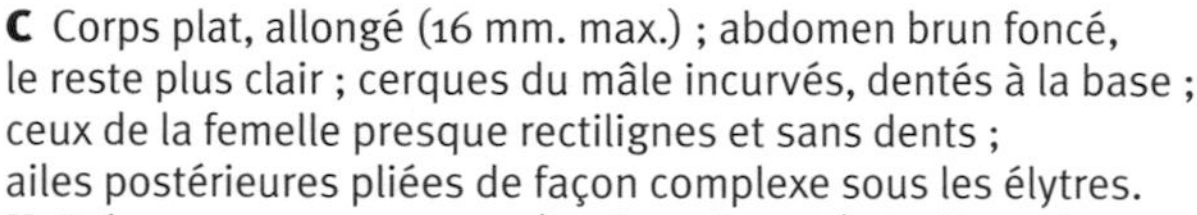

H Présent presque partout (jardins, champs). Avril-octobre.
P Vole bien mais rarement. Régime : végétaux et pucerons. La femelle pond au printemps et en automne de petits amas d'œufs dans la terre ; elle surveille œufs et larves. Larves et adultes hivernent.

Cicadelle écumeuse

Philaenus spumarius

C Corps ovale-long (6 mm max.). Coloration très variable, claire à foncée, unie ou tachetée.
H Prairies, talus herbeux. Juin-octobre.
P Adultes très peu visibles ; larves vert jaunâtre pâle, protégées de la dessiccation par une masse spumeuse (« crachat de coucou ») fixée sur une tige de plante herbacée, obtenue en insufflant de l'air dans les excréments liquides contenant des protéines. Régime : sève.

Cercope rouge sang

Cercopis vulnerata

C Corps ovale-allongé (max. 11 mm) ; au repos, ailes disposées en toit au-dessus du corps. Noire avec taches rouge vif.
H Prairies, lisière des forêts. Mai-juillet.
P Vole bien, mais menacée, s'enfuit en sautant. Aspire la sève des végétaux. Œufs pondus dans des fentes d'écorce où ils hivernent ; au printemps, les larves vivent sous terre dans une écume sur les racines de végétaux herbacés et de la vigne.

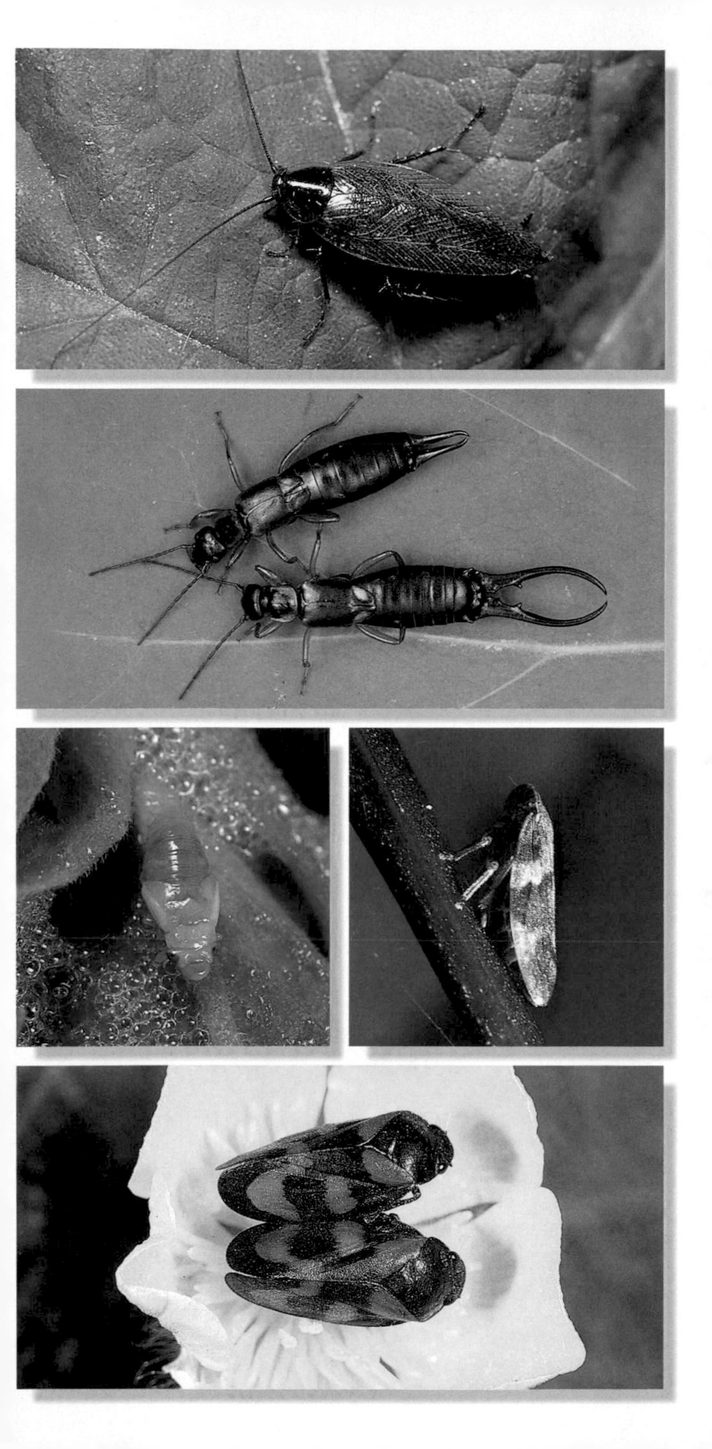

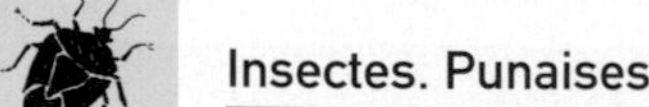

Notonecte glauque

Notonecta glauca

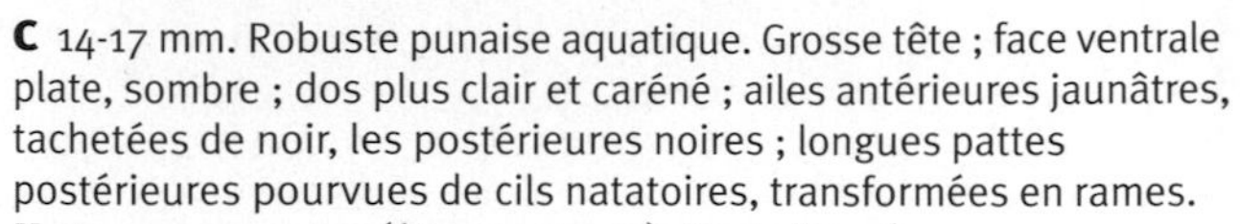

C 14-17 mm. Robuste punaise aquatique. Grosse tête ; face ventrale plate, sombre ; dos plus clair et caréné ; ailes antérieures jaunâtres, tachetées de noir, les postérieures noires ; longues pattes postérieures pourvues de cils natatoires, transformées en rames.
H Eaux stagnantes (étangs, mares). Toute l'année.
P Nage toujours le dos tourné vers le fond de l'eau ; pour se reposer et reprendre de l'air, vient juste sous la surface. Chasse d'autres insectes aquatiques, des alevins et des larves de batraciens. Piqûre douloureuse (avec son rostre).

Gerris

Gerris lacustris

C Corps étroit, mince (max. 15 mm), foncé ; pattes (surtout 2e et 3e paires) très longues, servant aux déplacements à la surface de l'eau.
H Eaux stagnantes (même les mares). Avril-octobre.
P Chasse de petits insectes sur l'eau ; vole bien. Métamorphoses sans stade nymphal, comme chez toutes les autres punaises.

Stenodema laevigatum

Stenodema laevigatum

C Corps svelte (8-9 mm). Écusson ponctué ; des individus jaunes, bruns ou verts se côtoient. Confusion possible avec d'autres Miridés.
H Partout dans les herbes. Juin-octobre.
P Imago (adulte) et larve se nourrissent d'acariens, de pucerons, etc. Les imagos hivernent.

Gendarme, suisse

Pyrrhocoris apterus

C 9-11 mm. Corps ovale-long, noir et rouge ; 1 tache noire circulaire sur chaque hémélytre ; les ailes, généralement courtes, laissent libre l'extrémité de l'abdomen. Coloration et disposition des marques variant surtout selon la température.
H Fréquent sous les arbres (feuillus), notamment les tilleuls. Avril-octobre.
P Régime : graines de tilleuls, insectes morts (y compris congénères). La copulation peut durer 30 heures ; les mâles attirent les femelles en émettant des phéromones. Œufs pondus dans des trous creusés ou sous des feuilles. Les larves se développent avant août ; les imagos hivernent.

Pentatome rayée

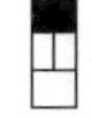

Graphosoma lineatum

C 8-12 mm. Corps arrondi, rayé de noir et de rouge ; écusson très long, atteignant le bout de l'abdomen et recouvrant la majeure partie des ailes antérieures.
H Prairies, clairières. Mai-septembre.
P Se nourrit principalement sur les fleurs des Ombellifères. Larves rouge et noir comme les adultes (coloration avertissant que le goût est désagréable).

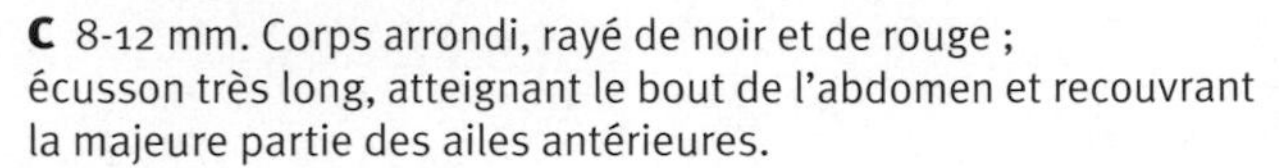

Punaise verte

Palomena prasina

C 12-14 mm. Corps arrondi. Verte au printemps, devient brune pour hiverner ; dos recouvert par le grand écusson triangulaire (hémélytres membraneux au bout et base coriace).
H Arbres et buissons. Avril-octobre.
P Régime : sève des végétaux et fruits mous (baies). Se défend en émettant une odeur musquée persistante. En période de reproduction, lance des sons graves en frottant ses pattes postérieures sur l'abdomen.

Punaise à pattes fauves

Pentatoma rufipes

C 13-16 mm. Grande punaise brune ; angles du pronotum arrondis ; long écusson triangulaire, ses pointes, comme les taches des bords et de l'extrémité du corps, sont rouges ; pattes rouges.
H Arbres (feuillus), buissons. Mai-octobre.
P Aspire des liquides végétaux. En août, la femelle colle les œufs sur des feuilles avec une sécrétion. Les larves, jaune tacheté de foncé, hivernent dans les fentes d'écorce.

Punaise brune

Coreus marginatus

C 10-16 mm. Corps ovale, jaunâtre à brun foncé ; bords de l'abdomen élargis.
H Prairies humides, bord des eaux. Avril-octobre.
P Vit surtout sur les oseilles *(Rumex)*, dont larves et adultes se nourrissent. Œufs pondus en mai dans tiges et feuilles de la plante hôte ; les larves y grandissent. Les adultes hivernent.

Cicindèle champêtre

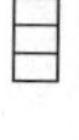

Cicindela campestris

C 11-15 mm. Longues pattes ; corps vert avec quelques taches claires sur les élytres ; pattes et dessous cuivrés.
H Sols sablonneux, lieux ensoleillés en forêt, bords des chemins. Avril-septembre.
P Au soleil, chasse d'autres insectes et des araignées en courant agilement ; menacée, s'enfuit en volant. Saisit sa proie avec ses puissantes mâchoires, injecte un liquide dissolvant et l'aspire. Ponte en mai ; les larves vivent dans un terrier qu'elles ont creusé et s'y nymphosent. Éclosion des adultes en automne de la 2e année ; ils hivernent.

Carabe des bois

Carabus nemoralis

C 20-30 mm. Corps bronzé à vert noirâtre, brillant ; élytres finement striés et ponctués, bleu-violet au bord, comme le pronotum ; tête ridée.
H Forêts humides, champs, jardins. Actif au printemps et en automne ; en été, à l'abri dans le sol.
P Diurne et nocturne ; prédateur d'insectes, mange aussi des fruits mûrs. Larves en grande partie noires (40 mm max.), plates, allongées, à cuticule raide ; mâchoires pointues et courbes ; brefs appendices abdominaux. Chassent au crépuscule, s'abritent dans un terrier.

Carabe doré, jardinière

Carabus auratus

C 20-27 mm. Insecte vert doré brillant ; élytres côtelés ; pattes et 4 premiers articles des antennes rougeâtres.
H Prairies, jardins. Avril-août.
P Diurne. Chasse insectes, vers, escargots ; mange aussi des cadavres. Ponte dans la terre. Développement larvaire : 8-10 semaines (3 mues) ; stade nymphal : 2-3 semaines. Éclosion de l'imago dans la terre.

Carabus granulatus

Carabus granulatus

C 14-23 mm. Coloration variant du rouge cuivré au vert et au noir ; élytres côtelés à 3 rangs de traits enfoncés.
H Champs, prairies, forêts. Avril-septembre.
P Surtout nocturne. Ponte, stades larvaire et nymphal comme chez les autres carabes.

Dytique bordé

Dytiscus marginalis

C 27-35 mm. Vert olive foncé ; bords des élytres et du pronotum jaunes ; pattes pourvues de longs cils natatoires (rames), les postérieures plus longues que les 2 paires antérieures. Chez le mâle, les 3 premiers articles des antérieures élargis avec ventouses. Mâle : élytres vert-noir et lisses ; femelle : élytres brun-vert et sillonnés.
H Eaux stagnantes riches en végétation. Toute l'année.
P Vole bien. Prédateur d'animaux aquatiques (même têtards et alevins). Vient à la surface pour prendre une provision d'air dans l'extrémité de son abdomen. Ponte au printemps dans feuilles et tiges de végétaux aquatiques. Stade larvaire : 5-6 semaines ; stade nymphal : 2-4 semaines.

Dytique sillonné

Acilius sulcatus

C 15-18 mm. Corps ovale, très plat, jaune avec un V noir entre les yeux ; sur le pronotum, 2 bandes transversales noires ; élytres ponctués de noir ; pattes postérieures jaunes avec bande noire ; les antérieures du mâle élargies avec ventouses. Élytres de la femelle : 4 sillons très velus.
H Eaux stagnantes à fond vaseux, mares, tourbières. Toute l'année.
P Vole et nage bien. Régime : animaux aquatiques, cadavres. Copulation : à terre ; le mâle se maintient sur le dos de la femelle avec ses ventouses. Larves nageuses (éclosent au bout de 2-3 semaines) ; nymphose à terre ; l'imago hiverne dans l'eau.

Gyrin, tourniquet

Gyrinus natator

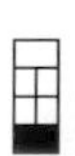

C 5-7 mm. Corps ovale, noir brillant ; pattes jaune rougeâtre, les médianes et postérieures transformées en rames ; élytres régulièrement ponctués.
H Eaux stagnantes riches en végétation, tourbières. Toute l'année.
P Nage en décrivant des zigzags rapides ; peut voir simultanément à la surface et dans l'eau grâce à ses yeux divisés en 2 parties. Les larves s'enfoncent dans la vase. Nymphose dans un cocon sur des végétaux émergés ; éclosion de l'imago en automne.

Staphylin à raies d'or

Staphylinus caesareus

C 17-22 mm. Corps étroit, allongé ; pattes et élytres brun-roux ; élytres très courts, ailes membraneuses pliées au-dessous ; taches jaunes sur les côtés de l'abdomen.
H Forêts de feuillus et de résineux. Toute l'année.
P Imagos et larves dans la litière. Régime : petits insectes, cadavres, végétaux pourrissants. Face à un prédateur, prend une attitude menaçante, tête et abdomen dressés.
Œufs pondus isolément dans le bois pourri ; nymphose après le 3e stade larvaire. L'imago hiverne.

Staphylin odorant

Ocypus olens

C 22-32 mm. Corps étroit, noir ; 5e segment abdominal finement bordé de poils blancs ; pronotum plus court que les élytres.
H Forêts. Toute l'année.
P Diurne. Capture ses proies sous des pierres et des écorces avec ses puissantes mâchoires (peut piquer). Œufs pondus isolément.

Nécrophore

Necrophorus vespillo

C 12-24 mm. Noir brillant ; sur les élytres, 2 bandes transversales rousses et longs poils clairs aux bords antérieur et postérieur ; extrémité des antennes rousse.
H Forêts. Avril-août.
P Enterre de petits vertébrés ; fait des boules avec leur chair ; œufs pondus dans une galerie proche ; les larves, attirées par ces boules, s'en nourrissent après avoir reçu des aliments prédigérés ; la femelle les surveille.

Silphe à corselet rouge

Oeceoptoma thoracica

C 11-16 mm. Corps plat, noir mat sauf le pronotum rouge clair. 3 côtes longitudinales sur les élytres (ne peut être confondu).
H Forêts, chemins. Sur cadavres, excréments, satyre puant (p. 24). Avril-août.
P Imagos et larves se nourrissent sur cadavres, champignons et végétaux pourris. Rôle important comme décomposeur et nécrophage. Dissémine les spores du satyre puant qu'il ronge.

Lamprohiza splendidula

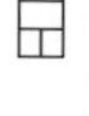

Lamprohiza splendidula

C 8-10 mm. Mâle brun-noir ; bords du pronotum clairs ;
2 espaces transparents sur le pronotum (yeux et tête visibles) ;
organes lumineux blancs sous les 6e et 7e segments abdominaux.
Femelle brun-jaune, sans ailes, aspect de larve ;
3 paires d'organes lumineux sur les côtés de l'abdomen.
H Lisière des forêts, jardins, fourrés. Mai-septembre.
P Crépusculaire et nocturne. En général, les adultes
ne mangent rien ; les larves chassent des escargots.
Les femelles attirent les mâles en émettant une lumière verdâtre.
Larves et œufs sont aussi luminescents.

Cantharide

Cantharis fusca

C 11-15 mm. Corps étroit, brun ; pattes noires ; élytres mous,
noirs, à fine pilosité grise ; pronotum et abdomen rouges.
H Lisière des forêts, prairies, fourrés, jardins. Mai-septembre.
P Régime : pucerons, chenilles et autres petits animaux,
fleurs et pousses. Plusieurs stades larvaires ; après les premiers,
les larves (20 mm max.) noires se nourrissent d'escargots
(on les voit même par zéro degré sur la neige).

Téléphore fauve

Rhagonycha fulva

C 7-11 mm. Corps allongé, roussâtre ; extrémité des ailes noirâtre.
H Prairies, fourrés, lisière des forêts. Juin-août.
P Souvent en nombre sur les fleurs des ombellifères
où il s'accouple, épie d'autres insectes ou aspire du nectar.
Larves à pilosité veloutée, comme chez les autres cantharides ;
elles chassent escargots et larves de diptères.

Taupin

Agriotes lineatus

C 7-10 mm. Corps ovale allongé, beige à brun clair.
Comme tous les taupins, peut se retourner s'il se trouve renversé
sur le dos : quand un prolongement du sternum est débloqué,
il glisse dans une rainure et l'insecte est projeté en l'air.
H Prairies, champs, jardins. Mai-juillet.
P Sur les ombellifères qu'il ronge. Stade larvaire : 2-3 ans.
Larves « fil de fer » rongent racines, tubercules de végétaux
cultivés et font des dégâts. Nymphose dans le sol.
Les jeunes imagos hivernent dans le bois pourri.

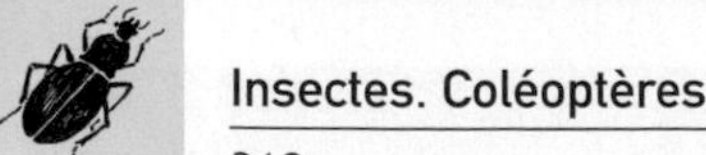

Coccinelle à deux points

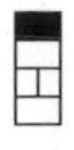

Adalia bipunctata

C 4-6 mm. Corps hémisphérique. Coloration très variable, noir uni ou rouge uni avec sur les élytres, à fond rouge minium, 2 taches noires (ou 2 taches rouges sur fond noir).

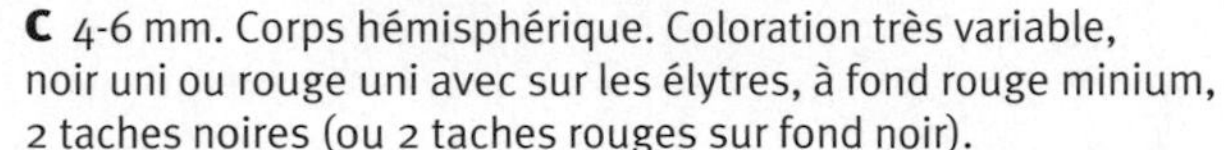

H Sur végétaux, presque partout. Avril-octobre.
P Chasse des pucerons comme les autres coccinelles. La femelle pond près de leurs colonies et les larves s'en nourrissent. Nymphose au bout de 20-35 jours. Les imagos hivernent souvent en grand nombre à l'abri sous des pierres, écorces, etc.

Coccinelle à sept points

Coccinella septempunctata

C 6-8 mm. Corps hémisphérique. Tête et pronotum noirs, ce dernier tacheté de jaune au bord ; élytres rouge brique avec 7 taches noires arrondies ; pattes noires.

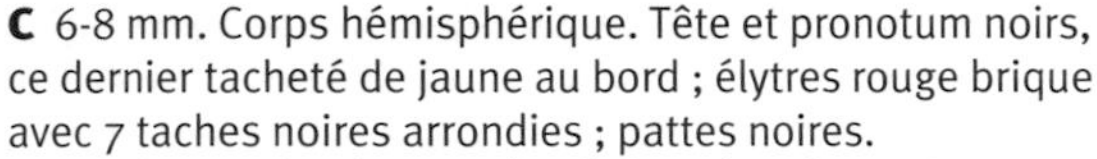

H Végétation (jardins, etc.). Pénètre dans les maisons. Toute l'année.
P Adultes et larves chassent des pucerons. Larves gris-noir, verrues jaune-rouge sur les côtés ; vivent dans les colonies de pucerons ; au dernier stade, elles filent un cocon avec une sécrétion abdominale (sur la plante hôte) ; nymphes jaune brunâtre. Les adultes hivernent en petits groupes sous des pierres, des écorces ou dans les bâtiments.

Coccinelle à vingt-deux points

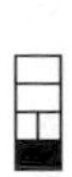

Thea vigintiduopunctata

C 3-5 mm. Corps hémisphérique, presque circulaire, jaune citron avec 11 taches noires sur chaque élytre ; pattes jaune foncé. Ne varie guère (ne peut donc être confondue).
H Forêts de feuillus, jardins. Mars-octobre.
P Diurne. Adultes et larves se nourrissent de champignons (oïdium ou « blanc », etc.), notamment sur les chênes. Menacée, fait le mort comme les autres coccinelles, en repliant les pattes et les antennes, et émet par les articulations des pattes un liquide orangé nauséabond. Métamorphoses complètes ; les adultes hivernent dans la litière ou les herbes sèches.

Géotrupe

Geotrupes vernalis

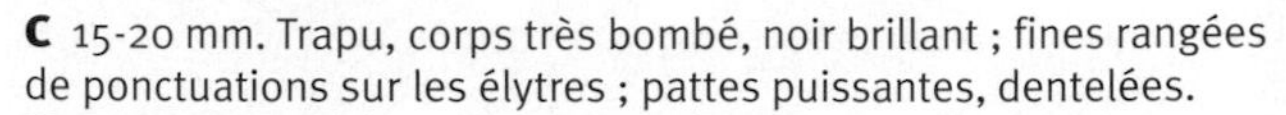

C 15-20 mm. Trapu, corps très bombé, noir brillant ; fines rangées de ponctuations sur les élytres ; pattes puissantes, dentelées.
H Toujours sur des excréments. Mai-octobre.
P Avec ses pattes, creuse des galeries sous les excréments, fait des boules sur lesquelles un œuf est pondu ; la larve se nourrit de l'excrément ; nymphose dans la terre au printemps suivant ; l'adulte éclôt au début de l'été.

Hanneton

Melolontha melolontha

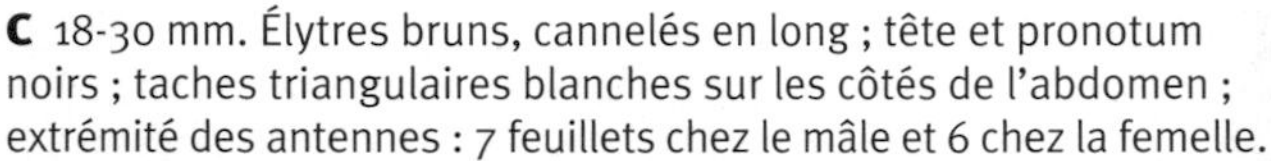

C 18-30 mm. Élytres bruns, cannelés en long ; tête et pronotum noirs ; taches triangulaires blanches sur les côtés de l'abdomen ; extrémité des antennes : 7 feuillets chez le mâle et 6 chez la femelle.
H Arbres (feuillus), vergers, lisière des bois, champs. Mai-juillet.
P Vole surtout le soir ; le jour, ronge feuilles et pousses. Ponte dans la terre. Les stades larvaire (ver blanc) et nymphal durent 3-4 ans au total. Larves dodues (max. 45 mm), blanchâtres sauf capsule céphalique brune et dure ; rongent les racines et font des dégâts si elles sont nombreuses ; toutefois, l'espèce est devenue rare.

Hanneton de la Saint-Jean

Amphimallon solstitiale

C 12-18 mm. Bien plus petit que le précédent. Jaunâtre à brun roussâtre, très velu ; 3 côtes longitudinales saillantes ; antennes à 3 feuillets.
H Forêts de feuillus. Avril-juin.
P Le jour, ronge des feuilles ; vole le soir en essaim. Les métamorphoses durent 2 ans (larve dans le sol).

Hanneton des jardins

Phyllopertha horticola

C 8,5-11 mm. Tête, pronotum, abdomen et pattes noir verdâtre brillant ; élytres brun clair ; antennes à 3 feuillets.
H Haies, bosquets. Mai-juin.
P Diurne et nocturne. Vole souvent. L'adulte ronge des feuilles d'arbres (feuillus), mais surtout les fleurs des rosiers et des cerisiers. Stade larvaire : 2-3 ans dans le sol ; la larve ronge les racines de végétaux herbacés (graminées, etc.).

Cétoine dorée

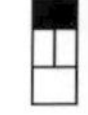

Cetonia aurata

C 14-20 mm. Corps trapu, ponctué, brillant, vert métallique à cuivré ; faibles sillons longitudinaux sur les élytres à l'arrière, taches blanches transversales très variables. En vol, les élytres restent fermés et les ailes membraneuses se déploient grâce à des fentes latérales.
H Sur les buissons en fleurs. Mai-août.
P Régime : pollen et pétales d'aubépine, églantier, sureau. À la fin de l'été, aussi sur *Cirsium oleraceum*. Vole seulement au soleil. Ponte dans des souches pourries ; les larves y vivent plusieurs années.

Trichie fascié

Trichius fasciatus

C 10-13 mm. Noir, très velu ; élytres jaunes avec 3 bandes noires très variables.
H Principalement en montagne sur des fleurs blanches. Avril-septembre.
P Fréquente surtout les ombellifères, reines des prés, aubépines, marguerites, églantiers, troènes et en ronge toutes les parties. Ponte dans le bois pourri d'arbres (feuillus), que les larves rongent pendant 2 ans.

Lucane cerf-volant P

Lucanus cervus

C Ne peut être confondu. Élytres brun-roux foncé ; tête, thorax et pattes noirs. Sexes très différents. Mâle (35-75 mm) : mandibules très développées en forme de bois de cerf. Femelle (30-45 mm) : mandibules courtes mais puissantes, en forme de crochets.
H Forêts de feuillus et mixtes, surtout chênaies. Mai-août.
P Régime : sève s'écoulant de l'écorce des arbres (blessures, fentes). Vole. En période de reproduction, les mâles essayent de renverser leur rival sur le dos à l'aide de leurs mandibules. Œufs pondus au pied de vieux chênes ou dans des souches vermoulues, où les larves se nourrissent 5-8 ans ; elles atteignent 11 cm et se nymphosent dans une cavité ayant presque la taille du poing.

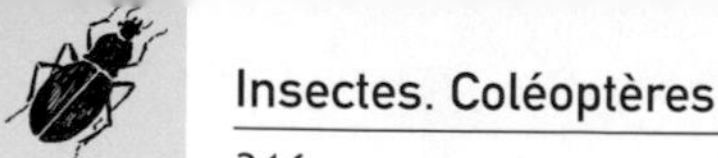

Lepture rouge

Leptura rubra

C Corps étroit. Tête, antennes et fémurs noirs ; tibias et tarses jaunes à brun roussâtre ; pronotum et élytres (rétrécis en arrière) finement ponctués, velus. Sexes bien différents : mâle (8-10 mm) : pronotum noir, élytres jaunes, antennes presque égales au corps. Femelle (10-18 mm) : pronotum et élytres rouges, antennes atteignant le milieu du corps.
H Forêts, lisières, prairies, sur les ombellifères. Juin-septembre.
P Diurne ; vole bien. Régime : fleurs des ombellifères. Comme nombre de Cérambycidés, peut émettre des sons. Larves dans le bois vermoulu, les souches et les racines pourrissantes de résineux ; contribue à leur transformation en humus. Stade larvaire : 2 ans.

Clyte

Clytus arietis

C 6,5-14 mm. Pronotum et élytres noirs marqués de jaune (variable), granuleux, ponctués, velus ; antennes brunâtres, assez courtes.
H Forêts de feuillus. Mai-juillet. Diurne ; sur les fleurs et le bois des feuillus (hêtres).
P Très craintif, s'envole au moindre dérangement. Coloration d'avertissement (évoque celle d'une guêpe), qui le protège peut-être des prédateurs. La larve vit 2 ans dans les branches mortes, d'abord sous l'écorce, puis dans le bois où elle se nymphose et hiverne.

Strangalie

Strangalia maculata

C 14-24 mm. Corps très étroit ; très longues antennes ; élytres rétrécis en arrière, tachetés de noir et de jaune (couleur très variable ; aspect de guêpe : mimétisme).
H Forêts de feuillus. Mai-septembre.
P Principalement sur fleurs des ombellifères mais aussi sur celles d'autres espèces poussant près des lisières. Larves dans le bois pourri des peupliers, saules, hêtres et autres feuillus.

Petite saperde du peuplier

Saperda populnea

C 9-15 mm. Svelte. Coloration variant du noir tacheté de jaunâtre au vert jaunâtre tacheté de noir au coin des élytres ; antennes nettement annelées, moins longues que le corps.
H Surtout peupliers. Mai-juillet.
P Vole bien. Larves surtout dans les branches des trembles. Œufs pondus dans une petite encoche en fer à cheval de l'écorce, ce qui entraîne la formation de tissus cicatriciels, dont la larve se nourrit.

Rhagie

Rhagium inquisitor

C 13-22 mm. Corps étroit, noirâtre ; élytres jaunâtres à brun roussâtre avec bandes noirâtres ; pointes sur les côtés du pronotum ; élytres rétrécis en arrière, à 2-4 côtes longitudinales.
H Forêts de feuillus et de résineux. Avril-septembre.
P Adulte surtout sous l'écorce des arbres morts ; dérangé, stridule assez fort, comme presque tous les autres Cérambycidés (Longicornes). Les larves vivent sous l'écorce des arbres ; les imagos éclosent en automne et hivernent sous les écorces.

Oxymirus

Toxotus (= Oxymirus) cursor

C 15-30 mm. Robuste. Mâle noirâtre ; femelle noirâtre avec bandes brun roussâtre sur les élytres.
H Forêts de résineux en montagne, lisières. Mai-août.
P Les jours ensoleillés, les adultes se tiennent sur des fleurs ou des souches. Larves dans le bois mort (surtout épicéa).

Capricorne musqué

Aromia moschata

C 22-34 mm. Svelte. Coloration variable, du vert doré au bleu-violet métallique ; longues antennes insérées devant les yeux (chez le mâle, dépassent le corps). Ne peut être confondu.
H Forêts riveraines, bosquets ; surtout sur saules. Juin-août.
P Les adultes absorbent la sève des saules. Dérangés, ils émettent une sécrétion nauséabonde. Ponte, stades larvaire et nymphal dans le bois des saules, ce qui peut entraîner la mort des arbres si l'infestation est forte.

Chrysomèle

Chrysomela varians

C 8-10 mm. Corps arrondi. Coloration très variable, métallique, brillante : bleue, verte, roussâtre, violette ou bronzée.
H Dans la végétation, presque partout. Mai-septembre.
P Imagos et larves se nourrissent sur les feuilles de végétaux variés (millepertuis entre autres). Stade larvaire (10-30 jours). Plusieurs générations se succèdent en un an.

Galéruque de l'aulne

Agelastica alni

C 5-7 mm. Trapue. Élytres légèrement élargis à l'arrière. Bleu-noir brillant, violet ou verdâtre.
H Sur les aulnes. Juillet-octobre.
P Imagos et larves vivent sur les feuilles des aulnes et les percent ; nymphose dans la terre où les adultes hivernent.

Doryphore

Leptinotarsa decemlineata

C 6-13 mm. Corps bombé, jaune avec 5 bandes longitudinales noires sur chaque élytre ; pronotum tacheté de noir (variable). Ne peut être confondu.
H Sur les solanacées, surtout la pomme de terre. Mai-septembre.
P Parvenu en Europe à la fin du XIXe siècle (originaire d'Amérique du Nord). Adultes et larves se nourrissent des feuilles de pomme de terre. Larves d'abord rougeâtres, puis jaune orangé avec des points et la tête noirs ; rongent les feuilles pendant plusieurs semaines ; nymphose dans la terre. Jusqu'à 3 générations par an, qui font d'importants dégâts dans les cultures de pomme de terre.

Grand charançon du pin

Hylobius abietis

C 10-13 mm. Corps cylindrique ; rostre (= trompe) aussi long que tête et pronotum réunis ; brun-noir à roussâtre avec taches et bandes transversales jaunâtres ; antennes en massue à l'extrémité.
H Forêts de résineux et mixtes. Mai-septembre.
P L'adulte ronge bourgeons et écorce des jeunes résineux, et peut faire de gros dégâts. Ponte dans les racines issues des souches d'arbres morts, où les larves se développent 2 ans.

Perle

Perlodes spec. (Plécoptères)

C 6-25 mm. Insectes brunâtres ; corps souvent tacheté de jaune ; ailes transparentes ou jaunâtres (au repos, pliées à plat sur le dos) ; 2 très longs cerques filiformes au bout de l'abdomen.

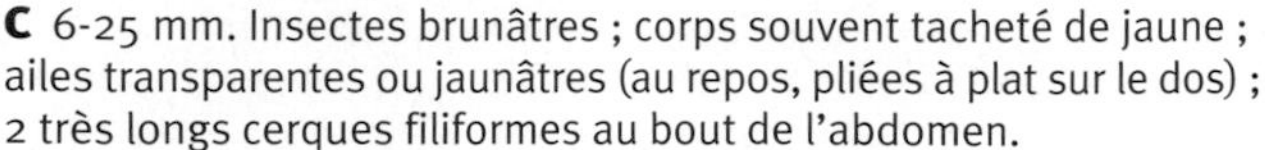

H Eaux courantes et propres ; plaine et montagne. Mars-septembre.
P Groupe très ancien. Les imagos ne mangent pas ou presque ; les larves vivent dans les eaux limpides, sur ou sous des pierres ; leur présence signale la pureté de l'eau (indicateur biologique) ; elles servent de nourriture aux poissons.

Éphémère, mouche de mai

Ephemera danica (Éphéméroptères)

C 15-24 mm. Corps très fin, jaunâtre avec anneaux foncés et brèves lignes longitudinales sur les segments postérieurs ; 3 longs cerques (30-35 mm) ; ailes antérieures triangulaires, les postérieures bien plus petites, arrondies.
H Toujours près des eaux douces propres. Mai-août.
P Les imagos ne mangent pas ; les mâles se rassemblent souvent en grands essaims, qui montent, descendent et attirent les femelles. Copulation en vol ; les mâles meurent peu après. Les femelles survivent quelques heures ou jours. Ponte dans l'eau. Les larves vivent 3 ans et, selon les conditions ambiantes, muent de 20 à 30 fois.

Phrygane

Limnephilus spec. (Trichoptères)

C 6,5-12 mm. Corps étroit, foncé ; longues antennes filiformes ; ailes antérieures brunâtres avec brèves bandes transversales plus claires, les postérieures plus larges, plus pâles, sans marques (envergure 19-30 mm). Ailes finement velues, accouplées en vol.
H Eaux courantes. Mai-novembre.
P Dans la journée, les imagos se tiennent généralement sur la végétation ; ils volent le soir pour chercher des partenaires sexuels. Ils ne mangent rien ou absorbent tout au plus de l'eau ou du nectar. Les larves vivent au fond de l'eau dans un fourreau qu'elles ont édifié et qui protège leur abdomen mou. Sur une base de sécrétions, la larve colle selon l'espèce, des débris végétaux (photo), grains de sable, graviers (photo) ou des coquilles d'escargot. Ce fourreau est élargi par l'avant au cours de la croissance et la partie postérieure, plus étroite, est rejetée. Nymphose aussi dans le fourreau ; la nymphe, très mobile, sort ensuite à terre pour l'éclosion de l'imago.

Sialis

Sialis lutaria

C 23-35 mm. Corps noirâtre ; ailes brun sombre, semblables ; à nombreuses nervures ; au repos, elles sont pliées en forme de toit au-dessus de l'abdomen. Cet insecte appartient à un ordre à part (Mégaloptères), mais en raison de certaines ressemblances, on l'a placé ici parmi les Neuroptères proprement dits.
H Lacs, étangs. Avril-juin.
P Vole mal ; en général, posé sur la végétation riveraine. Ponte sur les végétaux émergés ; à l'éclosion, la larve tombe dans l'eau, nage et se tient ensuite dans la vase du fond. Durée du développement : 2 ans.

Fourmilion commun

Myrmeleon formicarius

C 45 mm. Corps mince, évoquant une libellule ; ailes toutes semblables, à nombreuses nervures très denses, les longitudinales fourchues. Au repos, ailes pliées au-dessus du corps ; courtes antennes en massue.
H Pinèdes en terrain sec, sablonneux. Mai-juillet.
P Le jour, l'imago se tient sur des végétaux ; il chasse des insectes. Ponte dans la terre ; le développement dure 2-3 ans. La larve, à l'abdomen très renflé, se tient au fond d'un entonnoir qu'elle a creusé dans le sable ; elle s'y fixe avec ses pattes ; elle capture et mange les insectes (surtout fourmis) qui tombent dans ce piège ; nymphose la 3e année dans un cocon et dans le sable ; l'imago éclôt en plein été.

Chrysope

Chrysoperla carnea

C 15-17 mm. Corps gracile, vert ; yeux vert doré ; ailes irisées à nervures vertes ; toutes semblables, elles peuvent battre de façon indépendante. Pendant l'hivernage, la couleur change et passe au brun roussâtre.
H Partout dans la végétation ; hiverne souvent dans les maisons. Toute l'année.
P L'imago vole maladroitement, en général au crépuscule. Régime : pollen et miellat des pucerons. La femelle pond les œufs à long pédoncule par groupes près de colonies de pucerons. Les larves (jusqu'à 10 mm) élancées, velues, mangent des pucerons, dont elles aspirent le contenu. Celles de maintes espèces se camouflent avec les restes des pucerons ou des débris d'écorce ; si elles perdent ce camouflage, elles sont écartées des pucerons par les fourmis qui surveillent ceux-ci. Nymphose dans un cocon sur la végétation ; 2 générations par an.

Tipule du chou

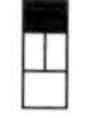

Tipula oleracea

C 15-25 mm. Aspect de très grand moustique. Ailes étroites ; corps gris-brun ; très longues pattes fragiles (se cassent si le contact est brusque).
H Prairies, champs, forêts humides. Avril-octobre.
P Surtout nocturne ; vol lourd ; ne mange rien (pièces buccales atrophiées) ; inoffensif (ne peut pas piquer l'homme). Ponte dans la terre. Les larves se nourrissent d'humus et de racines. 1-2 générations par an.

Moustique, cousin commun

Culex pipiens

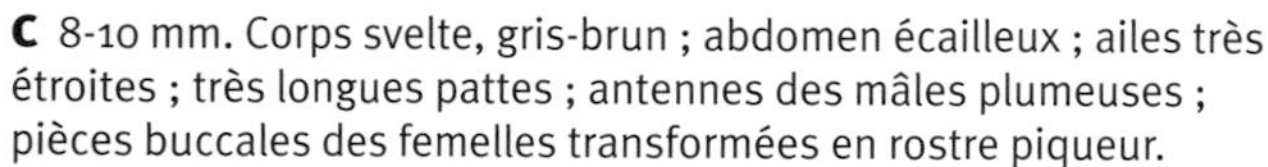

C 8-10 mm. Corps svelte, gris-brun ; abdomen écailleux ; ailes très étroites ; très longues pattes ; antennes des mâles plumeuses ; pièces buccales des femelles transformées en rostre piqueur.
H Partout. Mai-septembre.
P Les mâles sont inoffensifs et aspirent du nectar. Pour la formation des œufs, les femelles doivent absorber du sang ; elles piquent surtout au crépuscule, par temps couvert et atmosphère lourde ; elles repèrent leurs hôtes d'après l'odeur et la chaleur corporelle. Œufs pondus en amas flottant sur l'eau ; les larves (max. 10 mm) sont suspendues sous la surface de l'eau par un bref tube respiratoire situé au bout de l'abdomen ; en cas de danger, elles plongent en se tortillant ; régime : animalcules aquatiques.

Grand bombyle

Bombylius major

C 8-12 mm. Trapu, couvert d'une épaisse « fourrure » brune (ressemble à un bourdon) ; ailes gris-brun dans la moitié antérieure et incolores dans l'autre ; longue trompe.
H Lisière des forêts, bosquets. Avril-mai.
P Vole au soleil. Avec sa trompe, aspire du nectar en vol stationnaire bruyant, devant les fleurs. Œufs pondus en vol près des nids de guêpes solitaires et d'andrènes (abeilles), dont les larves se nourrissent. Avec ses soies et ses épines, la nymphe s'enterre près de la surface du sol.

Taon des bœufs

Tabanus bovinus

C 18-25 mm. L'un des plus gros diptères européens. Très grands yeux irisés ; thorax gris ; abdomen brun avec triangles plus clairs sur chaque segment ; ailes brunâtres, de couleur unie.
H Prairies pâturées proches de l'eau, alpages (jusqu'à 2 000 m). Mai-septembre.
P Les mâles aspirent des liquides végétaux (nectar) ; les femelles aspirent le sang des bestiaux, très rarement celui de l'homme ; ponte dans un sol marécageux ; les larves se nourrissent d'autres petits animaux.

Taon des pluies

Haematopota pluvialis

C 8-10 mm. Corps gris, sans soies ; gros yeux ; tête plus large que le thorax ; ailes tachetées de gris ; au repos, elles sont pliées en forme de toit au-dessus de l'abdomen.
H Prairies et forêts humides. Juin-septembre.
P Vole bien et vite ; s'approche en silence, pique et aspire le sang (seule la femelle pique, le mâle absorbe du nectar). Prédatrices, les larves se développent dans la terre humide.

Rhagio scolopaceus

Rhagio scolopaceus

C 13-18 mm. Mouche svelte ; thorax gris avec raies foncées ; abdomen brun clair tacheté de brun foncé au milieu ; ailes généralement brunâtres avec taches sombres ; grands yeux globuleux, souvent irisés de vert.
H Forêts de feuillus, jardins. Mai-août.
P Attitude typique quand elle est posée sur le tronc des arbres : tête un peu inclinée en bas, pattes écartées et thorax relevé. Prédatrice (larves, vers). Ponte dans le bois pourri, le fumier ou la terre.

Asilide

Machimus atricapillus

C 17 mm. Grande mouche velue. Tête noire ; grands yeux très écartés ; ailes foncées, pliées au-dessus du dos au repos.
H Lisière des forêts, clairières. Mai-septembre.
P À terre ou sur la végétation, épie ses proies (insectes volants) et fonce sur eux, les capture avec ses pattes. Peut percer les élytres des coléoptères avec ses puissantes mandibules. Sa salive contient des enzymes et un poison ; les proies sont prédigérées et aspirées. Larves dans le sol ; se nourrissent de débris végétaux.

Syrphe
Scaeva pyrastri

C 11-13 mm. Mouche robuste. Mâle : front très renflé ; abdomen noir, marqué de taches transversales blanches ; yeux velus.
H Prairies, champs. Mai-octobre.
P Souvent en vol sur place (300 battements d'ailes/seconde) ; change brusquement de direction. Aspire des liquides végétaux et pollinise de nombreuses fleurs. Ponte près des colonies de pucerons, que les larves jaune verdâtre, semblables à des sangsues, mangent surtout la nuit (elles contribuent donc à réduire leur nombre et sont très sensibles aux insecticides). Durée du développement : 8 jours.

Episyrphus balteatus
Episyrphus balteatus

C 10-11 mm. Syrphe caractérisée par ses antennes jaune roussâtre, son front velu et son abdomen annelé de noir et de jaune orangé (aspect de guêpe : mimétisme).
H Prairies, champs, surtout sur les ombellifères. Mars-octobre.
P Souvent en grand nombre. Les femelles hivernent et volent en hiver si l'air est doux. Les larves se nourrissent de pucerons et de larves de tenthrèdes (Hyménoptères).

Éristale
Eristalis tenax

C 10-12 mm. Aspect d'abeille. Antennes pendantes ; yeux foncés, contigus chez les mâles, séparés chez les femelles ; abdomen glabre, brun jaunâtre et noir ; ailes transparentes.
H Forêts, prairies, champs, villages. Juin-septembre.
P Presque toujours sur des fleurs d'ombellifères. Femelles près des lisiers, excréments humides, tas de fumier, où elles pondent. Dans les eaux putrides, les larves respirent grâce à un long tube abdominal (jusqu'à 40 mm) télescopique (d'où leur nom de vers à queue de rat) ; elles se nourrissent de vase et hivernent dans le sol.

Mouche domestique

Musca domestica

C 6-9 mm. Très connue. Grise avec marques foncées sur le thorax et l'abdomen brun jaunâtre ; corps et pattes velus ; grands yeux rougeâtres non contigus ; trompe lécheuse-suceuse.
H Partout, près de l'homme. Toute l'année. Cosmopolite.
P Absorbe les substances organiques humides de toutes sortes ; vecteur d'agents pathogènes, car elle peut passer d'excréments, cadavres ou déchets sur des aliments. Œufs pondus en amas de 100-150 sur des substances organiques en décomposition ou non. Les larves (asticots) se développent rapidement et se nymphosent (pupes) dans le substrat. Jusqu'à 5 générations par an.

Mouche grise de la viande

Sarcophaga carnaria

C 13-16 mm. Grosse mouche. Abdomen pointu, tacheté de noir et grisâtre ; raies foncées longitudinales sur le thorax ; yeux roussâtres ; pattes et corps velus ; trompe lécheuse-suceuse.
H Souvent près de l'homme. Toute l'année.
P Les 2 sexes se nourrissent sur les fleurs, les excréments. Pour pondre, les femelles cherchent de la viande ou des restes de nourriture et peuvent transmettre des agents pathogènes. Les larves femelles se développent en 1 semaine si la température est favorable ; les jeunes imagos sortent directement des pupes. Plusieurs générations annuelles possibles.

Mouche verte

Lucilia caesar

C 8-12 mm. Vert doré brillant ; grands yeux rouges, contigus en leur milieu ; pattes noires, velues comme le corps ; bord antérieur des ailes légèrement coloré.
H Sur les fleurs, les cadavres. Toute l'année.
P Les 2 sexes se nourrissent sur les fleurs, la femelle aussi sur les excréments et les cadavres. Peut transmettre des agents pathogènes comme d'autres mouches scatophages et nécrophages. Pond sur les cadavres d'animaux et même dans les blessures (par ex. chez le mouton). Développement larvaire rapide (plusieurs générations annuelles possibles).

Fourmi jaune

Lasius flavus

C 3-5 mm. Aspect typique de fourmi. Corps jaune à roussâtre ; antennes de 12 articles ; mandibules très larges.
H Fourmilières dans prairies, jardins, au bord des chemins. Avril-octobre.
P Élève des pucerons des racines, dont elle obtient le miellat, riche en sucres, correspondant à un excédent de nourriture rejeté.

Fourmi noire

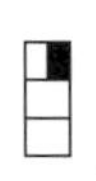

Lasius niger

C 2-5 mm. Sexués ailés mesurant 10-12 mm. Comme la précédente, mais corps brun à brun foncé ; antennes de 12 articles.
H Fourmilières au bord des chemins, des champs, dans les prairies. Avril-octobre.
P Associée au puceron *Aphis fabae*, qu'elle protège contre les coccinelles et d'autres prédateurs. Développement comme la fourmi rousse (ci-dessous).

Fourmi rousse P

Formica rufa

C 5-11 mm. Mâles noirs, ailés. Femelles brun-roux et brun-noir. Entre le thorax et l'abdomen, pétiole surmonté d'une écaille (typique des espèces du groupe des Formicinae).
H Surtout forêts de résineux. Absente en Corse. Avril-octobre.
P Édifie de grosses fourmilières en dôme, abritant jusqu'à 100000 individus. Une fois par an apparaissent des sexués (mâles et femelles ailés) qui se rejoignent pour un vol nuptial et l'accouplement ; les mâles meurent après ; les femelles fécondées (reines) fondent de nouvelles colonies et pondent. Les ouvrières n'ont pas d'ailes ; elles construisent et entretiennent le nid, cherchent les aliments et soignent œufs, larves et nymphes. Omnivore, tue de nombreux insectes, « nuisibles » ou non.

Ammophile des sables

Ammophila sabulosa

C 16-28 mm. Noire, base de l'abdomen rousse, extrémité brun foncé noir ; pétiole (2 premiers segments abdominaux) long, étroit.
H Terrains sablonneux. Avril-octobre.
P Creuse une petite galerie verticale dans le sol et y place une chenille qu'elle a paralysée, puis dépose un œuf dessus ; la larve qui en sort mange la chenille et en reçoit d'autres.

Frelon

Vespa crabro

C 19-35 mm. Grosse guêpe. Thorax brun-roux ; abdomen noir, jaune et roux ; ailes brunâtres dépassant un peu l'abdomen ; tête brun roussâtre.
H Surtout en forêt, mais s'installe aussi près de l'homme (jardins, bâtiments). Avril-octobre.
P Nid surtout dans un trou d'arbre, sous une poutre, un toit. Cellules construites avec des fibres de bois imbibées de salive et malaxées. Nid fondé au printemps par une reine et agrandi par les ouvrières. Une colonie compte environ 600 insectes ; seules les reines fécondées hivernent.

Guêpe germanique

Paravespula germanica

C 15-27 mm. Abdomen et thorax noir et jaune ; chez la reine et les ouvrières, 1 ou 3 points noirs sur la plaque frontale ; le bord inférieur des yeux touche presque les pièces buccales. Mâle : tache jaune sur le front.
H Campagne cultivée, forêts. Avril-octobre.
P Se nourrit de fruits et de nectar ; les larves reçoivent des insectes. Les reines hivernent et, au printemps, fondent de nouvelles colonies. Nid généralement sous terre dans les prairies ou les champs. En automne, ils abritent jusqu'à 7 000-10 000 insectes. Le genre *Paravespula* comprend aussi la guêpe saxonne *(P. saxonica)*, qui place son nid de couleur grise dans les greniers, les granges et d'autres sites abrités.

Poliste

Polistes gallicus

C 12-25 mm. Abdomen et thorax finement velus ; le premier progressivement rétréci près du thorax, barré de jaune et de noir ; longues pattes.
H Prairies, champs, jardins. Avril-octobre.
P Nid généralement placé dans une fente de mur, entre des pierres ou sous une branche. Il comprend seulement un rayon de cellules (pas d'enveloppe) et est fixé à son support par un bref pédoncule. Les larves s'y développent et s'y nymphosent. En automne apparaissent des sexués (mâles et femelles). Les femelles fécondées (reines) passent l'hiver et édifient de nouveaux nids au printemps ; tous les autres individus meurent.

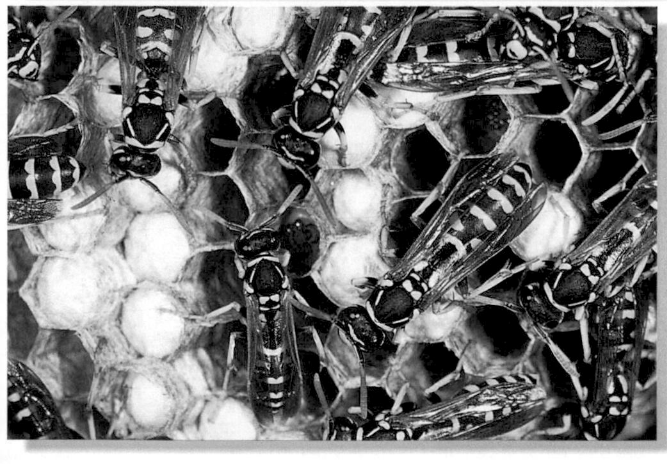

Bourdon terrestre

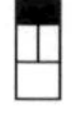

Bombus terrestris

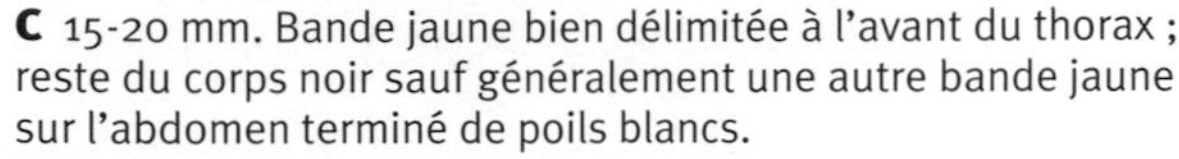

C 15-20 mm. Bande jaune bien délimitée à l'avant du thorax ; reste du corps noir sauf généralement une autre bande jaune sur l'abdomen terminé de poils blancs.
H Prairies, champs, forêts. Avril-octobre.
P Nid surtout dans un terrier (de rongeur, etc.).
Les larves se développent dans des alvéoles en cire.
La colonie compte 200-400 insectes ou plus. Les femelles fécondées hivernent, les autres meurent en automne.

Bombus pascuorum

Bombus pascuorum

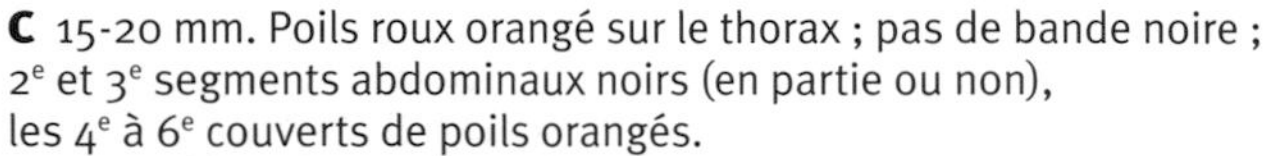

C 15-20 mm. Poils roux orangé sur le thorax ; pas de bande noire ; 2e et 3e segments abdominaux noirs (en partie ou non), les 4e à 6e couverts de poils orangés.
H Lieux dégagés, prairies, champs. Avril-octobre.
P Nid dans un terrier, souvent aussi dans un nid d'oiseau au-dessus du sol, sur un bâtiment. Au début de l'été de très petites ouvrières et d'autres plus grandes ensuite ; en juillet apparaissent des mâles et des femelles fécondes. Régime des larves et des adultes : pollen et miel.

Bourdon des pierres

Bombus lapidarius

C 15-20 mm. Thorax tout noir ; abdomen noir sauf les 4e à 6e segments roux ; espace presque nu au bout arrondi ; ailes légèrement brunâtres.
H Partout où il y a des fleurs. Avril-octobre.
P Nid dans les tas de pierres, les fentes de rocher, etc.
Comme les autres bourdons sociables, construction du nid et élevage des larves assurés par des femelles stériles (ouvrières).

Abeille domestique (= mellifère)

Apis mellifera

C 11-21 mm. Corps brun, presque entièrement velu ; courtes antennes ; ailes un peu brunâtres ; sur les pattes postérieures des ouvrières, une « corbeille » pour transporter le pollen.
H Partout où il y a des fleurs à proximité de la ruche (quelques kilomètres). Avril-octobre.
P Colonies très évoluées et organisées, comptant jusqu'à 80 000 ouvrières. La reine pond pendant plusieurs années. Une fois par an apparaissent des faux-bourdons (mâles). Communications assurées par des danses, des odeurs (phéromones) et des signaux acoustiques.

Apollon P

Parnassius apollo

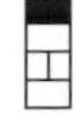

C Envergure : 40-70 mm. Ailes gris blanchâtre tachetées de noir ; sur les postérieures, taches rouges à centre blanc et cercle noir externe (ocelles). Chenille noir velouté avec petites verrues bleu acier et taches orange sur les flancs. 1 génération, qui vole de fin juin à août.
H En montagne, alpages, pentes ensoleillées. Souvent sur chardons. Absent : Vosges.
P La chenille vit surtout sur *Sedum album* et ne se nourrit qu'au soleil. Nymphose à terre dans un cocon lâche. Les œufs hivernent. Le papillon vole lentement et n'est pas craintif. Devenu très rare.

Machaon P

Papilio machaon

C Envergure : 60-80 mm. Jaune ; 2 bandes noires parallèles au bord des ailes antérieures et taches jaunes entre elles ; nervures noires ; queue aux ailes postérieures ; une bande bleu-noir le long du bord et, à l'extrémité, un ocelle roux cerclé de bleu et de noir. Chenille verte avec bandes transversales noires et rousses.
H Milieux ouverts, plaines et collines ; 2 générations annuelles : avril-mai et juillet-août.
P Vol rapide ; souvent en groupe. Œufs pondus isolément sur des ombellifères (sur les carottes dans les jardins). Les chrysalides d'automne hivernent.

Flambé P

Iphiclides podalirius

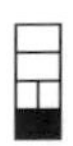

C Envergure : 50-80 mm. Ailes antérieures jaunes avec 6-7 bandes noires issues du bord ; pas d'ocelles ; longue queue sur les postérieures et tache orange et bleu ainsi que demi-lunes bleues. Chenille verte, lignes longitudinales jaunâtres et une dorsale.
H Milieux ouverts, pentes ensoleillées. 1 génération annuelle (mai-juin) mais 2 au sud des Alpes.
P Vole très bien. A besoin de chaleur (plus fréquent dans le Midi méditerranéen). La destruction des milieux favorables l'a raréfié. Œufs pondus isolément sur prunelliers, pêchers, aubépines et amandier (Midi). La chrysalide hiverne.

Piéride du chou

Pieris brassicae

C Envergure 60-70 mm. Ailes blanches sauf pointe et bord antérieur noirs ; la femelle a, en plus, 2 taches noires ; dessous de postérieures jaunâtre. Chenille glauque avec bandes jaunes et points noirs. Chrysalide jaune-vert ponctuée de noir.

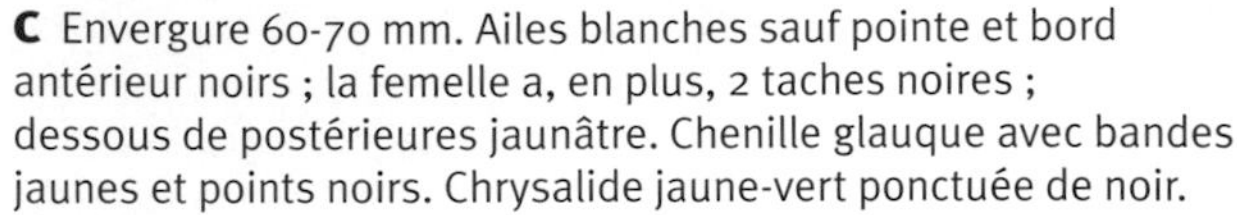

H Très fréquente ; jardins, prairies, bois. Avril-octobre. 2-3 générations.
P Œufs pondus en amas de 200-300 sous les feuilles des choux ; les chenilles éclosent 4-10 jours après et se nymphosent 3-4 semaines plus tard. Les chrysalides des 2e et 3e générations hivernent, fixées sur des murs ou des végétaux.

Piéride du navet

Pieris napi

C Envergure 40-50 mm. Ailes blanc jaunâtre, noircies à l'extrémité des antérieures. Mâle : tache noire sur les antérieures (2 chez la femelle) ; dessous des postérieures : mâle, 1 tache noire (2 chez la femelle) ; chez les 2 sexes, nervures soulignées de gris-vert. Chenille verte, orifices respiratoires cerclés de jaune. Chrysalide verte ou grise.
H Champs, jardins, prairies, coupes ; vallées en montagne. 2 générations d'avril à octobre.
P Coloration très variable. Œufs pondus isolément sur des crucifères. Les chenilles éclosent au bout de 4-6 jours et se nymphosent 2-3 semaines après. Les chrysalides de la dernière génération hivernent.

Gazé

Aporia crataegi

C Envergure 60-70 mm. Ailes d'aspect parcheminé, blanches avec nervures noires ; écailles clairsemées. Chenille velue, grise avec bandes longitudinales roussâtres.
H Milieux ouverts. Vole de mai à juillet (1 génération).
P Œufs pondus sous les feuilles des arbres fruitiers et de l'aubépine ; les chenilles hivernent dans un nid formé de feuilles réunies par de la soie ; elles deviennent actives en avril et se nymphosent en mai. Espèce jadis considérée comme nuisible dans les vergers, devenue rare aujourd'hui.

Aurore

Anthocharis cardamines

C Envergure 40-50 mm. Ailes blanches sauf pointe foncée (chez le mâle, grand espace orange jusqu'à la moitié) ; dessous des postérieures jaune et vert (marbrures). Chenille bleuâtre à gris-vert, raies blanches latérales. Chrysalide verte, puis brune.
H Prairies, champs, chemins forestiers. 1 génération (avril-juin).
P En général, se nourrit longuement sur les fleurs (nectar). Ponte sous les feuilles de *Cardamine pratensis* (p. 156) et d'autres crucifères. Éclosion des chenilles environ 2 semaines plus tard et nymphose 5 semaines après. La chrysalide hiverne.

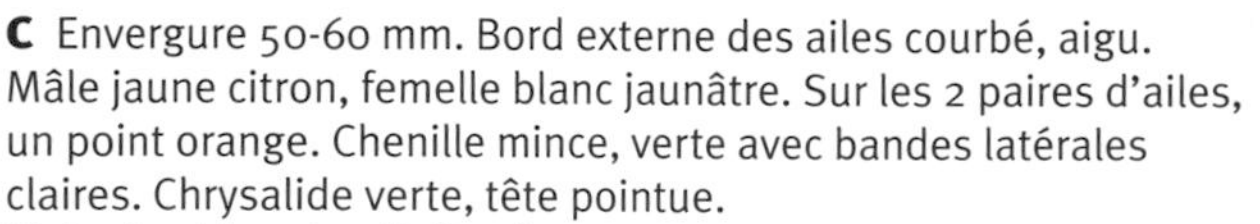

Citron

Gonepteryx rhamni

C Envergure 50-60 mm. Bord externe des ailes courbé, aigu. Mâle jaune citron, femelle blanc jaunâtre. Sur les 2 paires d'ailes, un point orange. Chenille mince, verte avec bandes latérales claires. Chrysalide verte, tête pointue.
H Forêts (chemins, lisières).
P En général 1 génération, mais papillons visibles au cours de 3 périodes de l'année : ils éclosent en juillet, entrent en diapause (période de repos) au bout de quelques semaines et reparaissent en automne ; ils passent l'hiver généralement accrochés à une tige ou parmi les feuilles mortes et volent à nouveau au début du printemps (3e période de vol au cours de laquelle a lieu l'accouplement). Stade larvaire : 3-7 semaines. Les chenilles percent d'abord des trous dans les feuilles et ensuite elles les rongent par le bord.

Soufré

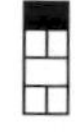

Colias hyale

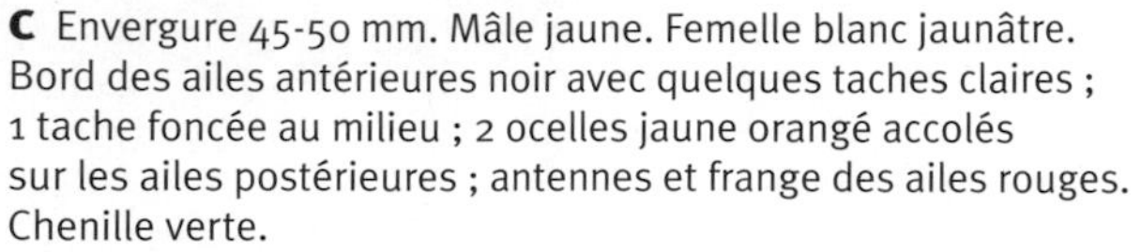

C Envergure 45-50 mm. Mâle jaune. Femelle blanc jaunâtre. Bord des ailes antérieures noir avec quelques taches claires ; 1 tache foncée au milieu ; 2 ocelles jaune orangé accolés sur les ailes postérieures ; antennes et frange des ailes rouges. Chenille verte.
H Champs de trèfle, prairies, « pelouses ». 2 ou 3 générations d'avril à octobre.
P Vole beaucoup et se nourrit longuement sur les fleurs. Œufs pondus sur les trèfles ou d'autres papilionacées où vivent les chenilles de mai à septembre ; celles de la dernière génération hivernent.

Thécla du bouleau

Thecla betulae

C Envergure 38-42 mm. Ailes brunes. Femelle : tache orange réniforme sur les antérieures (mâle : seulement une tache sombre), zone claire contiguë. Dessous jaune orangé avec 2 lignes blanches transversales. Petite queue sur les postérieures. Chenille verte, tête brune et double ligne dorsale jaune.
H Vergers, forêts mixtes, parcs, cimetières, jardins. 1 génération (juillet-octobre).
P Généralement solitaire. Ponte sur les pruniers et prunelliers. Chrysalide brune ; le papillon en sort au bout de 10-22 jours.

Cuivré alpin P

Heodes virgaureae

C Envergure 35-40 mm. Mâle : dessus des ailes rouge cuivré vif, bord noir velouté. Femelle orangé tacheté de noir. Chez les 2 sexes, dessous des ailes brun jaunâtre tacheté de noir et de blanc (taches blanches sur les postérieures). Chenille trapue (aspect de cloporte), vert foncé, tête noire, lignes longitudinales jaunes.
H Forêts claires, prairies, lisières. 1 génération (juin-août).
P Butine souvent les fleurs des chardons, séneçons et eupatoires. Ponte sur les rumex. Les chenilles éclosent en avril et se nymphosent en juin (chrysalides brunes).

Azuré commun

Polyommatus icarus

C Envergure 25-35 mm. Mâle : dessus bleu-violet, bord des ailes foncé à frange claire ; les dessins du dessous transparaissent un peu. Femelle : brun foncé souvent poudré de bleu, taches roussâtres au bord et franges grises ; les 2 sexes ont le dessous des ailes bleu à gris-brun, avec marque blanche en avant des taches orange. Femelle : dessous plus brunâtre, taches marginales fortes. Chenille (aspect de cloporte) verte, ligne dorsale verte, lignes latérales blanchâtres.
H Répandu dans tous les types de prairies. 2-3 générations de mai à septembre.
P Souvent sur les fleurs qu'il butine activement. Lieux humides, chemins. Ponte sur des papilionacées où se développent les chenilles ; celles de la 1re génération hivernent.

Grand mars changeant P

Apatura iris

C Envergure 70-80 mm. Ailes brun foncé, avec, chez le mâle, des irisations bleues selon l'incidence de la lumière. Les antérieures tachetées de blanc ; les postérieures avec une bande blanche et un ocelle cerclé de roux. Chenilles d'abord brunâtres, puis vertes avec bandes jaunâtres et cornes bleues sur la tête.
H Forêts humides, forêts riveraines, bord des eaux. 1 génération (juin-août).
P Souvent sur la terre humide dans les chemins et sur le crottin de cheval où il se nourrit longuement et se laisse approcher. Ponte sur les feuilles de saules ou de peupliers. Les chenilles hivernent. Le petit mars changeant (*A. ilia*) lui ressemble, mais est plus thermophile. Présent là où il y a des trembles (*Populus tremula*) (p. 44), sur lesquels vivent ses chenilles.

Petit sylvain P

Limenitis camilla (= Ladoga c.)

C Envergure 50-60 mm. Dessus des ailes noir avec bande blanche nervée de noir ; dessous des ailes tacheté de bleu-vert, roussâtre et blanc. Chenille verte avec double ligne de pointes roussâtres, tête rouge.
H Forêts humides de feuillus. 1 génération (juin-août).
P Généralement solitaire. Rarement visible sur les fleurs, plutôt aux endroits humides et sur excréments, blessures des arbres. Ponte sur chèvrefeuille. Les chenilles hivernent (on les voit de juin à mai).

Morio P

Nymphalis antiopa

C Envergure 70-80 mm. Ailes brun-noir velouté, au bord dentelé, jaune (rangée de taches bleues en arrière) ; dessous des ailes noir à gris foncé ou brun, sauf bord jaunâtre. Chenille noire avec taches dorsales rousses.
H Forêts, surtout au voisinage de l'eau. Vole de mars-avril à septembre (1 génération).
P Aspire souvent la sève qui s'écoule de la blessure des arbres et le jus des fruits trop mûrs (rare sur les fleurs). Le papillon hiverne dans une cavité, un trou de branche et reparaît au printemps. Ponte sur bouleaux, saules, peupliers, ormes, où vivent les chenilles, sociables, en mai-juin.

Paon du (ou de) jour

Inachis io

C Envergure 45-65 mm. Les 2 paires d'ailes brun-roux avec grand ocelle noir et bleu ; dessous brun-noir avec espaces plus clairs. Chenille épineuse, noire pointillée de blanc. Chrysalide gris-vert tachetée de jaune vif.
H Encore assez fréquent à la lisière des bois, dans les parcs, jardins. Vole en 2 générations presque toute l'année.
P Après avoir hiverné dans un grenier ou un autre abri (cave) près des maisons, les papillons apparaissent au début du printemps. On les voit souvent sur les fleurs. Ponte sur les orties, dont se nourrissent les chenilles ; elles vivent d'abord en groupe dans une toile commune au bout des feuilles et ensuite isolément.

Vulcain

Vanessa atalanta

C Envergure 50-60 mm. Ailes brun-noir avec, sur les antérieures, une bande transversale rousse (elle est au bord, sur les postérieures) ; extrémité des antérieures tachetée de blanc ; dessous des postérieures chiné de brun clair et foncé ; dessous des antérieures presque comme le dessus. Chenille de couleur variable, mais foncée.
H Jardins, parcs, vergers, lisière des forêts, milieux ouverts. 2 générations de mai à octobre.
P Visible surtout sur les arbres en fleur et les fruits très mûrs. Migrateur (en France il y a aussi des populations sédentaires) : après avoir franchi les Alpes, la 1re génération apparaît en mai en Europe centrale. Ponte sur les orties. La nouvelle génération part vers le sud de l'Europe, mais la majeure partie meurt au cours du voyage.

Belle-dame

Vanessa (= Cynthia) cardui

C Envergure 50-60 mm. Ailes roussâtre pâle tachetées de noir ; extrémité des antérieures noire tachetée de blanc ; dessous des antérieures bigarré de rose, orangé, noir et blanc ; dessous des postérieures beige, jaunâtre et gris avec 5 ocelles avant le bord. Chenille de couleur très variable, mais ayant de nombreuses épines fourchues disposées sur des bandes longitudinales claires. Chrysalide gris-brun tachetée de jaune d'or.
H Champs, prairies et autres milieux ouverts (pas en forêt). 2 générations de mai à octobre.
P Papillon migrateur, présent toute l'année sur le littoral de la Méditerranée ; ailleurs, vient de l'Afrique du Nord (arrive en mai). Après la reproduction, la nouvelle génération se montre au plus tard en septembre et va vers le sud (les sujets d'Europe centrale franchissent les Alpes, mais beaucoup périssent de froid en passant). Butine les fleurs et aussi les fruits tombés. Ponte et développement des chenilles sur les chardons.

Petite tortue

Aglais urticae

C Envergure 45-55 mm. Ailes roux orangé avec taches noires et jaunes, base brun foncé ; série de taches bleues sur les bords anguleux. Chenille épineuse, noire, bandes longitudinales jaunes. Chrysalide tachetée.
H Milieux ouverts, jardins ; encore assez fréquente. 2-3 générations entre mai et octobre.
P Le papillon hiverne dans une cavité (grenier, cave) et vole dès mars si le temps est favorable. Butine fleurs et fruits tombés. Ponte sur les orties, où les chenilles se développent généralement en groupes.

Robert-le-diable

Polygonia c-album

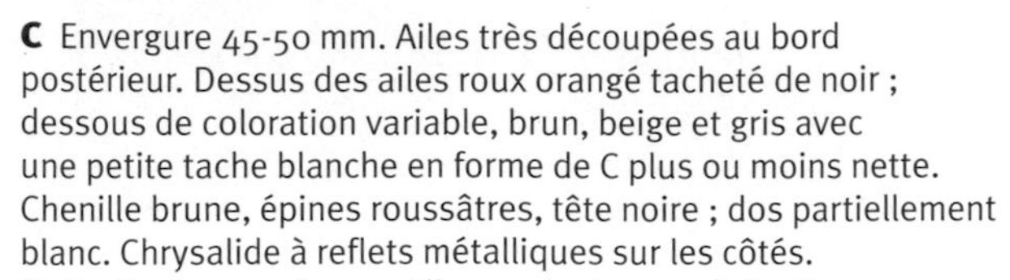

C Envergure 45-50 mm. Ailes très découpées au bord postérieur. Dessus des ailes roux orangé tacheté de noir ; dessous de coloration variable, brun, beige et gris avec une petite tache blanche en forme de C plus ou moins nette. Chenille brune, épines roussâtres, tête noire ; dos partiellement blanc. Chrysalide à reflets métalliques sur les côtés.
H Forêts, jardins. Les papillons volent en 2 générations (mai-octobre).
P Butine surtout les fleurs. Bien camouflé au repos (ailes repliées l'une contre l'autre). Au printemps, les femelles pondent les œufs isolément sur les orties, ormes, noisetiers, etc. Les papillons de la 1re génération paraissent en juin-juillet, ceux de la 2e génération à partir d'août et ils passent l'hiver.

Carte géographique

Araschnia levana

C Envergure 30-40 mm. Les 2 générations annuelles sont différemment colorées (dimorphisme saisonnier). La forme printanière (avril-juin) a le dessus des ailes roussâtre tacheté de noir et de jaune ; celle d'été (juillet-août) a des ailes noires avec des rangées de taches blanches et roussâtres. Le dessous des ailes diffère également selon les générations (photos). Chenille brunâtre, épineuse ; tête noire avec 2 grandes épines.
H 2 générations entre avril et août. Surtout forêts humides, parcs, prairies ombragées.
P Butine les fleurs. La femelle pond des amas d'œufs allongés sur la face inférieure des feuilles d'orties. Chenilles d'abord en groupes, puis solitaires. Les chrysalides de la génération printanière hivernent. La variabilité saisonnière dépend de la température et de la longueur des jours (lumière).

Tabac d'Espagne

Argynnis paphia

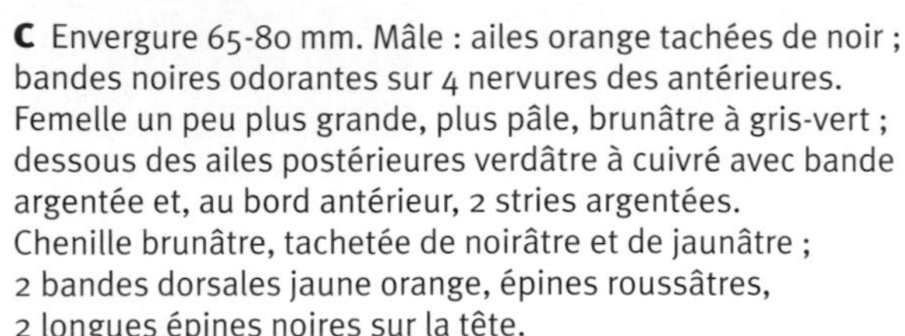

C Envergure 65-80 mm. Mâle : ailes orange tachées de noir ; bandes noires odorantes sur 4 nervures des antérieures. Femelle un peu plus grande, plus pâle, brunâtre à gris-vert ; dessous des ailes postérieures verdâtre à cuivré avec bande argentée et, au bord antérieur, 2 stries argentées.
Chenille brunâtre, tachetée de noirâtre et de jaunâtre ; 2 bandes dorsales jaune orange, épines roussâtres, 2 longues épines noires sur la tête.
H Chemins forestiers, clairières, lisières. 1 génération (juin-août).
P Butine les fleurs des chardons et d'autres composées.
Les écailles odorantes du mâle (androconies) servent au cours du vol nuptial (elles rendent la femelle réceptive).
Œufs pondus sur l'écorce des pins et épicéas, où ils hivernent. Les chenilles éclosent en automne, hivernent encore petites et, au printemps, gagnent les végétaux nourriciers (violettes). Nymphose en mai.

Grand nacré

Argynnis aglaja (= Mesoacidelia a.)

C Envergure 50-65 mm. Ailes roux orangé tachetées de noir ; dessous des ailes postérieures verdâtre près du corps, avec taches argentées diffuses (pas d'ocelles au bord externe).
Chenille noire, double ligne dorsale claire, taches rouges latérales.
H Lisière des forêts, clairières, coupes. 1 génération (juin-août).
P Butine les fleurs des chardons ; souvent en grand nombre.
La femelle pond des œufs roussâtres sur divers végétaux, surtout des violettes ; les chenilles éclosent en août, grandissent jusqu'à la fin de l'automne et hivernent ; elles achèvent leur croissance et se nymphosent au printemps.

Petit collier argenté

Clossiana selene

C Envergure 40-45 mm. Ailes roux orangé tacheté de noir ; dessous des postérieures : bande rousse près du corps avec une tache noire, taches claires et foncées au centre et au bord (couleur de fond : beige jaunâtre). Chenille brun-noir avec points pâles et taches roussâtres.
H Bois clairs, notamment coupes et chemins. Lieux humides. 2 générations (mai-juin et juillet-septembre).
P Butine les fleurs. Œufs vert clair striés en long, pondus surtout sur violettes. Une partie des chenilles de la 1re génération produit la 2e génération ; les autres passent l'hiver ; celles de la 2e génération hivernent toutes, si bien que l'année suivante 2 générations différentes apparaissent.

Mélitée du mélampyre

Mellicta athalia (= Melitaea a.)

C Envergure 35-45 mm. Dessus des ailes roussâtre quadrillé de noir ; dessous des postérieures jaunâtre avec bandes incurvées, jaunes à roussâtres bordées de noir. Chenille noire tachetée de blanc, épines jaunes, verrues latérales jaune-vert.
H Chemins forestiers, coupes, lisières. 2 générations (mai à septembre).
P La femelle pond surtout sur les mélampyres, plantains et digitales, où les chenilles grandissent et se nymphosent.

Demi-deuil

Melanargia galathea

C Envergure 45-55 mm. Ailes quadrillées de noir et de blanc, ocelles dessous ; pattes antérieures très courtes. Chenille verte ou jaunâtre, finement velue, pointes anales rouges et, souvent, ligne dorsale foncée.
H Chemins forestiers, friches boisées, « pelouses ». Fréquent localement. 1 génération (juin-août).
P Butine diverses fleurs, surtout chardons et scabieuses. Œufs pondus sur végétaux variés ; la femelle les laisse parfois tomber en volant. Les chenilles rongent des graminées la nuit ; elles hivernent et se nymphosent à la mi-juin de l'année suivante.

Moiré blanc fascié

Erebia ligea

C Envergure 45-55 mm. Dessus des ailes antérieures brun foncé avec bande rousse incluant des ocelles blancs et noirs, frange noir et blanc ; dessous des postérieures avec une bande sombre et une marque blanche au bord antérieur.
H Forêts, clairières, prés, bois. 1 génération (juin-août).
P Vole assez lentement en milieu semi-ombragé ; butine des fleurs. La femelle pond des œufs jaunâtres ; les chenilles éclosent la même année, mais souvent les œufs hivernent et elles sortent au printemps suivant. Elles peuvent hiverner 2 fois et alors la nymphose a lieu la 2e année. Chrysalides à terre.

Myrtil

Maniola jurtina

C Envergure 45-60 mm. Mâle : dessus des ailes brun foncé ; chez la femelle, grand espace roussâtre orangé sur les antérieures ; tous deux ont un ocelle aux antérieures ; il est noir et blanc (femelle) ou noir (mâle) ; dessous des ailes avec un ocelle plus visible. Il y a plusieurs sous-espèces de coloration variable. Chenille verte, striée, ocelles sur la tête.
H Prairies, forêts claires, lisières, parcs. 1 génération (juin-août).
P Butine des fleurs variées. Chenille : éclôt environ 3 semaines après la ponte ; cachée dans la journée ; la nuit, ronge des graminées ; elle hiverne et se nymphose en mai de l'année suivante.

Tircis

Pararge aegeria

C Envergure 45-50 mm. Ailes brun foncé avec taches blanc crème sur la partie externe ; 1 ocelle à centre blanc sur les antérieures et 3-4 sur les postérieures qui ont le bord ondulé ; dessous des postérieures marbré ; un ocelle sur celui des antérieures. Chenille vert clair, ligne dorsale foncée liserée de blanc, 2 traits blancs sur les côtés.
H Forêts (clairières, chemins). Avril-septembre (en général, 2-3 générations).
P Vole lentement de fleur en fleur. Se chauffe souvent au soleil sur les chemins et les feuilles. Chenilles sur diverses graminées ; leur dernière génération hiverne.

Sylvaine

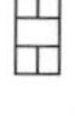

Ochlodes venatus

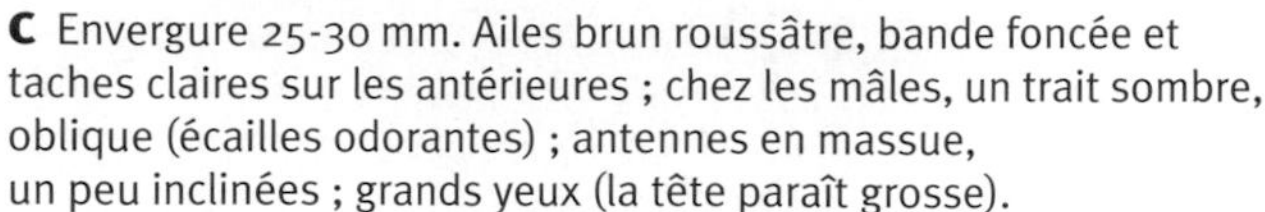

C Envergure 25-30 mm. Ailes brun roussâtre, bande foncée et taches claires sur les antérieures ; chez les mâles, un trait sombre, oblique (écailles odorantes) ; antennes en massue, un peu inclinées ; grands yeux (la tête paraît grosse).
H Prairies, champs, clairières des forêts. 1-2 générations (avril-mai et juillet-août).
P Vol rapide, généralement à faible hauteur. Butine surtout des fleurs, mais vient aussi sur le sol humide. Ponte sur lotiers (p. 114) et coronilles. Les chenilles hivernent.

Hespérie du brome

Carterocephalus palaemon

C Envergure 25-30 mm. Ailes brun foncé avec taches jaunes. Chenille vert pâle à rayures claires et foncées.
H Clairières, lisières, plantations forestières. 1 génération (mai-juin).
P Vole rapidement, butine les fleurs. Ponte sur des graminées (bromes et bachypodes). Les chenilles hivernent.

Hespérie de la mauve

Pyrgus malvae

C Envergure 20-22 mm. Ailes gris-brun foncé à nombreuses taches blanches anguleuses (sur les antérieures, elles ont parfois tendance à fusionner).
H Surtout prairies. 1 génération en avril-juin.
P Vol rapide comme chez les autres hespéries. Œufs et chenilles sur potentilles et fraisiers.

Zygène de la filipendule

Zygaena filipendulae

C Envergure 30-35 mm. Ailes antérieures vert-noir à reflets et 6 taches rouges arrondies (écailles denses) ; les postérieures rouges bordées de noir. Antennes en massue. Chenille jaune-vert, verrues noires finement velues. Chrysalide dans un cocon parcheminé, allongé (photo).
H Pentes ensoleillées, « pelouses », friches boisées.
P Butine les fleurs (surtout chardons). 1-2 générations (juin-août). Œufs pondus sur des papilionacées où vivent les chenilles. Nymphose sur des chaumes de graminées.

Sphinx du liseron

Herse convolvuli (= Agrius c.)

C Envergure 90-110 mm. Ailes antérieures gris-brun à gris bleuâtre, marques indistinctes ; bandes gris-noir sur les postérieures ; dessus de l'abdomen barré de rose et de noir. Chenille : coloration et dessins variables : verdâtre ou brunâtre avec raies diagonales de diverses couleurs ; corne noire, oblique, au bout de l'abdomen.
H Milieux ouverts. Migrateur dans le Nord (vient du sud de l'Europe), arrive en mai-juillet. Plus fréquent dans le Midi. 2e génération d'août à octobre.
P Vole très vite et butine les fleurs (surtout pétunias, phlox et tabacs). Ponte sur liserons des champs *(Convolvulus arvensis)* (p. 162), où vivent les chenilles. 2e génération stérile en Europe centrale.

Sphinx tête de mort

Acherontia atropos

C Envergure 90-120 mm. Doit son nom au dessin jaunâtre du thorax évoquant un crâne. Ailes antérieures brun-noir avec marbrures plus claires ; les postérieures et l'abdomen jaunes avec bandes noires et bleues. Chenille verte (plus rarement gris-brun), jaune aux 2 extrémités ; rayures bleues et jaunes sur les flancs avec points noirs ; corne jaune.
H Milieux ouverts. Migrateur (vient d'Afrique du Nord) ; arrive en mai-juin. 2e génération en septembre-octobre.
P Pénètre dans les ruches pour manger du miel, aspire aussi la sève des arbres. Dérangé, émet un grésillement.
La chenille se développe sur les pommes de terre ou autres solanacées, mais aussi sur des espèces d'autres familles comme la symphorine (*Symphoricarpos*) et le troène.

Sphinx du troène

Sphinx ligustri

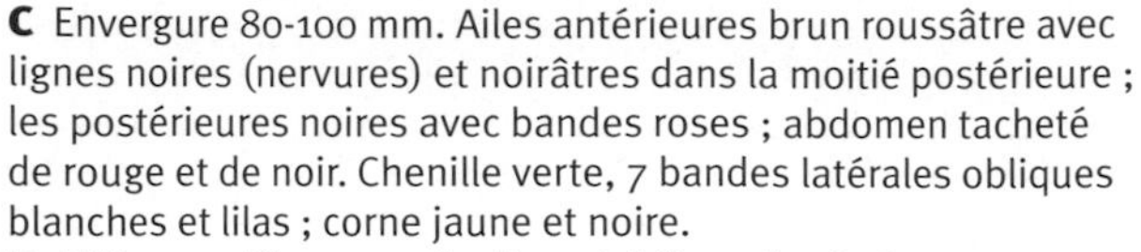

C Envergure 80-100 mm. Ailes antérieures brun roussâtre avec lignes noires (nervures) et noirâtres dans la moitié postérieure ; les postérieures noires avec bandes roses ; abdomen tacheté de rouge et de noir. Chenille verte, 7 bandes latérales obliques blanches et lilas ; corne jaune et noire.
H Milieux variés, parcs, jardins, clairières des forêts. Mai-juillet (1 génération).
P Vole rapidement ; avec sa très longue trompe (presque égale au corps), butine des fleurs. Œufs pondus surtout sur troènes, lilas et frênes, où se développent les chenilles. La chrysalide hiverne dans le sol. Les chenilles de cette espèce et d'autres sphinx prennent une attitude typique au repos et si elles sont menacées (photo).

Sphinx demi-paon

Smerinthus ocellatus (= S. ocellata)

C Envergure 65-90 mm. Corps et ailes antérieures gris rosé avec grandes marques brunes, extrémité découpée ; les postérieures rose et jaune avec ocelle bleu et noir ; bande brun foncé sur le dessus du thorax. Chenille généralement vert bleuâtre ; bandes obliques blanchâtres ; corne bleue.
H Milieux ouverts, surtout près de l'eau. 1 génération (juin-août).
P Attiré par les lumières, pénètre souvent dans les lieux éclairés. Ne mange rien. Les ocelles des ailes postérieures sont considérés comme des marques d'avertissement, qui seraient destinées à effrayer un prédateur éventuel, car ils sont brusquement exposés. Œufs pondus sur saules, peupliers et pommiers ; les chenilles se nymphosent en automne et les chrysalides hivernent dans la terre.

Sphinx du peuplier

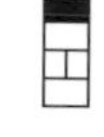

Laothoe populi

C Envergure 60-90 mm. Gris ; ailes brunes avec lignes ondulées brunâtres ; une petite marque claire sur les antérieures et une tache brune à l'angle interne des postérieures ; ailes dentelées. Chenille bleu-vert ou jaune-vert avec 7 bandes latérales obliques jaunes et une corne verte ; elle se tient souvent courbée.
H Milieux ouverts avec plantations de peupliers.
1 génération (mai-août), rarement une seconde dans l'année.
P Vol rapide. Le jour, posé sur l'écorce des arbres, tient les ailes postérieures à angle droit, les antérieures en oblique vers l'arrière. Œufs et chenilles sur les peupliers ou les saules ; nymphose dans la terre.

Sphinx du tilleul

Mimas tiliae

C Envergure 60-80 mm. Ailes antérieures étroites, découpées au bord postérieur ; elles sont verdâtres, rarement brunâtres avec une bande centrale variable, souvent réduite à plusieurs taches ; postérieures non tachetées ; trompe très peu développée. Chenille vert et jaune avec 7 traits jaunes latéraux ; corne bleue dessus.
H Parcs, forêts de feuillus, jardins. 1 génération (mai-juillet).
P Vole très vite. Vole sur place devant les fleurs pour aspirer le nectar. Œufs pondus sur les tilleuls et autres feuillus. Nymphose dans la terre ; la chrysalide hiverne.

Sphinx de l'euphorbe P

Hyles euphorbiae

C Envergure 60-70 mm. Ailes antérieures gris ou rosé à jaunâtre avec taches et bandes vert olive ; les postérieures et le dessous du corps rose-rouge. Base des ailes noire, une tache blanche au coin interne. Chenille jaune tachetée de noir et de blanc ; tête, pattes et ligne dorsale rousses ; corne roux et noir.
H Pentes ensoleillées, sèches, bords des chemins, « pelouses ».
1re génération en juin-juillet, 2e en septembre si l'année est chaude.
P Butine les fleurs. En partie migrateur, vient de la région méditerranéenne. Ponte sur des euphorbes où vivent les chenilles. Les chrysalides vivent dans la terre et hivernent.

Grand sphinx de la vigne

Deilephila elpenor

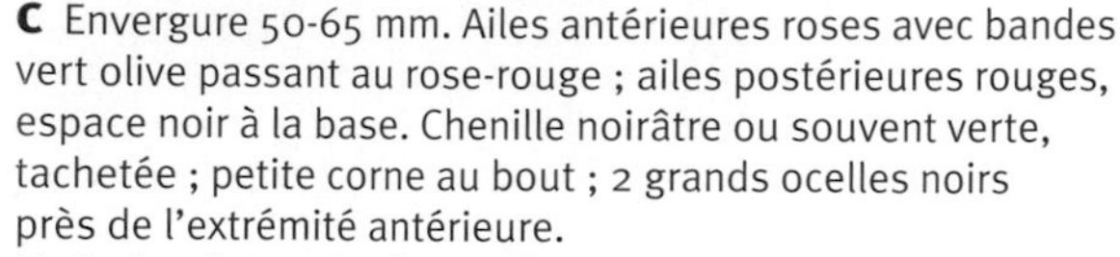

C Envergure 50-65 mm. Ailes antérieures roses avec bandes vert olive passant au rose-rouge ; ailes postérieures rouges, espace noir à la base. Chenille noirâtre ou souvent verte, tachetée ; petite corne au bout ; 2 grands ocelles noirs près de l'extrémité antérieure.
H Forêts claires, jardins, milieux ouverts. 1 génération (mai-juin), plus rarement en août-septembre.
P Vole vite et butine surtout au crépuscule. Œufs pondus sur épilobes, gaillets, vigne, fuchsias, etc. La chenille atteint 80 mm ; dérangée, elle prend une posture menaçante (photo), relève l'avant du corps, baisse la tête, mettant en évidence les ocelles noirs (cette attitude écarterait les prédateurs). Chrysalide brune, lisse, dans un cocon lâche parmi les feuilles mortes sur le sol ou juste au-dessus ; elle hiverne.

Moro-sphinx

Macroglossum stellatarum

C Envergure 40-50 mm. Corps et ailes antérieures gris avec bandes transversales brunes ; ailes postérieures jaunâtres, noircies près du bord ; grosse touffe de poils à l'extrémité du corps. Chenille verte ou roussâtre avec lignes claires longitudinales ; corne anale bleue à pointe brune.
H Lisière des forêts, clairières, jardins. 2 ou 3 générations de mai à novembre.
P Dans la journée vole rapidement d'une fleur à l'autre ; vole sur place comme un colibri (aspire le nectar) ; longue trompe. En partie migrateur (Europe centrale), vient du sud du continent. Œufs pondus sur les gaillets où vivent les chenilles.

Petit paon de nuit

Eudia pavonia

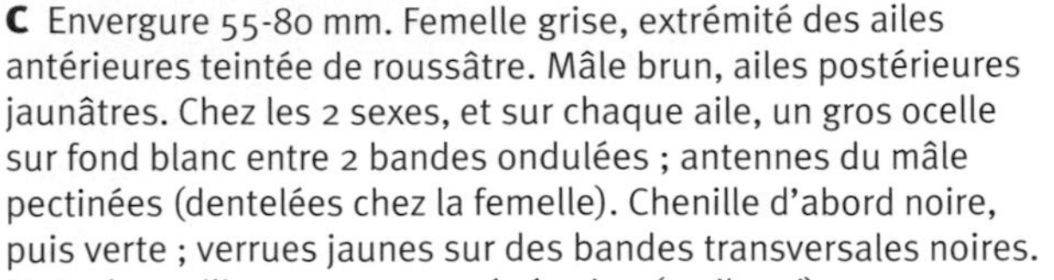

C Envergure 55-80 mm. Femelle grise, extrémité des ailes antérieures teintée de roussâtre. Mâle brun, ailes postérieures jaunâtres. Chez les 2 sexes, et sur chaque aile, un gros ocelle sur fond blanc entre 2 bandes ondulées ; antennes du mâle pectinées (dentelées chez la femelle). Chenille d'abord noire, puis verte ; verrues jaunes sur des bandes transversales noires.
H Forêts, milieux ouverts. 1 génération (avril-mai).
P Vole dans la journée ; ne se nourrit pas en raison de la réduction de sa trompe. Œufs et chenilles sur des sous-arbrisseaux comme la callune, la ronce, de petits saules et autres végétaux. Chrysalide incluse dans un cocon en forme de bouteille qui ne peut s'ouvrir que vers l'extérieur, ce qui rend impossible l'entrée d'un intrus.

Hachette

Aglia tau

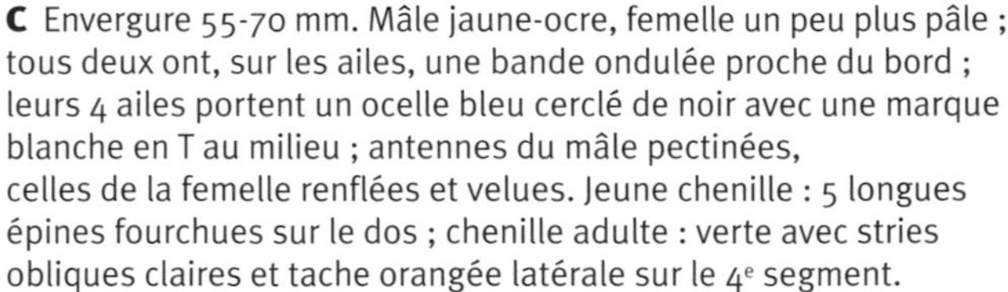

C Envergure 55-70 mm. Mâle jaune-ocre, femelle un peu plus pâle ; tous deux ont, sur les ailes, une bande ondulée proche du bord ; leurs 4 ailes portent un ocelle bleu cerclé de noir avec une marque blanche en T au milieu ; antennes du mâle pectinées, celles de la femelle renflées et velues. Jeune chenille : 5 longues épines fourchues sur le dos ; chenille adulte : verte avec stries obliques claires et tache orangée latérale sur le 4e segment.
H Presque uniquement dans les hêtraies. 1 génération (avril-mai).
P Les mâles volent de jour à la recherche des femelles ; celles-ci se tiennent à terre et volent la nuit pour pondre dans la cime des arbres. Les chenilles rongent les feuilles des hêtres, mais aussi d'autres feuillus ; elles se nymphosent à terre dans un cocon.

Bombyx du chêne

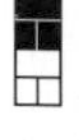

Lasiocampa quercus

C Envergure 55-75 mm. Mâle brun foncé, un peu plus petit que la femelle brun jaunâtre ; tous deux ont, sur les 4 ailes, une bande jaune qui s'élargit vers le bord ; les antérieures ont aussi une petite tache claire, les postérieures une frange jaune. Chenilles brunâtres, velues, tête brune et noire.

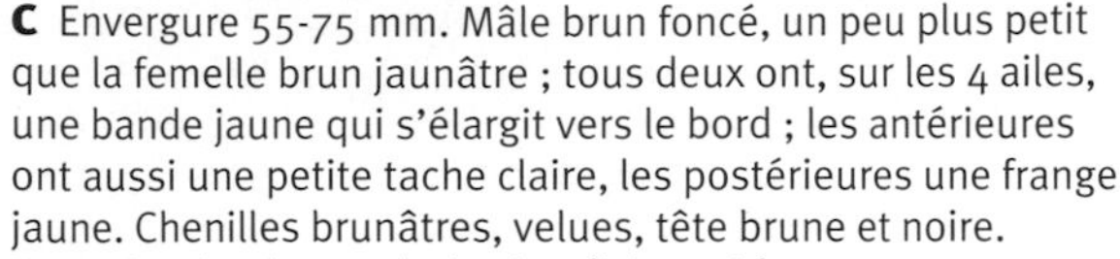

H Forêts, landes. 1 génération (juin-août).

P Les papillons ne mangent rien. Les mâles volent de jour et cherchent les femelles. Œufs pondus en vol ; les chenilles vivent sur les feuillus ou les callunes. Elles hivernent et se métamorphosent l'année suivante, ou bien les chrysalides hivernent encore une fois sous terre dans un cocon ovale.

Écaille martre

Arctia caja

C Envergure 50-70 mm. Ailes antérieures gris-brun foncé avec bandes blanches irrégulières ; les postérieures rouges, tachetées de bleu et de noir. Antennes du mâle pectinées, plutôt filiformes chez la femelle. Chenille noire, poils dorsaux noirs à pointe grise ; poils des flancs roux.

H Forêts, prairies. 1 génération (juillet-août).

P Strictement nocturne. Sa coloration contrastée (dite d'avertissement) écarterait les prédateurs. Menacée, écarte les ailes antérieures, laissant apparaître brusquement les postérieures et leurs ocelles. Chenille sur divers végétaux. La chrysalide hiverne dans un cocon velu.

Écaille rouge

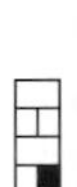

Callimorpha dominula

C Envergure 40-55 mm. Ailes antérieures noires à reflets, tachetées de blanc et de 2 marques jaunes ; les postérieures rouges avec taches noires surtout vers le bord ; abdomen rouge avec bande dorsale noire. Chenille noire, taches jaunes rayées de noir.

H Surtout lisières humides en forêt, ravins proches de l'eau. 1 génération en juillet.

P Comme *Arctia caja* (ci-dessus), sa coloration contrastée est considérée comme un signal d'avertissement (menacé, le papillon émet un liquide nauséabond). Chenille sur les myosotis et les primevères.

Bucéphale

Phalera bucephala

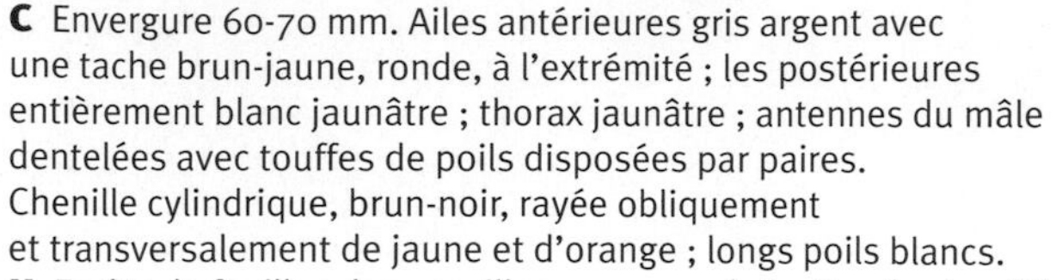

C Envergure 60-70 mm. Ailes antérieures gris argent avec une tache brun-jaune, ronde, à l'extrémité ; les postérieures entièrement blanc jaunâtre ; thorax jaunâtre ; antennes du mâle dentelées avec touffes de poils disposées par paires.
Chenille cylindrique, brun-noir, rayée obliquement et transversalement de jaune et d'orange ; longs poils blancs.
H Forêts de feuillus, broussailles, parcs. 1 génération (mai-août).
P Le jour, posé sur des rameaux, ailes repliées ; passe inaperçu (bien camouflé, ressemble à une brindille morte).
Les chenilles vivent sur des arbres à feuilles caduques ; en général, elles sont d'abord sociables ; nymphose dans la terre.

Grande queue fourchue

Cerura vinula (= Dicranura v.)

C Envergure 55-75 mm. Robuste papillon au corps gris blanchâtre, pointillé de foncé ; ailes antérieures blanchâtres avec lignes gris-noir en crochet ; les postérieures de la femelle sont gris foncé, celles du mâle plus claires. Chenille d'abord noire, puis verte ; sur la nuque, une tache grise en forme de selle, liserée de blanc ; 1er segment du corps rouge avec 2 ocelles noirs ; le 3e a une bosse ; longue queue fourchue et fine.
H Milieux ouverts avec peupliers et saules. 1 génération (mai-juillet).
P Le papillon ne se nourrit pas. Chenille sur saules et peupliers ; menacée, elle prend une posture défensive surprenante : relève l'avant du corps, rétracte fortement la tête et sort 2 filaments rouges de sa queue ; en même temps, elle projette, par le 1er segment, une sécrétion acide, qui repousse l'agresseur.

Patte étendue

Dasychira pudibunda

C Envergure 40-60 mm. Ailes antérieures blanc grisâtre poudrées de foncé, généralement avec plusieurs bandes transversales sombres ; certains individus sont gris-noir ou noirs. Mâle un peu plus petit que la femelle, qui ne bouge guère. Au repos, pattes antérieures allongées en avant (d'où le nom). Chenille vert-jaune à gris-brun, lignes noires entre les segments, poils dorsaux jaunes, pinceau anal rouge.
H Forêts de feuillus (surtout hêtraies), parcs. 1 génération (avril-juin), rarement une seconde en septembre.
P Les mâles volent de jour. Œufs et chenilles sur les hêtres ; les chrysalides hivernent à terre dans un cocon.

Étoilée

Orgyia antiqua

C Envergure 22-30 mm. Ailes antérieures du mâle brun foncé, faibles bandes et tache blanche à l'angle interne, les postérieures sont brun roussâtre ; ailes de la femelle réduites à de très petits moignons. Chenille : pinceaux de poils jaunes (4 touffes), verrues rouges.
H Forêts claires, milieux ouverts et boisés. 2 générations (juillet-septembre).
P Les mâles volent de jour ; les femelles ne sortent jamais de leur cocon nymphal et y pondent. Les chenilles rongent les feuilles de divers arbres.

Nonne

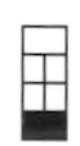

Lymantria monacha

C Envergure 35-55 mm. Ailes antérieures traversées de zigzags noirs sur fond blanc ; les postérieures grises ou brunes ; abdomen blanchâtre tacheté de noir.
Femelle : extrémité de l'abdomen rose, organe de ponte pointu.
Il y a des variantes noires. Mâle : antennes doublement pectinées.
Chenille grise à noire, tache losangée claire sur le dos et verrues poilues.
H Surtout forêts de résineux. 1 génération (juillet-août).
P Les mâles volent de jour, les femelles volent à peine.
Elles pondent sous l'écorce des résineux ; les chenilles en sortent l'année suivante et rongent les aiguilles de ces arbres.
Certaines années (surtout en Europe centrale), elles pullulent et dénudent de vastes surfaces de forêt.

Lichenée rouge

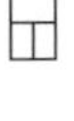

Catocala nupta

C Envergure 70-80 mm. Ailes antérieures gris foncé avec lignes brunes irrégulièrement anguleuses, les postérieures rouges avec 2 larges bandes noires, bord blanc. Chenille : forme et couleur semblables à l'écorce, ce qui la rend presque invisible.

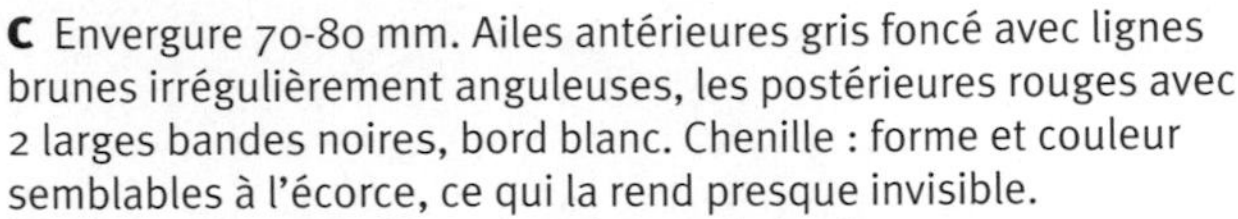

H Forêts avec peupliers et saules. 1 génération (juillet-septembre).

P Le jour, les papillons se tiennent sur l'écorce des arbres où leur coloration les dissimule. Dérangés, ils écartent instantanément les ailes antérieures et montrent les postérieures rouges ; le prédateur potentiel est surpris et le papillon peut s'enfuir ; la nuit, les papillons aspirent le jus des fruits très mûrs. Les œufs pondus sur peupliers et saules hivernent. Éclosion des chenilles au printemps suivant.

Lichenée bleue

Catocala fraxini

C Envergure 80-100 mm. Ailes antérieures comme celles de l'espèce précédente, grises et brunes, chinées (bandes transversales) ; les postérieures noires avec une large bande médiane bleu clair. Bord blanc. Chenille couleur d'écorce.

H Forêts riveraines, parcs, milieux ouverts avec arbres. 1 génération (août-octobre).

P Le jour, immobile et invisible (bien camouflé sur les écorces). Aspire des liquides végétaux. Œufs pondus sur frênes et peupliers. Les chenilles éclosent au printemps après avoir hiverné ; malgré leur grande taille, elles passent inaperçues en raison de leur coloration qui les dissimule.

Noctuelle

Noctua pronuba (= Agrotis p.)

C Envergure 50-60 mm. Coloration variant du brun foncé au jaune (ailes antérieures), rarement gris-brun ; en général, bandes transversales esquissées, une tache sombre visible ; ailes postérieures jaunâtres à bord noir. Chenille gris jaunâtre ou vertes avec lignes pâles et traits obliques foncés.

H En forêt et dans les milieux ouverts. 1 génération (juin-septembre).

P Les papillons butinent des fleurs mais dans la journée ils sont généralement immobiles (très souvent dans les maisons). Chenilles sur divers végétaux herbacés ; elles hivernent et se nymphosent au printemps dans un trou de la terre.

Plusie vert doré

Plusia chrysitis (= Diachrysia c.)

C Envergure 30-35 mm. Ailes antérieures dentelées au bord, brun violacé, 2 bandes transversales couleur laiton ; les postérieures uniformément gris-brun. Touffes de poils sur thorax et abdomen.

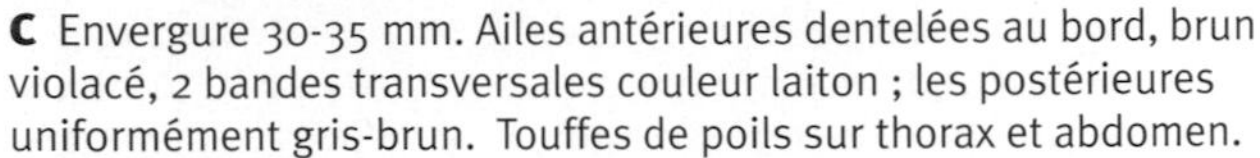

H Milieux ouverts. 1 ou 2 générations de mai à septembre.
P Les papillons butinent les fleurs. Chenilles sur orties et certaines labiées ; elles se nymphosent dans un cocon lâche.

Méticuleuse

Phlogophora meticulosa

C Envergure 40-50 mm. Ailes antérieures jaunâtres, verdâtres ; au milieu, dessin en V et bandes transversales, bord dentelé ; les postérieures plus claires avec lignes foncées au bord. Chenille verte, ligne dorsale médiane blanche, interrompue et, de chaque côté, lignes obliques foncées.
H Milieux ouverts. 2 générations (avril-octobre).
P Espèce migratrice en Europe centrale (vient du Sud au début de l'été). La génération qui s'est reproduite repart en partie. Les chenilles vivent sur divers végétaux herbacés et beaucoup hivernent.

Gamma

Autographa gamma

C Envergure 35-40 mm. Ailes antérieures gris violacé, chinées de noirâtre ; au centre, marque jaunâtre en forme de la lettre grecque « gamma » ; les postérieures gris jaunâtre à bord foncé.
H Milieux ouverts ; souvent en grand nombre. Mai-octobre.
P Le papillon vole jour et nuit ; il butine des fleurs. Migrateur, vient du Sud en Europe centrale et septentrionale. Peut hiverner en Europe centrale. Œufs et chenilles sur végétaux variés.

Brèche

Cucullia verbasci

C Envergure 40-45 mm. Ailes antérieures jaunâtres, teintées de brun au bord antérieur ; bord postérieur brun foncé et espace blanchâtre près de la marge. Chenille dodue, blanc bleuâtre, tachetée de noir et de jaune.
H Milieux ouverts. 1 génération (mai-juin).
P Vole là où se trouvent les molènes sur lesquels les chenilles se développent ; ces dernières sont très visibles (grises, blanches avec anneaux jaunes pointillés de noir).

Phalène du bouleau

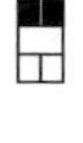

Biston betularia

C Envergure 40-65 mm. Ailes blanches avec taches foncées ; il y a aussi des individus noirâtres. Chenille verte ou brune ; tête en forme de cœur, aspect de brindille.
H Forêts de feuillus, parcs. 1 génération (mai-août).
P Le jour, immobile (à peu près invisible) sur les bouleaux ou les troncs recouverts de lichens. Les sujets noirâtres apparurent au XIXe siècle, d'abord dans les centres industriels d'Angleterre, où leur coloration les camouflait sur les arbres noircis par la suie. Il s'agit d'une adaptation appelée mélanisme industriel. Les chenilles rongent les feuilles des bouleaux et d'autres feuillus.

Géomètre papillonaire

Geometra papilionaria

C Envergure 45-55 mm. Ailes vert clair avec lignes blanchâtres ondulées et discontinues. Chenilles vertes, ligne latérale jaune, verrues rouges.
H Forêts claires, humides. 1 génération (juin-août).
P Crépusculaire et nocturne ; attiré par les lumières. Œufs sur aulnes et bouleaux ; ils hivernent. Les chenilles éclosent au printemps.

Pyrale de l'ortie

Eurrhypara hortulata

C Envergure 25-30 mm. Tête et thorax jaune-ocre, abdomen noir ; ailes blanches avec taches gris foncé à brunâtre.
H Forêts, jardins. 1 génération (août-septembre).
P Le jour, généralement cachée dans la végétation basse. Vole souvent autour des lumières. Chenilles entre des feuilles d'orties, menthes ou bétoine rapprochées avec de la soie. Elles hivernent et se nymphosent au printemps suivant.

Pterophorus pentadactylus

Pterophorus pentadactylus

C Envergure 25-30 mm. Blanc de neige ; ailes plumeuses ; antérieures fendues en 2, postérieures en 3 ; pattes et abdomen longs et fins. Aspect gracile.
H Milieux ouverts. 1 génération (mai-septembre).
P Vole au coucher du soleil et la nuit. Au repos, les ailes sont enroulées et écartées à angle droit, les pattes postérieures sont étendues en arrière, raides. Chenille sur les liserons des champs. Elle hiverne et se nymphose l'année suivante.

Astérie, étoile de mer commune

Asterias rubens

C Diamètre 20-50 cm. 5 bras courts, arrondis, un peu rétrécis vers la base et reliés au disque central ; ils sont pourvus de nombreux pieds ambulacraires ayant une ventouse et disposés sur 4 rangs dans des sillons de la face inférieure. Squelette calcaire sous forme de plaquettes. Couleur variant du brun au rouge et au violet foncé.
H Mer du Nord, Manche, Atlantique (côtes). Jusqu'à 200 m de profondeur.
P Considérée comme la plus fréquente des astéries. Se déplace avec ses pieds ambulacraires et peut se fixer. Régime : surtout mollusques bivalves (moules) et gastéropodes ; peut endommager les bancs de moules. Sexes séparés. Reproduction par stade larvaire nageur, qui fait partie du plancton.

Oursin

Psammechinus miliaris

C Diamètre max. 3,5 cm. Test (squelette) verdâtre, non globuleux ; piquants vert foncé à pointe violette ; au centre de la face inférieure, appareil masticateur à 5 « dents » ; pieds ambulacraires disposés en rangées sur toute la surface, depuis l'ouverture buccale jusqu'à l'anus central (sur la face supérieure).
H Mer du Nord, Manche, Atlantique. Jusqu'à 100 m de profondeur.
P Souvent parmi les zostères, dont il se nourrit ; mange aussi de petits animaux et des algues. Se déplace lentement à l'aide de ses pieds ambulacraires et de ses piquants. Sexes séparés. Au printemps et en été, ponte des œufs ; larves nageuses.

Œuf de grisard

Echinocardium cordatum

C 9 cm de long max. Test (squelette) très fragile, violet, plus ou moins ovoïde ; piquants fins, veloutés ; bouche décalée à l'avant de la face inférieure (différence avec l'espèce précédente) ; pas d'appareil masticateur.
H Surtout entre 5 et 6 m de profondeur. Mer du Nord, Manche, Atlantique, Méditerranée.
P Vit dans une galerie dans le sable à 15-20 cm de profondeur (parois fixées par du mucus). Filtre particules organiques (détritus) dans l'eau. Reproduction semblable à celle de l'espèce ci-dessus.

Aiguillat commun

Squalus acanthias

C Atteint 1,20 m. 1 épine à l'avant de chacune des 2 nageoires dorsales ; la première dorsale en face de l'espace séparant nageoires pectorales et pelviennes. Dessus gris-bleu tacheté de blanchâtre ; petites fentes branchiales.
H Mer du Nord, Manche, Atlantique ; exceptionnel dans la Baltique.
P Chair appréciée (appelée « veau de mer » dans le commerce). Se nourrit d'autres poissons et d'invertébrés. En été, naissance de 6-20 jeunes mesurant environ 25 cm de long.

Raie bouclée

Raja clavata

C Mâle jusqu'à 70 cm, femelle jusqu'à 1,25 m. Corps aplati ; sur le dos et la queue, 3 rangs de grandes épines à plaque basale lisse ; dos gris avec taches claires ou foncées ; ventre blanc ; bord des nageoires pectorales et pelviennes noir.
H Toutes nos mers.
P Nage généralement près du fond avec ses nageoires pectorales semblables à des ailes. Régime : surtout poissons, crustacés et mollusques. Capsule des œufs quadrangulaire, coriace, ayant 2 longues cornes aux 2 bouts ; elles sont déposées isolément sur le fond.

Hareng

Clupea harengus

C 12-40 cm. Dos bleu-vert ; ventre blanc argenté ; nageoires translucides ; insertion des nageoires pelviennes en arrière de celle de la dorsale ; environ 60 écailles le long des flancs.
H Mer du Nord, Baltique, Manche, Atlantique.
P Grande importance économique. Poisson migrateur qui se déplace entre les frayères et les zones où il se nourrit (vers les frayères au printemps et en automne).
Plusieurs races ont été distinguées. Atteint 25 ans.
Régime : surtout zooplancton. Œufs déposés sur des pierres et des algues.

Morue, cabillaud

Gadus morhua

C Atteint 1,50 m. Coloration très variable ; dos généralement marbré de vert olive ou de brun ; ventre clair ; ligne latérale pâle, incurvée vers le bas sous la 2e nageoire dorsale ;
1re dorsale plus haute que les 2e et 3e ; mâchoire supérieure dépassant l'inférieure, celle-ci porte un barbillon au menton.
H Mer du Nord, Baltique, Atlantique nord.
P Grande importance économique ; on distingue plusieurs races. Prédatrice de poissons, crustacés et seiches.
Migre entre ses frayères et ses zones d'alimentation. Ponte dans la 1re moitié de l'année ; les œufs font partie du plancton.

Aiglefin, églefin

Melanogrammus aeglefinus

C Atteint 90 cm. Dos gris-brun ; ventre clair ; une tache noire au-dessus de chaque nageoire pectorale ; ligne latérale noire (différence avec la morue ci-dessus) ; la mâchoire supérieure dépasse l'inférieure, celle-ci ne porte pas de barbillon.
H Commun. Mer du Nord, Manche, nord de l'Atlantique.
Surtout au-dessous de 200 m de profondeur ; fonds vaseux-sableux.
P Régime : poissons, échinodermes, mollusques bivalves et vers. Poisson migrateur. En Mer du Nord, fraye de janvier à mai.

Grondin perlon

Trigla lucerna

C Atteint 60-75 cm. Dos et ventre rougeâtres ; 2 nageoires dorsales ; nageoires pectorales bien plus longues que les pelviennes, bleu-noir du côté externe (rayons mobiles digités, bleu, blanc ou orange).
H Mer du Nord, Manche, Atlantique, Méditerranée.
Surtout fonds sableux près des côtes.
P Se déplace sur le fond avec ses rayons libres (organes tactiles). Régime : crustacés, poissons et mollusques. Quand on le sort de l'eau, produit des grognements en contractant des muscles de sa vessie gazeuse. En période de fraie, le mâle est très coloré. Œufs comportant une goutte d'huile.

Plie, carrelet

Pleuronectes platessa

C Atteint 90 cm. Corps lisse, gris-brun, tacheté de rougeâtre (marques présentes aussi sur les nageoires) ; ligne latérale droite, légèrement courbée au-dessus des nageoires pectorales ; crête osseuse médiane sur la tête ; la nageoire dorsale atteint la tête. Poisson plat : la face supérieure est en fait le côté droit.
H Mer du Nord, Manche, Atlantique, Méditerranée. Jusqu'à 200 m de profondeur.
P Chair très appréciée. Poisson de fond qui se nourrit de mollusques bivalves, crustacés, échinodermes et vers. Sédentaire. Ponte au début de l'année (jusqu'à 700000 œufs planctoniques).

Turbot

Psetta maxima

C Atteint 1 m (rarement 2 m). Corps aplati, arrondi, la face supérieure est le côté gauche (différence avec la plie, ci-dessus). Nombreux tubercules osseux sur la peau, pas d'écailles ; face dorsale jaunâtre à brun foncé, marbrée ; la ligne latérale s'incurve au-dessus des nageoires pectorales ; grande bouche avec fortes dents.
H Toutes nos mers. Surtout fonds vaseux et sableux.
P Chair très appréciée. Prédateur, se nourrit d'autres poissons, notamment aiguilles de mer (syngnathes), gadidés et plies. Fraye au printemps et au début de l'été en eau peu profonde. Atteint 20 ans.

Sole commune

Solea solea

C Atteint 60 cm. Corps aplati, ovale-allongé ; ligne latérale droite ; coloration variable, grise à gris-brun, souvent avec taches foncées, mais bord des dorsales et anale souvent blanc ; écailles denticulées ; une membrane relie dorsale et anale à la base de la caudale ; yeux situés sur le côté droit du corps.
H Fonds de sable, vase. Toutes nos mers à environ 200 m de profondeur.
P Chair appréciée. Se nourrit d'autres animaux de fond (benthiques) : vers, mollusques gastéropodes, vers polychètes, crustacés et autres petits poissons. Ponte entre avril et août (mer du Nord). Œufs planctoniques.

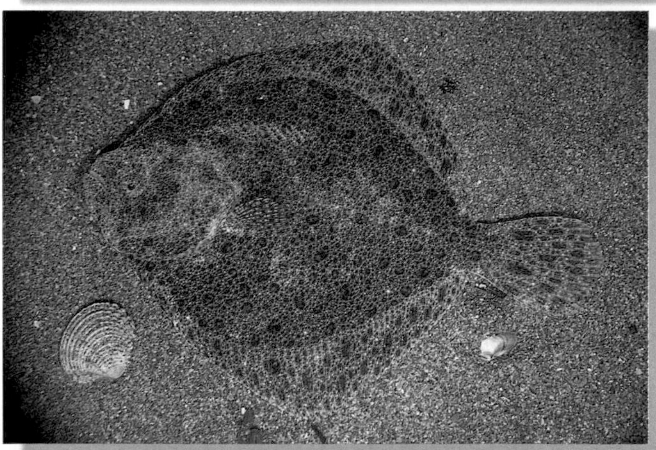

Truite de rivière P

Salmo trutta fario

C Atteint 40 (70) cm. Dos vert brunâtre avec taches cerclées de blanchâtre, noires au-dessus de la ligne latérale et rouges au-dessous ; ventre jaunâtre ; bouche fendue jusque derrière les yeux ; petites nageoires adipeuses rougeâtres entre les nageoires dorsale et caudale.
H Ruisseaux et rivières rapides, aux eaux fraîches et propres, riches en oxygène. Sédentaire.
P Les sujets âgés défendent un territoire. Régime : têtards, jeunes poissons, insectes et leurs larves. Pour frayer, remonte les cours d'eau et pond dans le gravier. Maturité sexuelle : mâle la 2e année, femelle, la 3e année.

Ombre commun P

Thymallus thymallus

C Atteint rarement 60 cm. Corps comprimé latéralement ; tête pointue ; dos gris bleuâtre à reflets argentés et marqué de taches foncées ; grande nageoire dorsale d'un mauve bleuté avec marques noires ; nageoire adipeuse entre la dorsale et la caudale.
H Eaux courantes propres et très oxygénées (au-dessous de la zone de la truite).

Brochet P

Esox lucius

C Atteint 1,50 m. Corps allongé ; nageoire dorsale très en arrière ; museau en forme de bec ; dos généralement brun-vert, marbrures foncées sur les flancs ; ventre jaunâtre.
H Eaux courantes, lacs pas trop troubles.
P Généralement près des rives. Prédateur chassant poissons, grenouilles et jeunes oiseaux aquatiques. Ponte là où il y a de la végétation aquatique, en eau peu profonde (février-avril).

Anguille européenne

Anguilla anguilla

C Atteint 1,50 m. Aspect de serpent. Nageoire dorsale très longue, insérée très en arrière ; dos vert foncé ; ventre blanchâtre.
H Eaux stagnantes et courantes ; le jour, souvent enfoncée dans la vase.
P Se nourrit la nuit ; prédatrice ou mange du plancton. Poisson migrateur : en automne, va dans l'océan Atlantique (mer des Sargasses) pour frayer ; après 3 ans de vie larvaire, les jeunes (civelles, piballes) remontent les fleuves.

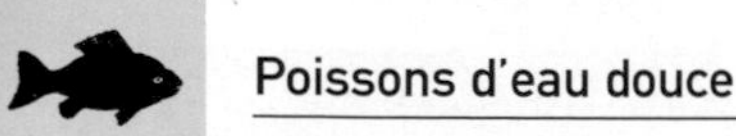

Perche

Perca fluviatilis

C Atteint 30 (50) cm. Dos vert foncé avec plusieurs bandes verticale sombres ; flancs et ventre plus clairs ; une épine à l'arrière des opercules ; tache noire à l'arrière de la 1re dorsale ; anale, caudale et pelviennes rouges.
H Eaux douces et saumâtres.
P Généralement en petits groupes. Régime : d'abord petits animaux, puis autres poissons et crustacés. Fraye de mars à juin. Œufs en rubans de 1-2 cm de large, fixés aux pierres ou aux végétaux.

Épinoche

Gasterosteus aculeatus

C Atteint 11 cm. En général, 3 (5) épines sur le dos ; flancs couverts de plaques osseuses ; corps argenté brillant. En période de fraie, dos du mâle vert-bleu, ventre et poitrine rouges.
H Eaux douces, saumâtres et côtières.
P Régime : petits crustacés, vers, larves de moustiques, alevins. En période de fraie (avril-mai), le mâle construit sur le fond un nid de végétaux aquatiques (photo) ; plusieurs femelles y pondent ; il surveille et aère les œufs et défend le nid.

Vairon P

Phoxinus phoxinus

C Atteint 10 (14) cm. Corps allongé, de section ronde ; taches claires et foncées sur dos et flancs ; ventre blanchâtre ; en général, une bande longitudinale couleur laiton juste au-dessus de la ligne latérale ; en période de fraie, le mâle a le ventre et les lèvres rouges.
H Ruisseaux, rivières rapides à fond de gravier (zone de la truite), lacs.
P Généralement en petits bancs. Régime : insectes, petits crustacés, vers. Fraye en avril-juin ; œufs fixés sur des pierres.

Gardon commun

Rutilus rutilus

C Atteint 50 cm. Dos vert olive foncé ; ventre blanc argenté ; nageoires pectorales, pelviennes et anale rougeâtres ; iris rouge.
H Lacs, rivières lentes.
P Souvent en banc près des rives. Régime : petits animaux, végétaux aquatiques et détritus (débris organiques). Fraye d'avril à juin ; œufs pondus sur végétaux aquatiques, racines et pierres près du bord.

Chevaine

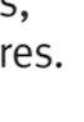

Leuciscus cephalus

C Atteint 50 (60) cm. Grosse tête ; museau arrondi ; écailles bordées de noir ; dos gris-brun verdâtre ; flancs brillants, argentés à dorés ; ventre blanchâtre ; nageoires pectorales jaunâtres.
H Eaux courantes lentes, rarement lacs.
P D'abord sociable, puis solitaire. Régime : crustacés, poissons, grenouilles. Fraye d'avril à juin ; à cette époque, le mâle acquiert une livrée nuptiale (tête et/ou avant du corps se couvrent de boutons cutanés).

Tanche

Tinca tinca

C Atteint 60 cm. Dos vert brunâtre à reflets métalliques ; ventre plus clair ; peau visqueuse ; petites écailles ; 1 barbillon à chaque coin de la bouche ; toutes les nageoires sont arrondies.
H Cours d'eau lents, eaux stagnantes riches en végétation.
P En général, près du fond dans la journée ; au crépuscule se nourrit de végétaux et de petits animaux. Repos hivernal enfouie dans la vase. Fraye (mai-juin) en groupes ; œufs sur des végétaux aquatiques près du bord.

Brème

Abramis brama

C Atteint 60-70 cm. Corps élevé, comprimé latéralement ; dos gris de plomb ; flancs argentés ; nageoires grises, les pectorales atteignent le niveau de l'insertion des pelviennes ; anale très longue.
H Lacs, étangs, rivières lentes.
P Les jeunes forment de petits bancs ; adultes craintifs. Au crépuscule, cherche de petits animaux en fouillant le fond. Fraie (mai-juillet) en bancs ; le mâle revêt une livrée de noce ; œufs fixés sur des végétaux aquatiques.

Carpe

Cyprinus carpio

C Atteint 1,20 m. Corps élevé ; bouche extensible ; 2 paires de barbillons sur la lèvre supérieure ; dos et nageoires, brun-vert ; flancs argentés ; ventre blanchâtre ; écailles plus ou moins nombreuses selon la forme d'élevage.
H Eaux stagnantes ou lentes à fond vaseux.
P Crépusculaire. Régime : petits animaux et végétaux. Fraie (mai-juillet) en eau peu profonde avec végétation ; mâle : livrée nuptiale peu développée.

Salamandre tachetée

Salamandra salamandra

C Atteint 32 cm. Corps noir tacheté de jaune ou d'orangé (taches pouvant fusionner en bandes).
H Forêts humides, surtout près des sources et ruisseaux.
P Essentiellement nocturne ; très sédentaire ; le jour, sous des pierres, dans une souche. Régime : vers, escargots et insectes. Accouplement à terre en été. Au printemps de l'année suivante, la femelle donne naissance à des larves (max. 70) d'environ 3 cm, dans l'eau ; elles quittent l'eau à 2-3 mois.

Salamandre noire

Salamandra atra

C Atteint 16 cm. Plus svelte que la salamandre tachetée (ci-dessus) ; d'un noir luisant ; dessus : bourrelets cutanés circulaires.
H En montagne (Alpes et Jura), à partir de 700 m et jusqu'à 3 000 m.
P Nocturne. Régime : vers, escargots, petits vertébrés. Le jour, sous des pierres, des souches ou dans la mousse. Reproduction en juillet (accouplement). Gestation : 2 ans. La femelle met au monde 2 petits bien développés.

Triton alpestre

Triturus alpestris

C Atteint 12 cm (femelle), 8 cm (mâle). Dos marbré de gris-brun foncé ; ventre orange sans tache. En période de reproduction, le mâle acquiert une crête assez basse, jaune et noire et, sur les flancs, une bande bleu ciel, tachetée.
H Forêts humides avec petites mares. Absent : Corse, Midi méditerranéen, Sud-Ouest et partie de l'Ouest.
P Dans l'eau au printemps et au début de l'été, ensuite à terre. Régime : insectes et vers. Ponte (mars-mai) ; les 100-250 œufs sont fixés un par un sur des végétaux aquatiques.

Triton ponctué

Triturus vulgaris

C Atteint 9,5 cm (mâle) ou 11 cm (femelle). Dos brun ; gorge et ventre orange marqué de noir ; en période de reproduction, le mâle a une crête ondulée.
H Forêts claires, lisières, parcs, jardins. Eaux courantes. Absent : Corse, moitié sud de la France.
P Nocturne. Régime : vers, escargots, insectes et autres arthropodes. Sous les pierres dans la mousse. Ponte de 200-300 œufs en mars-mai, sur des végétaux aquatiques.

Crapaud commun

Bufo bufo

C Atteint 8 cm (mâle) ou 15 cm (femelle). Peau verruqueuse ; dessus gris-brun à olive ; ventre plus clair, uni ou tacheté. Très grosses glandes parotoïdes derrière les yeux ; pupille horizontale, iris doré. Mâle sans sacs vocaux. En période de reproduction, il a des tubercules noirs sur le côté interne des 3 premiers doigts.
H Forêts, jardins, champs, ruines, gravières. Pond dans les mares et étangs.
P Surtout crépusculaire et nocturne. Chasse vers, insectes, araignées, escargots, limaces. Hiverne dans un trou qu'il creuse dans la terre. Chant : sorte de roucoulement. En février-mars, parcourt de grandes distances pour rejoindre les pièces d'eau où il se reproduit. La femelle attache les rubans gélatineux contenant les œufs (jusqu'à 5 m de long) à des végétaux aquatiques. Les têtards éclosent au bout de 12-18 jours et achèvent leurs métamorphoses 2-3 mois après.

Crapaud calamite P

Bufo calamita

C Atteint 8 cm. Dos gris-brun tacheté de brun olive avec verrues plates rougeâtres ; ligne dorsale jaunâtre, sans verrues ; ventre gris-blanc, tacheté de brunâtre ; pattes postérieures très courtes. Mâle : grand sac vocal sous la gorge ; en période de reproduction a des tubercules des 2 côtés des 3 premiers doigts.
H Absent en Corse. Sablières, carrières avec mares, dunes.
P Nocturne ; le jour, sous des pierres, des souches ou dans des trous de la terre. Ne saute pas, mais court, le corps dressé. Voix : cris rauques en séries, audibles à plusieurs centaines de mètres. Œufs pondus en avril-juillet, inclus sur 1-2 rangs dans de longs rubans gélatineux fixés sur les végétaux aquatiques des mares. Les têtards éclosent au bout de 4-6 jours ; métamorphoses achevées à 5-8 semaines.

Pélobate brun P

Pelobates fuscus

C Atteint 8 cm. Peau presque lisse. Dessus gris clair à brun, avec taches foncées, souvent pointillé de rougeâtre ; dessous clair, plus ou moins tacheté. Mâle en période de reproduction : glande ovale du côté externe des bras.
H En plaine. Lieux sablonneux. Absent : Midi méditerranéen, Corse, Ouest au sud de la Loire.
P Nocturne ; s'enfouit rapidement dans un terrier ; menacé, se gonfle et se dresse. Œufs en avril-mai, pondus en rubans épais dans l'eau ; les têtards éclosent 1 semaine après et il est rare qu'ils hivernent ; ils atteignent 17 cm de long.

Crapaud accoucheur, alyte P

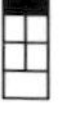

Alytes obstetricans

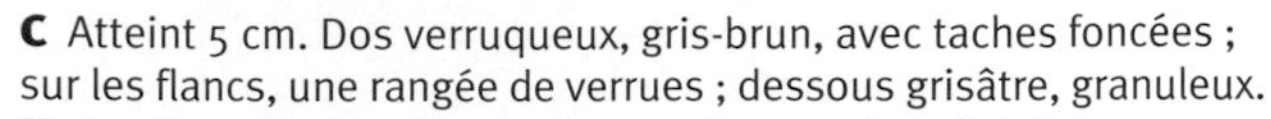

C Atteint 5 cm. Dos verruqueux, gris-brun, avec taches foncées ; sur les flancs, une rangée de verrues ; dessous grisâtre, granuleux.
H Carrières, fentes des murs, sous des marches disjointes. Absent en Corse et dans le Nord.
P Solitaire ; court, saute, peut creuser. Régime : vers, escargots, petits insectes. Accouplement à terre en mai-juin. Le mâle enroule les rubans d'œufs autour de ses pattes postérieures et les plonge dans l'eau de temps à autre pendant 3-7 semaines. Le mâle chante : « tiou tiou » (mélodieux).

Sonneur à ventre jaune P

Bombina variegata

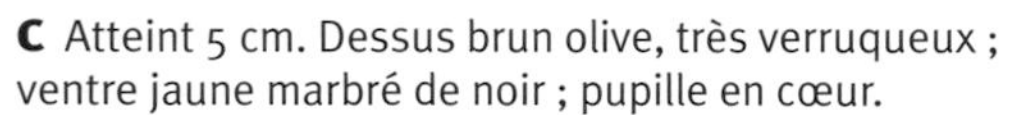

C Atteint 5 cm. Dessus brun olive, très verruqueux ; ventre jaune marbré de noir ; pupille en cœur.
H Mares riches en végétation, sablières, ornières profondes. Absent : Corse Sud-Ouest.
P Diurne. S'enterre dans la vase ; hiverne dans le sol. Menacé, se renverse sur le dos et montre son ventre bicolore (photo). Régime : mollusques et arthropodes. Cris : « hou hou » (80 fois/min). Pond 2-3 fois entre mai et août, 100 œufs en amas, dans l'eau.

Sonneur à ventre rouge P

Bombina bombina

C Atteint 5 cm. Dessus gris-brun foncé avec verrues lisses et plates ; dessous noir marbré de rouge et quelques points blancs.
H N'existe pas en France mais en Europe centrale et orientale.
P Voix analogue à celle du sonneur à ventre jaune, mais faible fréquence (18 cris/min). Œufs en amas, pondus dans l'eau sur des végétaux (généralement en mai-juin).

Rainette verte P

Hyla arborea

C Atteint 5 cm. Dessus vert vif, jaunâtre, bleuâtre ou gris, lisse ; ventre granuleux ; doigts et orteils pourvus de disques adhésifs.
H Rives boisées des étangs, fourrés, prairies humides, roselières. Absente dans le Midi (sauf Corse).
P Nocturne. Grimpe très bien sur les arbres ; s'expose volontiers au soleil. Régime : insectes volants. Chant durable : cris stridents, généralement émis en chœur. Œufs en amas (150-300) pondus de mars à mai dans l'eau peu profonde.

Grenouille rousse

Rana temporaria

C Atteint 10 cm. Coloration variable. Dessus gris, brun roussâtre ou brun-noir, généralement tacheté ; derrière les yeux, bande brune à noire presque toujours présente ; ventre le plus souvent gris ou jaunâtre, tacheté ; sacs vocaux internes.
H Prairies humides, forêts, tourbières, mares.
Absente : Corse, Sud-Ouest.
P Diurne et nocturne. Régime : vers, escargots, insectes.
Hiverne dans la terre ou la vase au fond de l'eau. Ponte en mars-avril ; jusqu'à 3 500 œufs en amas dans les étangs, mares.

Grenouille agile P

Rana dalmatina

C Atteint 8 cm (femelle), 6 cm (mâle). Plus svelte que *R. temporaria*. Dessus brun clair à roussâtre ou jaunâtre ; ventre blanc, jamais tacheté (différence avec *R. temporaria*).
H Hêtraies, chênaies. Absente : Corse, extrême Nord.
P Diurne et nocturne ; peut faire des sauts de 2 m de long et 1 m de haut. Chant : série rapide de « gok gok ». Souvent loin de l'eau (prairies humides). Œufs pondus en mars-avril dans l'eau (600-1 200).

Grenouille des champs P

Rana arvalis

C Atteint 8 cm. Dessus brun clair à foncé ; flancs souvent tachetés ; un trait clair médian ; dessous blanc jaunâtre ; tache brun-noir sur les tempes. Mâle bleuâtre en période de reproduction.
H Prairies marécageuses, tourbières ; en plaine.
Seulement dans le Nord-Est de la France.
P Sédentaire, terrestre sauf pour la reproduction et en hiver.
Régime : insectes, escargots. Chant en série rapide « woueg woueg ».
Surtout nocturne. Accouplement et ponte en mars-avril ; les amas d'œufs (jusqu'à 2 000) ne remontent pas à la surface de l'eau.

Grenouille verte

Rana esculenta

C Atteint 12-14 cm. Coloration très variable : vert pré, brunâtre, taches foncées fréquentes ; dessous généralement blanchâtre, tacheté de gris ; 2 sacs vocaux latéraux ; tête étroite, assez pointue.
H Étangs et lacs riches en végétation.
P Se chauffe au soleil sur les rives ; l'été, chante en chœur la nuit ; coassements sonores « croac ». Régime : insectes, vers, escargots.
Ponte : mai-juin ; les amas d'œufs s'enfoncent dans l'eau.

Lézard agile, lézard des souches

Lacerta agilis

C Atteint 20 cm. Corps étroit et long ; pattes courtes ; tête relativement large ; dessus brun avec bande médiane foncée et taches claires cerclées de sombre, disposées en rangées longitudinales ; ventre verdâtre (mâle) ou blanc jaunâtre (femelle). En période de reproduction, mêle vert vif sur les flancs et dessous.
H Lieux secs, ensoleillés, milieux ouverts, talus, lisières, coupes, landes, jardins. Surtout Région parisienne, Centre et Nord-Est.
P Diurne ; se chauffe au soleil sur des pierres (peu craintif alors). Hiverne dès septembre et jusqu'en mars dans la terre ou une crevasse. Régime : insectes, araignées, vers. Les 5-14 œufs à coquille parcheminée, sont pondus en mai-juin, dans la terre (lieu chaud) ; les jeunes éclosent au bout de 60 jours environ.

Lézard vivipare

Lacerta vivipara

C Atteint 18 cm. Tête courte et obtuse ; dos brunâtre avec taches claires et foncées ; dessous jaune orange à rouge ou crème, avec points noirs chez le mâle ; gris jaunâtre uni chez la femelle.
H Milieux ouverts, forêts humides, prairies, tourbières. Absent : partie de l'Ouest, Sud-Est, Corse.
P Diurne. Très farouche (différence avec le lézard agile). Grimpe très bien sur les murs et les arbres. Hiverne d'octobre à mars. Régime : arthropodes, vers. Accouplement en avril-mai ; au bout d'environ 80 jours, la femelle met au monde 2-12 petits (ovovivipare) : ils sortent de l'œuf juste après la ponte.

Orvet

Anguis fragilis

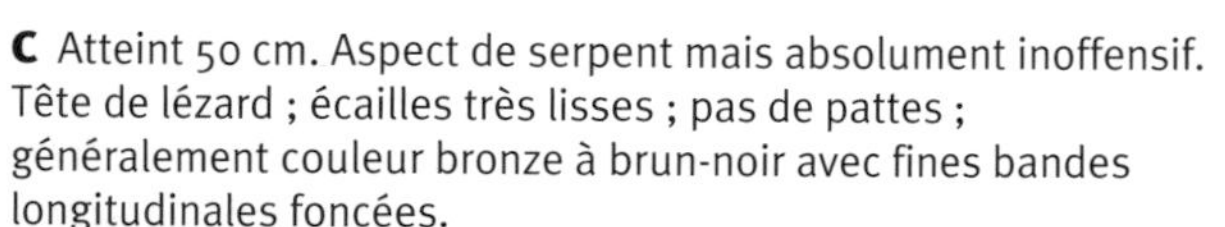

C Atteint 50 cm. Aspect de serpent mais absolument inoffensif. Tête de lézard ; écailles très lisses ; pas de pattes ; généralement couleur bronze à brun-noir avec fines bandes longitudinales foncées.
H Lieux frais, parcs, jardins, forêts, haies. Absent : Corse.
P Solitaire ; crépusculaire et diurne ; souvent caché sous des pierres. Régime : insectes, escargots, vers, araignées. En général, plusieurs individus hivernent ensemble dans un trou du sol ou sous une souche. Capturé, abandonne souvent sa queue (autonomie). Accouplement en avril-mai. Après 12 semaines de gestation, 8-25 jeunes mis au monde (ovovivipare), tout de suite indépendants.

Couleuvre à collier P

Natrix natrix

C Atteint 2 m. Dessus gris à noirâtre avec petites taches foncées ; dessous blanchâtre-jaunâtre ; derrière la tête, 2 croissants jaunes orangés, soulignés de noir.
H Bords des cours d'eau, bois, fossés, étangs. Absente : Corse.
P Diurne. Non venimeuse mais peut mordre pour se défendre. Nage et plonge très bien. Menacée, émet une sécrétion nauséabonde provenant de ses glandes anales (rare). Régime : grenouilles, poissons, tritons. Hiberne d'octobre à avril dans les tas de compost, sous des pierres, dans des fentes de rocher, près de l'eau. Accouplement en avril-mai et/ou septembre-octobre. Ponte en juillet-août de 10-30 œufs à coque molle, dans la mousse, les feuilles pourrissantes, le fumier, le compost. Éclosion des jeunes 8-10 semaines plus tard.

Couleuvre coronelle (= lisse) P

Coronella austriaca

C Atteint 80 cm. Mâle généralement brun-gris avec 2-4 rangées de taches brun foncé ; petite tête ovale avec trait sombre latéral ; écailles lisses ; pupille ronde.
H Généralement lieux secs, rocailleux, ensoleillés, talus, carrières, haies. Absente : partie du Midi et Corse.
P Diurne ; non venimeuse ; se chauffe au soleil. Régime : autres reptiles et petits rongeurs qu'elle avale aussitôt après leur capture. Menacée, émet la sécrétion malodorante de son cloaque ; mord pour se défendre. Hiberne d'octobre à avril. Accouplement en avril-mai : le mâle enlace la femelle et la mord à la nuque. Jeunes mis au monde (12-15) en août-septembre (ovovivipare).

Vipère péliade

Vipera berus

C Atteint 70-80 cm. Mâle généralement gris ou brun ; les 2 sexes ont une bande dorsale en zigzag grise, brune ou noirâtre, mais il y a des individus uniformément cuivrés ou noirs ; ventre foncé ; pupille verticale.
H Bois, landes, tourbières, buissons des prairies, talus. Présente : Nord, Centre-Ouest, Centre, Jura.
P Venimeuse. Crépusculaire. Régime : petits rongeurs, jeunes oiseaux terrestres, grenouilles, lézards. Hiberne généralement en groupe dans fentes de rocher, trous de terre sous une souche. Accouplement en avril-mai ; naissance en août-septembre de 5-18 petits (vivipare) mesurant 15-20 cm. Si l'été est froid, hiberne avec les embryons.

Grèbe huppé

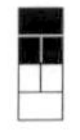

Podiceps cristatus

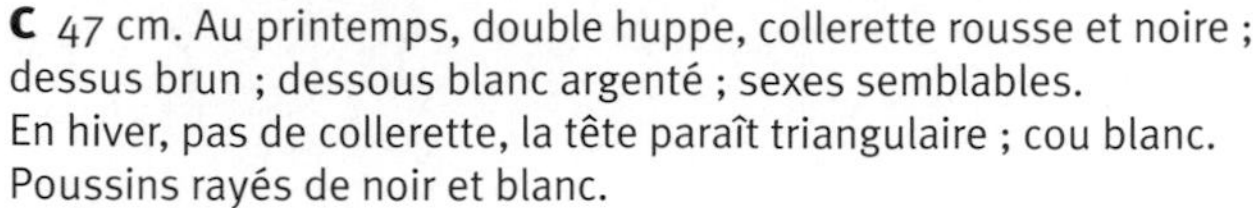

C 47 cm. Au printemps, double huppe, collerette rousse et noire ; dessus brun ; dessous blanc argenté ; sexes semblables.
En hiver, pas de collerette, la tête paraît triangulaire ; cou blanc.
Poussins rayés de noir et blanc.
H Étangs, lacs, réservoirs avec végétation riveraine ; en hiver, aussi côtes marines. Migrateur partiel.
Surtout dans les 2/3 nord de la France.
P Nage le cou dressé, le dos peu émergé ; plonge souvent.
Régime : petits poissons, crustacés, grenouilles. En vol, cou tendu.
Cris sonores : « rorr rorr ». Nid flottant parmi les phragmites.
Reproduction (avril-juillet) : parades spectaculaires ;
les 2 adultes couvent 27-29 jours et nourrissent les petits qu'ils accompagnent 10-11 semaines.

Grèbe castagneux P

Tachybaptus ruficollis

C 27 cm. Notre plus petit grèbe. Trapu ; cou bref ;
sexes semblables. Au printemps, cou et gorge roux, dessus brun, marque jaunâtre à la base du bec ; en hiver, gris-brun, tête foncée.
H Étangs, rivières lentes, lacs riches en végétation.
Visible toute l'année.
P En été, souvent caché dans la végétation riveraine ;
en hiver, solitaire ou en groupes sur les eaux libres. Plonge très souvent. Régime : insectes aquatiques et leurs larves. Reproduction (mars-juillet) : nid flottant parmi la végétation ; 5-6 poussins (incubation 20-21 jours), accompagnés au moins 40 jours.

Grand cormoran

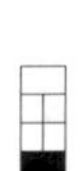

Phalacrocorax carbo

C 86-92 cm. Plumage noir à reflets verts et bronzés ;
long bec mince et crochu ; joues blanches.
H Nids sur arbres ou sur rochers. Lacs, fleuves,
côtes rocheuses de la Manche ; niche localement à l'intérieur des terres. Très abondant en hiver sur les eaux douces (migrateurs venus d'ailleurs).
P Nage le corps très enfoncé, le cou dressé, le bec incliné vers le haut. En vol, silhouette de croix ; plonge bien.
Plumage perméable (en sortant de l'eau, se sèche, ailes à demi-déployées). Régime : surtout poissons. Reproduction (avril-juillet) : niche en colonies. Incubation : 23-30 jours. 3-4 jeunes (envol à 60 jours ; accompagnés 12-13 semaines).

Grue cendrée

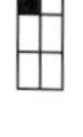

Grus grus

C 120 cm. Sexes semblables. Grandes pattes, long cou. Grise ; tête et cou noir et blanc, espace rouge sur la tête ; plumes alaires ornementales.
H Niche en Europe du Nord : marais, forêts marécageuses. En France, de passage en automne et au printemps (du NE au SO et inversement) ; certaines hivernent en Champagne et Landes.
P En vol, cou et pattes tendus ; en migration, troupes bruyantes disposées en V. Régime : végétaux et petits animaux. Farouche. Reproduction (avril-juillet) : les 2 adultes couvent 28-31 jours (nid à terre) ; en général, 2 poussins qui volent à 9 semaines.

Héron cendré

Ardea cinerea

C 90 cm. Gris ; long cou ; bec robuste, pointu ; dessous blanc ; dessus gris ; ailes grises à la base, noires au bout. Sexes semblables. En vol, tient le cou replié, les pattes tendues.
H Bords des eaux douces. Migrateur. Niche surtout dans les 2/3 Nord.
P Pêche dans l'eau peu profonde ; chasse dans les prairies. Régime : petits mammifères, batraciens, poissons. Cri en vol : « kraik ». Reproduction (mars-août) : en colonies sur de grands arbres. Incubation (25-27 jours) ; 4-5 petits qui volent à 50 jours.

Cigogne noire P

Ciconia nigra

C 97 cm. Dessus noir à reflets métalliques ; dessous blanc ; pattes et bec longs, rouges. Sexes semblables. Jeunes brunâtres.
H Niche en France, mais très rare. Grandes forêts avec eaux douces à proximité, prairies. Migratrice (hiverne en Afrique tropicale).
P Solitaire, farouche. Régime : batraciens, poissons, insectes. Très discrète. Reproduction (avril-juillet) : gros nid sur un arbre ; les adultes couvent 32-40 jours ; 3-5 jeunes (60 jours au nid).

Cigogne blanche P

Ciconia ciconia

C 102 cm. Blanche et noire ; long bec et grandes pattes rouges.
H Prairies humides, champs. Niche : Alsace, Lorraine, Normandie, Centre, Vendée, Midi, Aquitaine. Nid sur bâtiments et grands arbres. Migratrice, hiverne en Afrique tropicale ; aussi de passage.
P En vol, cou et pattes tendus ; plane très bien. Régime : batraciens, rongeurs, insectes. Reproduction (avril-juillet) : les 2 adultes couvent 33-34 jours 3-5 jeunes.

Cygne tuberculé

Cygnus olor

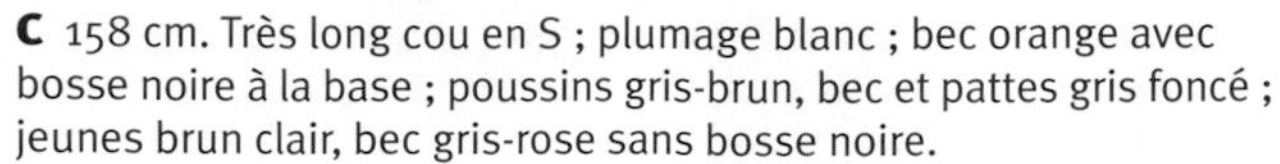

C 158 cm. Très long cou en S ; plumage blanc ; bec orange avec bosse noire à la base ; poussins gris-brun, bec et pattes gris foncé ; jeunes brun clair, bec gris-rose sans bosse noire.
H Eaux douces. Semi-domestique, sédentaire.
P Vole lourdement (coups d'ailes produisant un bruit musical). Crie peu. Siffle pour écarter un danger ; parade nuptiale : ailes relevées. Régime : végétaux aquatiques.
Sociable après la nidification. Reproduction (avril-septembre) : couples souvent durables toute la vie ; incubation (femelle) : 35-41 jours ; 5-8 jeunes ; la famille reste unie jusqu'à l'hiver.

Cygne chanteur

Cygnus cygnus

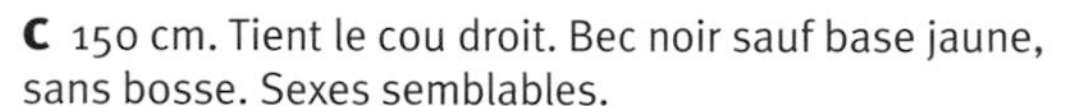

C 150 cm. Tient le cou droit. Bec noir sauf base jaune, sans bosse. Sexes semblables.
H Ne niche pas en France, vient seulement lors des vagues de froid et aussi en petit nombre, régulièrement (Alsace, Lorraine). Niche dans le nord de l'Europe.
P Cris graves : « ah-ong ». Régime : végétaux aquatiques et terrestres. Reproduction (mai-août) : couples solitaires, stables ; nid au bord des lacs ; incubation : 35-42 jours. 5-6 petits, qui restent avec les adultes et migrent avec eux dans les quartiers d'hiver.

Oie cendrée

Anser anser

C 75-90 cm. Dessus gris-brun ; tête plus claire ; pattes rose pâle ; bec orange pâle ; ventre blanc ; sexes semblables.
En vol, avant des ailes gris clair.
H Ne niche pas en France, sauf petites populations introduites. Niche (avril-août) dans le nord de l'Europe (marais).
Hiverne en petit nombre en Champagne, Vendée, dans le Val de Loire et la région du Rhin.
P Très sociable comme toutes les oies. Vole en formation (V ou lignes). Régime : végétaux herbacés terrestres et aquatiques. Crie souvent, généralement : « ga-ga ».
Couples durables ; la femelle couve 27-29 jours ; 4-9 oisons nidifuges, accompagnés par les adultes jusque dans les quartiers d'hiver.

Bernache du Canada

Branta canadensis

C 96 cm. Sexes semblables. Dessus gris-brun ; ventre blanc ; cou, tête, queue et bec noirs ; gorge et joues blanches.
H Introduite en Europe. Petits groupes nicheurs (Région parisienne, Centre, Nord). Eaux douces.
P Sociable. Cris en coups de trompette. Régime : graines, végétaux herbacés terrestres et aquatiques ; aussi vers et mollusques en été. Reproduction (avril-mai) : niche en colonies. Couples durables. La femelle couve 28-30 jours ; 5-6 oisons nidifuges.

Bernache nonnette

Branta leucopsis

C 63 cm. Noire et blanche ; front, joues, menton blancs ; poitrine, pattes et petit bec noirs.
H En France, visible seulement au cours des vagues de froid. Vit dans l'Arctique (marais salés, côtes basses).
P Très sociable ; ne vole pas en formation régulière. Cris rauques. Régime végétarien. Reproduction (mai-juin) en colonies, généralement sur des parois de rocher. La femelle couve 25 jours ; 3-5 oisons nidifuges, qui volent à 7 semaines.

Bernache cravant

Branta bernicla

C 57 cm. Très petite oie. Dessus gris-brun ; ventre blanc ; cou, tête, poitrine, bec et pattes noirs ; petite tache blanche en croissant sur le côté du cou ; ventre foncé (sous-espèce la plus fréquente).
H Niche dans l'Arctique. Hiverne en France en grand nombre : côtes de l'Ouest, de la Normandie au bassin d'Arcachon (baies, estuaires).
P Très sociable. Vol rapide. Reproduction (mai-août) : la femelle couve 25 jours ; 3-5 oisons.

Tadorne de Belon

Tadorna tadorna

C 58-67 cm. Gros canard bariolé de noir, blanc et roux (bande pectorale) ; bec rouge avec bosse à la base chez le mâle.
H Niche : côtes basses de Manche, Atlantique, Languedoc, Provence. Abondant en hiver.
P Très sociable. Régime : crustacés, mollusques, larves. Reproduction (avril-juillet) : couples : 1 saison. Nid dans un trou (dunes, terriers de lapins) ; 8-10 œufs couvés 29-31 jours.

Canard colvert

Anas Platyrhynchos

C 50-62 cm. Mâle en plumage nuptial : corps gris ; dessous plus clair ; tête vert métallique ; bec jaune ; collier blanc ; poitrine brun pourpré ; les 2 rectrices centrales bouclées. Les 2 sexes ont sur l'aile, un « miroir » : tache violette encadrée de noir et de blanc ; en été, plumage d'éclipse comme celui de la femelle, terne, brun clair tacheté.
H Eaux stagnantes et lentes. Semi-domestique dans les parcs.
P Sédentaires, mais beaucoup viennent hiverner en France. Souche du canard domestique. Régime : végétaux terrestres et aquatiques, graines, insectes et leurs larves, crustacés, mollusques. Cris de la femelle « coin-coin » sonores ; du mâle : « rreb » faible. Reproduction (mars-juillet) : couples : 1 saison. Nid à terre ou sur un arbre. La cane couve 7-11 œufs, 25-30 jours ; elle accompagne les canetons 50-60 jours (ils ont un duvet brun foncé dessus, crème dessous ; trait foncé sur l'œil ; côtés de la tête et du cou, bord postérieur de l'aile, taches dorsales et côtés du croupion, jaunes).

Sarcelle d'hiver

Anas crecca

C 36 cm. Le plus petit canard de surface. Mâle en plumage nuptial : tête rousse avec large bande verte bordée de crème ; bec gris foncé ; poitrine crème tachetée de foncé ; dos et flancs gris ; bande blanche sur l'épaule (oiseau sur l'eau) ; « miroir » vert et noir ; arrière-train : tache triangulaire crème. En plumage d'éclipse, comme la femelle, brun clair tacheté de brun foncé.
H Niche en très faible nombre (Centre, Est, Normandie, Bretagne). En hiver, abondante sur étangs, lacs, réservoirs. Migratrice. Eaux douces peu profondes, prairies inondées.
P Discrète en période de reproduction (avril-août). Couples isolés, sinon en troupes. Cris du mâle : « krick » ; la femelle cancane « gêgégé ». Régime : animaux et végétaux. Ne plonge pas (canard de surface). Reproduction (avril-août) : nid à terre près de l'eau, très bien caché dans la végétation ; la femelle couve 21-23 jours ; 8-11 canetons qu'elle accompagne pendant 25-30 jours.

Nette rousse P

Netta rufina

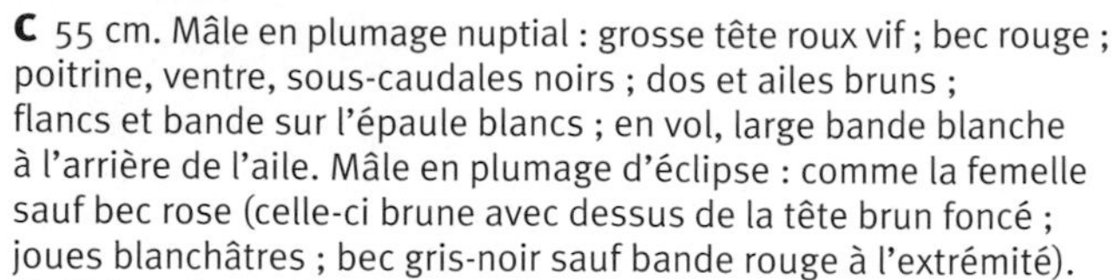

C 55 cm. Mâle en plumage nuptial : grosse tête roux vif ; bec rouge ; poitrine, ventre, sous-caudales noirs ; dos et ailes bruns ; flancs et bande sur l'épaule blancs ; en vol, large bande blanche à l'arrière de l'aile. Mâle en plumage d'éclipse : comme la femelle sauf bec rose (celle-ci brune avec dessus de la tête brun foncé ; joues blanchâtres ; bec gris-noir sauf bande rouge à l'extrémité).
H Niche : Forez, Camargue, Dombes. Hiverne en nombre en Camargue. Eaux stagnantes riches en végétation.
P S'enfonce souvent incomplètement comme les canards de surface et plonge. Régime : végétaux aquatiques. Voix du mâle : sifflements, grognements. Reproduction (mai-août) : couple : 1 saison. Nid à terre, près de l'eau, dans la végétation ; la femelle couve 26-28 jours ; 8-11 canetons accompagnés 45-55 jours.

Fuligule milouin

Aythya ferina

C 42-49 cm. Mâle en plumage nuptial : tête et cou brun-roux ; dos et flancs gris ; poitrine et queue noire blanchâtre ; bec noir avec bande gris clair. En plumage d'éclipse, comme la femelle sauf dessus plus gris, le reste gris-brun foncé, bande du bec très étroite.
H Eaux stagnantes riches en végétation ; réservoirs, étangs, lacs. Niche surtout dans les 2/3 Nord. En hiver, nombreux migrateurs venus du reste de l'Europe.
P Très sociable en hiver, souvent en compagnie du fuligule morillon sur les plans d'eau. Voix du mâle : faibles sifflements. Régime : végétaux pris en plongeant, petits animaux. Reproduction (avril-août) : couples : 1 saison ; nid à terre près de l'eau ; 5-12 œufs couvés 24-28 jours ; canetons accompagnés 50 jours.

Fuligule morillon

Aythya fuligula

C 43 cm. Mâle en plumage nuptial : noir ; ventre, flancs et « miroir » blancs ; huppe noire pendante, bec gris-bleu. En plumage d'éclipse plus terne, flancs gris-brun, huppe esquissée, brun foncé.
H Niche dans les 2/3 nord de la France ; en hiver, migrateurs sur étangs, lacs, réservoirs (surtout lac Léman, Rhin, Camargue, Corse).
P Se nourrit en plongeant (moule zébrée, p. 250 ; insectes et leurs larves). Très sociable en hiver (souvent en grandes troupes avec d'autres canards). Le mâle crie faiblement pendant les parades nuptiales (sifflements). Reproduction (mai-septembre) : couples : 1 saison ; nid à terre, bien caché ; la femelle couve 23-24 jours ; 8-10 canetons qu'elle accompagne 45-50 jours.

Eider à duvet P

Somateria mollissima

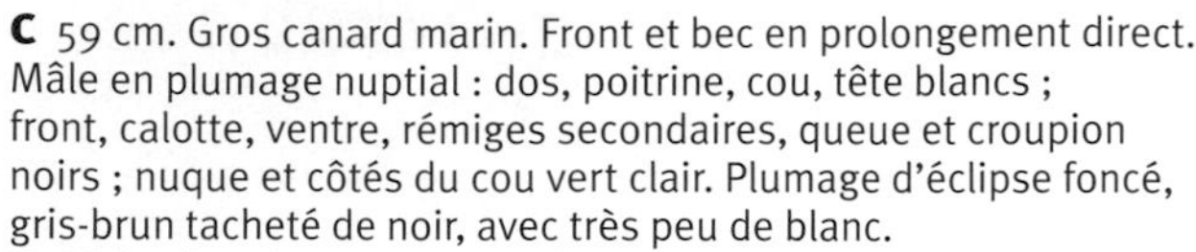

C 59 cm. Gros canard marin. Front et bec en prolongement direct. Mâle en plumage nuptial : dos, poitrine, cou, tête blancs ; front, calotte, ventre, rémiges secondaires, queue et croupion noirs ; nuque et côtés du cou vert clair. Plumage d'éclipse foncé, gris-brun tacheté de noir, avec très peu de blanc.
H Niche dans les estuaires et baies de Normandie, Bretagne, bassin d'Arcachon (rare). En hiver, côtes, lac Léman.
Niche dans le nord de l'Europe. En grande partie sédentaire.
P Sociable. Plonge. Régime : mollusques et crustacés.
Parade nuptiale : le mâle lance des cris sonores : « cou-rou-ouh ».
Reproduction (avril-août) : niche souvent en colonies ;
la femelle couve 25-28 jours presque sans arrêt dans un nid garni de son très chaud duvet ; 4-6 canetons qui volent à 65-75 jours.

Garrot à œil d'or

Bucephla clangula

C 44 cm. Trapu. Mâle en plumage nuptial : dos et queue noirs ; épaules, dessous et flancs blancs ; grosse tête vert foncé, presque triangulaire de profil, avec tache blanche ovale entre bec et œil ; iris jaune. Plumage d'éclipse : comme la femelle, gris-brun sauf poitrine blanche et tête en partie noire (femelle : bout du bec clair, tête brun chocolat).
H Ne niche pas en France ; seulement en hiver en petit nombre (lac Léman, Rhin, Bretagne-sud et ailleurs), rivières lentes, lacs. Migrateur.
P Nage enfoncé dans l'eau. Plonge. Régime : mollusques, crustacés, insectes. Silencieux, mais bruit des ailes.
Reproduction (avril-juillet) : nid dans un trou d'arbre, un nichoir ; la femelle couve 29-31 jours ; 6-11 canetons, qui volent à 57-66 jours.

Harle bièvre P

Mergus merganser

C 66 cm. Grand canard. Nage très enfoncé dans l'eau. Bec rouge, étroit, crochu au bout et denticulé au bord ; grand espace blanc sur les ailes. Mâle en plumage nuptial : tête vert-noir ; épaules et dos noirs ; cou, poitrine et dessous blanc parfois teinté de rose. Plumage d'éclipse : gris, tête brune (huppe à peine esquissée).
H Lacs, côtes marines ; niche au bord du lac Léman (a niché : lacs du Bourget et d'Annecy). En hiver, côtes, eaux douces ; en très petit nombre, sauf vagues de froid.
P Silencieux en vol. Dérangé, lance des croassements graves. Régime : petits poissons. Reproduction (avril-août) : nid dans un grand trou d'arbre, de mur, un nichoir ; la femelle couve 30-35 jours ; 8-12 canetons qui sautent à terre et volent à 60-70 jours.

Pygargue à queue blanche P

Haliaeetus albicillus

C 68-90 cm. Sexes semblables. Corps brun foncé ; tête plus claire ; très gros bec jaune ; courte queue blanche ; ailes très larges.
H En hiver, quelques sujets immatures en Champagne et Lorraine au bord des grands étangs, réservoirs. Niche dans le nord de l'Europe sur les côtes rocheuses ou au bord des lacs et fleuves. Migrateur partiel.
P Vol lourd, peut piquer dans l'eau ; chasse en vol ou à l'affût. Régime : canards, foulques, poissons... Cris : aboiements rauques. Reproduction (mars-juillet) : gros nid sur un arbre ; les 2 sexes couvent 35-42 jours ; 2 jeunes, au nid pendant 8 semaines.

Aigle royal, aigle doré P

Aquila chrysaetos

C 75-82 cm. Brun foncé ; tête et nuque jaunâtres ; ailes digitées au bout, un peu relevées en plané.
H Alpes, Pyrénées, Cévennes, Corse. Alpages, forêts.
P Sédentaire. Chasse en vol rasant ou à l'affût. Régime : marmottes, agneaux, lièvres... Silencieux ou miaulements. Plane beaucoup. Reproduction (mars-août) : nid dans une paroi de rocher, souvent occupé très longtemps ; couples stables ; la femelle couve 40-45 jours ; 2 aiglons, au nid 75-80 jours.

Balbuzard pêcheur (= fluviatile) P

Pandion haliaetus

C 50-57 cm. Sexes semblables. Dessus brun foncé ; dessous blanc ; calotte blanche ; sourcils noirs ; ailes longues, étroites, coudées.
H Rare ; niche en Corse et parfois dans le Centre. Migrateur : au printemps et en automne. Bords des étangs, lacs, fleuves.
P Pêche en s'enfonçant dans l'eau. Voix : sifflements. Reproduction (avril-juillet) : aire sur un arbre ou des rochers. Mâle et femelle couvent 33-40 jours ; 2-3 jeunes, au nid 44-49 jours.

Busard des roseaux (= harpaye) P

Circus aeruginosus

C 48-56 cm. Svelte, longue queue. Mâle : dessus brun foncé ; ailes tricolores, grises, brun-roux et noires ; dessous brun clair ; queue grise. Femelle brun chocolat sauf tête et épaules crème.
H Niche surtout moitié nord, en Camargue et Corse. Migrateur partiel (hiverne : Sud-Ouest, Bassin méditerranéen).
P Plane très souvent, les ailes relevées en V. Régime : campagnols, petits oiseaux. En période de reproduction (avril-juillet), cris plaintifs. Nid à terre dans les roseaux ; 3-7 œufs couvés 31-36 jours.

Milan royal

Milvus milvus

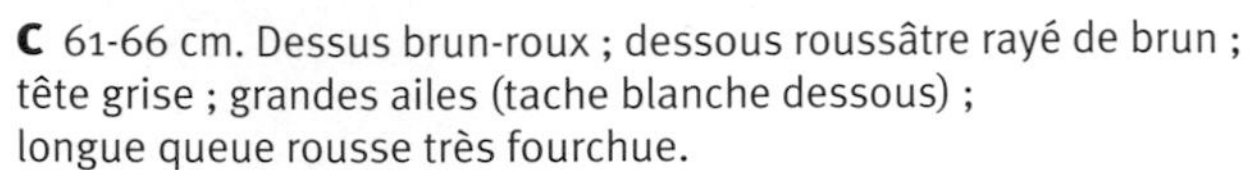

C 61-66 cm. Dessus brun-roux ; dessous roussâtre rayé de brun ; tête grise ; grandes ailes (tache blanche dessous) ; longue queue rousse très fourchue.
H Niche : Est, Centre, Pyrénées, Corse ; hiverne surtout dans le Sud-Ouest et aussi ailleurs (migrateur partiel). Campagne cultivée avec bois.
P Voix : miaulements aigus. Régime : petits rongeurs, oiseaux, cadavres, déchets. Reproduction (avril-juillet) : nid sur un arbre ; la femelle couve 28-30 jours ; 2-3 petits qui s'envolent à 45-50 jours.

Milan noir

Milvus migrans

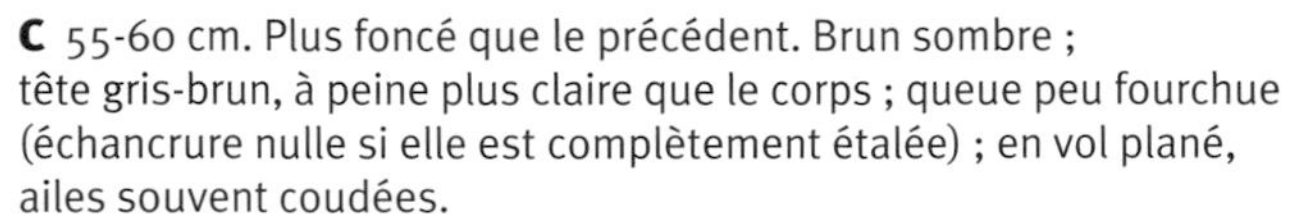

C 55-60 cm. Plus foncé que le précédent. Brun sombre ; tête gris-brun, à peine plus claire que le corps ; queue peu fourchue (échancrure nulle si elle est complètement étalée) ; en vol plané, ailes souvent coudées.
H Absent : Corse, quart Nord-Ouest, montagnes. Bords des lacs, grands étangs, fleuves. Migrateur, hiverne en Afrique au sud du Sahara.
P Plane souvent au-dessus de l'eau. Régime : poissons morts, oiseaux blessés, animaux écrasés sur les routes, rongeurs, reptiles, batraciens ; fréquente les dépotoirs. Voix : sifflements plaintifs, tremblés. Reproduction (avril-juillet) : nid sur un arbre, souvent garni de papier, chiffons, déchets, variés ; 2-3 petits ; incubation : environ 32 jours ; séjour au nid : 42-45 jours.

Buse variable

Buteo buteo

C 50-55 cm. L'un des rapaces diurnes les plus communs. Silhouette massive. Ailes larges, légèrement relevées en vol plané. Plumage variable selon les individus : brun plus ou moins foncé ; dessous plus ou moins clair ; les sujets très pâles ont généralement le dessous barré, et les sombres ont la poitrine claire ; queue courte, arrondie si déployée.
H Campagne cultivée avec bois où elle niche. Sédentaire, mais des sujets d'Europe centrale viennent passer l'hiver en France (elle est donc plus abondante à cette saison).
P Régime : campagnols, gros insectes, reptiles, batraciens, cadavres. Fait parfois du vol sur place pour chasser. Reproduction (mars-juillet) : nid sur un arbre ; incubation 33-35 jours ; 2-3 petits qui s'envolent à 40-50 jours.

Bondrée apivore

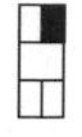

Pernis apivorus

C 50-57 cm. Ressemble à la buse (p. 430), mais diffère par : queue plus longue à 3 bandes noires assez larges, tête plus petite, cou plus long (identification en vol et difficile de loin).
Dessus brun ; dessous brun ou clair ; tête grise ou brune.
En vol plané, ailes non relevées.
H Forêts, campagne cultivée, talus. Absente : Corse. Migratrice, hiverne en Afrique tropicale. Passages importants dans les Pyrénées.
P Plane beaucoup. Voix : sifflements trisyllabiques, etc.
Régime : larves et adultes de guêpes, petits vertébrés.
Reproduction (mai-juillet) : nid sur un arbre en lisière de forêt ; en général, 2 petits ; incubation : 30-35 jours ;
séjour au nid : 35-40 jours.

Autour des palombes

Accipiter gentilis

C 48-68 cm. Mâle (tiercelet) bien plus petit que la femelle.
Dessus gris ardoise ou brun-gris ; dessous blanchâtre barré de noir ; calotte foncée ; sourcils blancs ; iris jaune orangé. Immatures brun roussâtre sauf dessous crème avec taches brunes allongées.
En vol, ailes courtes, longue queue. Très rapide quand il attaque une proie (buse bien plus lente).
H Forêts ; plutôt rare dans le Nord-Ouest. Sédentaire.
Au printemps, parades aériennes, la queue étalée.
Régime : oiseaux et mammifères de taille moyenne. Voix au printemps : caquètements en séries. Reproduction (mars-juin) : aire sur un grand arbre en forêt ; la femelle couve 35-42 jours ;
2-5 petits (envol à 36-40 jours ; indépendants à 70 jours).

Épervier d'Europe

Accipiter nisus

C 27-37 cm. Mâle : dessus gris ardoise ; dessous blanchâtre barré de roussâtre ; femelle plus grande, dessus brun ; dessous blanchâtre barré de gris. Ailes courtes et larges, queue longue, droite au bout. Jeunes bruns.
H Forêts, bosquets, campagne cultivée. Sédentaire.
P Chasseur d'oiseaux (prend rarement des mammifères), les capture en vol, par surprise. Les cris d'alarme des passereaux signalent son passage. Au printemps, lance des « kékéké » rapides, sonores. Reproduction (avril-août) : nid généralement bien caché sur un arbre ; la femelle couve 24-30 jours ; 4-6 jeunes (envol à 35 jours environ) ; réclament encore à manger à 6-7 semaines.

Faucon crécerelle

Falco tinnunculus

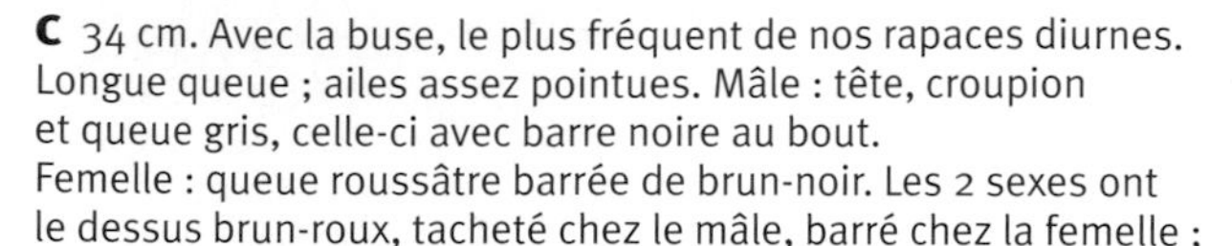

C 34 cm. Avec la buse, le plus fréquent de nos rapaces diurnes. Longue queue ; ailes assez pointues. Mâle : tête, croupion et queue gris, celle-ci avec barre noire au bout. Femelle : queue roussâtre barrée de brun-noir. Les 2 sexes ont le dessus brun-roux, tacheté chez le mâle, barré chez la femelle ; dessous roussâtre avec petites taches foncées.
H Campagne cultivée, alpages, villages et villes, falaises, ruines. Sédentaire.
P Reconnaissable à son habitude d'épier ses proies en faisant très souvent du vol sur place, la queue étalée. Régime : campagnols, lézards, gros insectes ; chasse aussi à l'affût. En vol, battements d'ailes rapides, mais vitesse assez faible. Souvent perché sur poteaux. Voix : cris aigus, fréquents ; « kikiki... ». Reproduction (avril-juillet) : ne fait pas de nid ; œufs pondus dans un trou de muraille, un vieux nid de corneille, de pie ou d'un autre rapace diurne ; 4-6 œufs couvés 21-27 jours ; séjour au nid : 28-32 jours.

Faucon hobereau P

Falco subbuteo

C 28-36 cm. Sexes semblables. Dessus gris-noir ; dessous blanc crème tacheté ; sous-caudales et plumes des pattes rousses ; moustaches noires et joues blanches très visibles.
H Migrateur, hiverne en Afrique tropicale. Campagne cultivée avec bois.
P Vol très agile et très rapide ; chasse en vol martinets, hirondelles, alouettes et autres passereaux. Cris sonores, plaintifs, en séries. Reproduction (mai-août) : ne fait pas de nid ; œufs pondus dans un vieux nid de corneille sur arbre, pylône ; incubation 28-33 jours ; 2-3 œufs ; séjour au nid : 28-35 jours.

Faucon pèlerin P

Falco peregrinus

C 39-50 cm. Ressemble beaucoup au faucon hobereau (ci-dessus), mais bien plus puissant. Dessus gris-bleu foncé ; dessous blanc avec bandes horizontales et rayures foncées ; larges moustaches noires ; ailes pointues, larges à la base ; queue assez courte, rétrécie au bout.

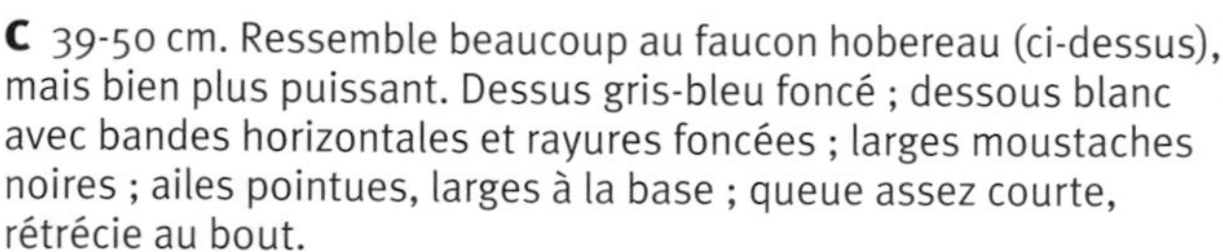

H Milieux ouverts, montagnes ; aussi en ville en hiver (grands édifices). Sédentaire.
P Chasse d'autres oiseaux en piqué à très grande vitesse. Cris plaintifs près du site de nidification. Reproduction (mars-juillet) : ne fait pas de nid ; pond sur une corniche de rocher ; la femelle couve 3-4 œufs 29-33 jours ; séjour au « nid » : 35-42 jours.

Grand tétras, grand coq de bruyère P

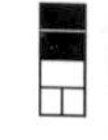

Tetrao urogallus

C 67-94 cm. Mâle plus gros que la femelle, noir, brun et vert foncé ; barbe noire ; bec blanchâtre ; caroncules rouges au-dessus des yeux ; ailes brunes avec tache blanche au poignet ; longue queue arrondie. Femelle : plastron roux ; reste du plumage brunâtre dessus, avec barres foncées dessous.
H Montagnes (Jura, Pyrénées ; devenu rare dans les Vosges ; presque disparu dans le nord des Alpes). Forêts comportant des clairières avec myrtilles, framboisiers, fourmilières. Sédentaire.
P Régime : en hiver, aiguilles de résineux (pins, épicéas) ; au printemps : bourgeons, pousses, herbes ; en été et automne : fruits. Parades nuptiales spectaculaires à terre ou sur un arbre : queue déployée, le mâle émet un chant bizarre.
Reproduction (avril-août) : la femelle couve à terre 5-12 œufs pendant 25-27 jours ; poussins nidifuges, avec elle jusqu'en septembre.

Tétras lyre, petit coq de bruyère P

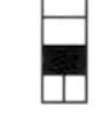

Tetrao tetrix

C mâle 62 cm, femelle 42 cm. Mâle bleu-noir brillant ; caroncules rouges au-dessus des yeux ; queue en forme de lyre ; sous-caudales blanches ; poignet et barre alaire blancs. Femelle gris-brun, finement tacheté et barré de foncé ; courte queue peu fourchue.
H Alpes, extrême nord des Ardennes. Prairies d'altitude, prés, bois, plateaux (Ardennes). Sédentaire.
P Vol battu entrecoupé de planés. Souvent perché sur les arbres en hiver. Régime : bourgeons, pousses, fruits, feuilles, petits insectes. Parades nuptiales collectives en avril-mai et octobre-novembre (roucoulements et chuintements sonores).
Reproduction (mai-juillet) : la femelle couve à terre 7-10 œufs pendant 26-27 jours ; poussins nidifuges, indépendants à 4 semaines.

Lagopède alpin P

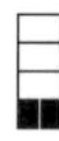

Lagopus mutus

C 35 cm. Change plusieurs fois de coloration au cours de l'année. En toutes saisons, ailes et ventre blancs. Hiver : blanc sauf queue noire et trait noir sur l'œil. Été : brun noirâtre tacheté. Petites caroncules rouges (mâle).
H Alpages au-dessus de la limite des arbres. Alpes, Pyrénées.
P Très bien camouflé ; dérangé, s'envole souvent au dernier moment. Régime : bourgeons, pousses, fruits, feuilles, aiguilles de résineux. Cris : croassements graves et rauques.
Reproduction (mai-septembre) : la femelle couve à terre dans un creux 6-12 œufs pendant 22-24 jours ; poussins nidifuges.

Perdrix grise P

Perdix perdix

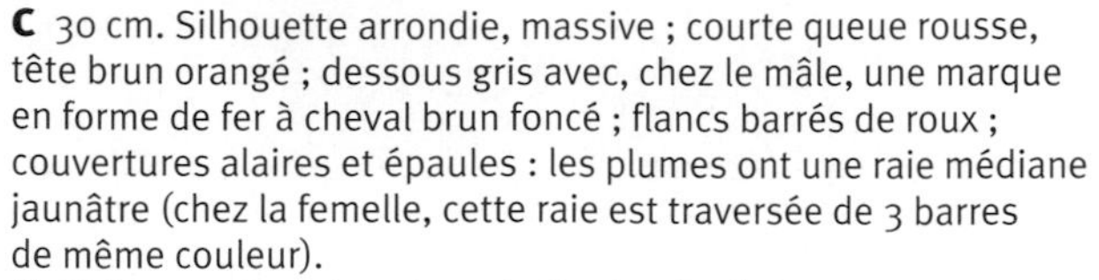

C 30 cm. Silhouette arrondie, massive ; courte queue rousse, tête brun orangé ; dessous gris avec, chez le mâle, une marque en forme de fer à cheval brun foncé ; flancs barrés de roux ; couvertures alaires et épaules : les plumes ont une raie médiane jaunâtre (chez la femelle, cette raie est traversée de 3 barres de même couleur).

H Plaines surtout dans les 3/4 Nord et Pyrénées. Densité modifiée par des lâchers (oiseau gibier).

P Court vite ; envol rapide (battements bruyants, précipités), puis plane longuement avant de se poser. Cris : « kirreck », le soir. Régime : graines, pousses ; insectes (poussins). Reproduction (avril-juillet) : la femelle couve à terre 10-20 œufs pendant 25 jours ; poussins indépendants à 5 semaines, mais avec les adultes, en « compagnies » tout l'hiver.

Caille des blés P

Coturnix coturnix

C 18 cm. Silhouette arrondie ; très courte queue. Brune avec raies jaunâtres sur dos et flancs. Mâle : gorge noire et blanche ; femelle : gorge jaunâtre.

H Campagne cultivée, jachères, prairies, champs. Seul gallinacé indigène migrateur : hiverne dans la région méditerranéenne et en Afrique. Rare par endroit et selon les années.

P Très difficile à voir ; se tient dans la végétation, mais chant du mâle traduit par les mots « paye-tes-dettes ». Régime : graines, insectes. Reproduction (mai-août) : la femelle couve 7-14 œufs pendant 18-20 jours ; poussins nidifuges, volent à 19 jours, indépendants à 4-7 semaines.

Faisan de Colchide

Phasianus colchicus

C Mâle 89 cm, femelle 53 cm. Très longue queue pointue. Mâle : brun cuivré, liserés noirs ; tête vert foncé avec masque rouge (carondules), courtes « oreillettes ». Femelle et jeunes brun marqué de noirâtre, terne ; poussins brun jaunâtre.

H Forêts, bosquets, prairies. Sédentaire. Originaire d'Asie, introduit depuis très longtemps. Oiseau gibier.

P Voix du mâle : cri double : « kokok » sonore, suivi de battements d'ailes. Régime : graines, fruits ; petits animaux (poussins). Reproduction (avril-août) : la femelle (poule) couve 8-12 œufs pendant 23-24 jours, à terre (nid sommaire) ; poussins nidifuges, voltigent dès 10-12 jours, restent avec la femelle 70-80 jours.

Râle aquatique, râle d'eau

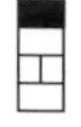

Rallus aquaticus

C 27 cm. Dessus brun olive ; côtés de la tête, gorge, cou et poitrine gris ardoise ; flancs rayés de noir et de blanc ; courte queue généralement relevée ; long bec rouge, légèrement incurvé.
H Fouillis végétaux au bord des eaux stagnantes et courantes mais lentes. Migrateur partiel.
P Très discret, mais lance grognements et cris de porc égorgé. Se déplace le corps horizontal ; grimpe bien dans les buissons. Régime : insectes, mollusques, vers, graines, pousses. Reproduction (avril-août) : nid dans la végétation palustre (phragmites) ; 6-11 œufs couvés 19-22 jours par les 2 sexes ; les poussins volent à 7-8 semaines.

Poule d'eau

Gallinula chloropus

C 32 cm. Dessus brun olive ; tête, cou et dessous gris-noir ; bande blanche discontinue sur les flancs ; sous-caudales blanches ; plaque frontale rouge ; bec rouge à pointe jaune ; longs doigts verdâtres sans palmures.
H Lacs, étangs, rivières lentes avec végétation riveraine dense, prairies proches de l'eau. Migratrice partielle.
P En nageant, hoche tête et queue. Fréquents cris perçants : « kix kix » en séries si dérangée. Régime : insectes et autres petits animaux, graines de végétaux aquatiques et terrestres. Reproduction (avril-août) : les 2 sexes couvent 5-11 œufs pendant 19-22 jours ; poussins noirs avec bec rouge à pointe jaune, bourrelets bleus près des yeux, calotte et nuque orange, gorge et cou jaunes.

Foulque macroule, foulque noire

Fulica atra

C 38 cm. Silhouette massive. Plumage gris-noir ; bec et plaque frontale blancs ; doigts à palmures indépendantes.
H Lacs, étangs, réservoirs ; surtout dans les 2/3 Nord ; ici et là dans le Sud. Sédentaire, mais de nombreux oiseaux d'Europe centrale viennent hiverner dans le Sud (Camargue, Corse, etc).
P Nage en hochant la tête ; plonge souvent ; décolle après avoir couru sur l'eau. Cris perçants : « pix-pix » fréquents. Régime : végétaux aquatiques et terrestres, mollusques, insectes et leurs larves, déchets. Reproduction (avril-août) : nid dans la végétation riveraine ; les 2 sexes couvent 5-10 œufs pendant 23-25 jours ; poussins : duvet brun-noir, orange sur la tête (peau rouge violacé visible), bec rouge blanc et noir.

Huîtrier-pie

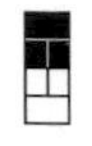

Haematopus ostralegus

C 43 cm. Pattes rouges ; long bec rouge ; tête, cou, dessus noirs ; dessous blanc ; ailes noires avec bande blanche visible en vol ; croupion blanc.
H Niche sur les côtes du Nord-Ouest, bassin d'Arcachon, Languedoc-Provence. En hiver, nombreux migrateurs sur les côtes de l'Ouest. Plages de sable, gravier, vase, dunes, côtes rocheuses.
P Régime : surtout mollusques bivalves, crustacés, vers, insectes. Cris sonores : « klip klip klip » fréquents. Parades nuptiales collectives : plusieurs oiseaux y participent ;
elles sont accompagnées de trilles accélérés « kixik kivik ». Reproduction (avril-juillet) : les 2 sexes couvent 3 œufs pendant 24-27 jours ; jeunes capables de voler à 30-35 jours.

Vanneau huppé P

Vanellus vanellus

C 31 cm. Gorge, poitrine noirs ; dos vert bronzé brillant ; côtés du cou et ventre blancs ; tête blanche et noire avec fine huppe noire, incurvée (plus courte chez la femelle) ; ailes arrondies noires et blanches ; queue blanche avec bande noire au bout.
H Niche çà et là dans les 3/4 Nord. En hiver, nombreux migrateurs venus du reste de l'Europe. Prairies humides, champs, terrains marécageux.
P Régime : vers, mollusques, insectes. Très sociable.
Vol irrégulier, battements d'ailes assez lents.
Bruyant ; cri typique : « pi-oui » plaintif, émis surtout en vol. Reproduction (mars-juin) : les adultes couvent 4 œufs pendant 26-29 jours dans une dépression du sol ; les jeunes volent à 35-40 jours ; de couleur terne, bien camouflés, les poussins s'immobilisent en cas de danger et deviennent invisibles.
Jeunes brun-gris dessus, plumes liserées de roussâtre ; dessous blanc ; huppe très courte.

Avocette élégante

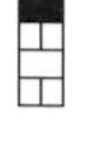

Recurvirostra avosetta

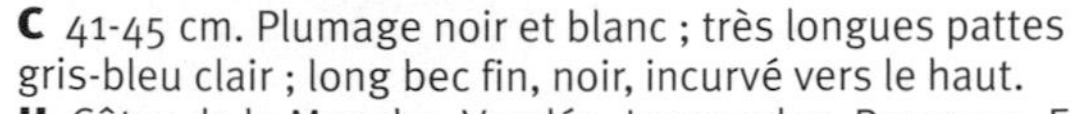

C 41-45 cm. Plumage noir et blanc ; très longues pattes gris-bleu clair ; long bec fin, noir, incurvé vers le haut.
H Côtes de la Manche, Vendée, Languedoc, Provence. Eaux peu profondes des plages de vase, estuaires, marais salant en hiver.
P Capture ses proies (crustacés, vers, etc) en balançant le bec latéralement dans l'eau. Voix : cris flûtés : « kluip kluip ». Reproduction (mai-juillet) : en petites colonies ; les adultes couvent 4 œufs pendant 23-25 jours ; les jeunes volent à 35-42 jours.

Petit gravelot

Charadrius dubius

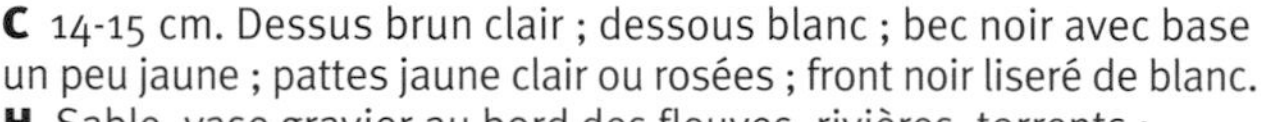

C 14-15 cm. Dessus brun clair ; dessous blanc ; bec noir avec base un peu jaune ; pattes jaune clair ou rosées ; front noir liseré de blanc.
H Sable, vase gravier au bord des fleuves, rivières, torrents ; sablières. Peu nombreux. Migrateur, hiverne au sud du Sahara.
P Trottine rapidement. Chante en volant lentement (trille) ; cri habituel : « piu », aigu. Reproduction (avril-juillet) : dépression du sol non loin de l'eau ; les adultes couvent 4 œufs pendant 22-28 jours ; envol des jeunes à 24-29 jours.

Grand gravelot

Charadrius hiaticula

C 18-19 cm. Diffère du précédent par : taille supérieure, barre alaire blanche visible en vol, bec orange à pointe noire, absence de ligne blanche en haut du front, pattes orange.
H Niche sur les côtes de la Manche (rare). En hiver, migrateurs sur les côtes de l'Ouest et de la Méditerranée.
P Chante en vol (trille) ; cris sifflés : « pu-ip ». Régime : petits animaux. Reproduction (avril-août) : les adultes couvent 4 œufs pendant 21-28 jours dans un creux du sol ; envol des jeunes à 24 jours.

Chevalier gambette P

Tringa totanus

C 26-28 cm. Dessus brun ; dessous blanc, rayé et tacheté ; longues pattes rouge orangé, arrière des ailes blanc ; triangle blanc sur le dos ; bec rouge orangé, noir au bout.
H Niche sur les côtes (Manche, Atlantique, Méditerranée) ; marais salants, marais, prairies humides. Migrateur partiel.
P Période de reproduction : avril-juillet. Cris mélodieux : «tiu-lulu», émis en vol. Chante en vol au-dessus de son territoire. Régime : petits animaux. Les adultes couvent 4 œufs pendant 22-29 jours ; poussins bruns tachetés.

Courlis cendré P

Numenius arquata

C 53-58 cm. Le plus grand de nos petits échassiers (= limicoles). Plumage brun jaunâtre rayé ; croupion blanc visible en vol ; très long bec arqué vers le bas ; longues pattes.
H Niche dans les 2/3 Nord, localement : Bretagne, Normandie, Centre, Centre-Ouest, Alsace, Jura. En hiver, nombreux migrateurs sur les côtes de l'Ouest. Prairies humides, marais, vasières, estuaires, landes, tourbières.
P Sociable après la nidification. Chant flûté, en vol, « tlui tlui » en trille à la fin (défense du territoire). Régime : insectes, vers, mollusques, baies, pousses. Reproduction (avril-juillet) : 4 œufs couvés surtout par la femelle pendant 27-30 jours dans un creux du sol ; envol des jeunes à 5 semaines.

Barge à queue noire P

Limosa limosa

C 41 cm. Long bec droit. Printemps : tête et poitrine rousses ; ventre blanc avec barres foncées ; en vol, barre alaire blanche ; queue noire, sauf base blanche. Hiver : les deux sexes sont brun-gris, mais queue toujours noire et blanche. En vol, les pattes dépassent la queue.
H Niche : Normandie, Bretagne, Vendée, Brenne, Dombes. En hiver, abondante sur les côtes de l'Ouest (migratrice). Vasières, estuaires, prairies humides.
P Sociable après la nidification. En vol, crie : « gritto gritto », chant montant et descendant. Régime : petits animaux et graines. Reproduction (avril-juillet) : les adultes couvent 4 œufs pendant 22-24 jours dans un creux du sol ; envol des jeunes à 30-35 jours.

Bécassine des marais P

Gallinago gallinago

C 27 cm. Dessus brun-noir et roux avec raies jaunâtres ; bandes jaunâtres sur la tête ; cou et poitrine tachetés ; ventre blanc ; très long bec droit.
H Niche dans la moitié nord (peu abondante). De passage et hiverne dans l'Ouest. Marécages, prairies humides, tourbières.
P Très bien camouflée ; dérangée, se tapit contre terre ou s'envole brusquement en décrivant des zigzags et en lançant un cri sec : « retsch ». Chant nuptial en cercle avec piqués et bruit dû à la vibration des rectrices écartées (chevrotement). Pour se nourrir, enfonce le bec dans la vase (régime : vers, petits mollusques et larves d'insectes). Reproduction (avril-juillet) : la femelle couve 4 œufs pendant 18-20 jours dans un nid bien caché ; envol des jeunes à 4 semaines.

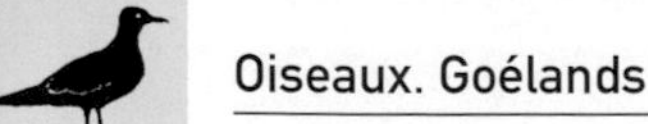

Goéland brun

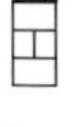

Larus fuscus

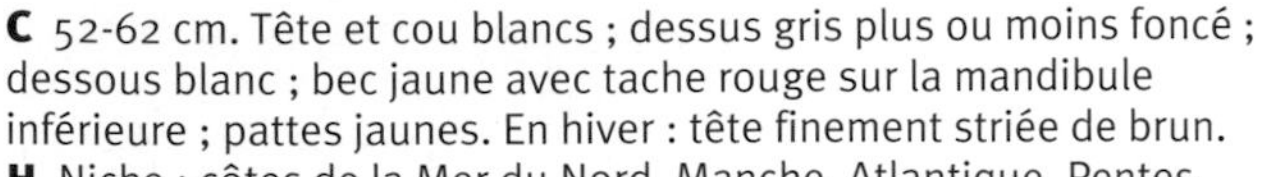

C 52-62 cm. Tête et cou blancs ; dessus gris plus ou moins foncé ; dessous blanc ; bec jaune avec tache rouge sur la mandibule inférieure ; pattes jaunes. En hiver : tête finement striée de brun.
H Niche : côtes de la Mer du Nord, Manche, Atlantique. Pentes herbeuses. Migrateur en petit nombre au-dessus des terres.
P Régime : petits poissons, vers, mollusques, cadavres.
Cris : « kiau » forts, rauques. Reproduction (avril-juillet) en colonies, souvent près du goéland argenté (ci-dessous) ; couples souvent stables ; nid à terre sur îlots, écueils, bancs de gravier. 2-3 œufs couvés pendant 26-31 jours ; envol des jeunes à 35-40 jours.

Goéland argenté

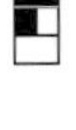

Larus argentatus

C 53-66 cm. Semblable au goéland brun, mais plus pâle.
Dessus gris clair (pointe des ailes noire et blanche) ; bec robuste jaune avec tache rouge ; pattes roses ; iris jaune clair. En hiver, tête striée de brun. Jeunes (grisards) fortement tachetés de brun-noir sur fond brun ; bec brun ; plumage d'adulte acquis à 4 ans.
H Niche : Normandie, Bretagne. Le goéland leucophée, très proche, à pattes jaunes, niche sur les côtes Ouest, du Midi et de Corse. Côtes, bord des cours d'eau, champs, décharges (source de nourriture).
P Très abondant. Sociable. Régime omnivore : poissons, mollusques, crustacés, vers, œufs, jeunes oiseaux, déchets.
Cri en vol : « kiou » et cris variés : aboiements, appels plaintifs. Reproduction (avril-juillet) en colonies ; souvent près du goéland brun (ci-dessus). 2-3 œufs couvés 26-32 jours (nid à terre) ; envol des jeunes à 45-62 jours.

Goéland cendré

Larus canus

C 40-45 cm. Ressemble au goéland argenté ; en diffère par : taille inférieure, iris foncé, bec et pattes jaune verdâtre ; en hiver, dessus de la tête et nuque striés de brun, bec et pattes gris.
H Niche dans le Nord (quelques couples). Surtout visible en hiver sur les côtes et au bord des fleuves ; dans les terres, niche souvent près des colonies de mouettes rieuses (p. 450).
P Régime : vers, petits rongeurs, souvent pris dans les champs, insectes, poissons, cadavres, déchets. Cris plus aigus que ceux du goéland argenté mais analogues. Reproduction (mai-juillet) : couples : 1 saison ; niche en colonies sur les côtes, au bord des cours d'eau ; nid à terre ; 3 œufs couvés 23-28 jours ; envol des jeunes à 28-33 jours.

Mouette rieuse

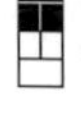

Larus ridibundus

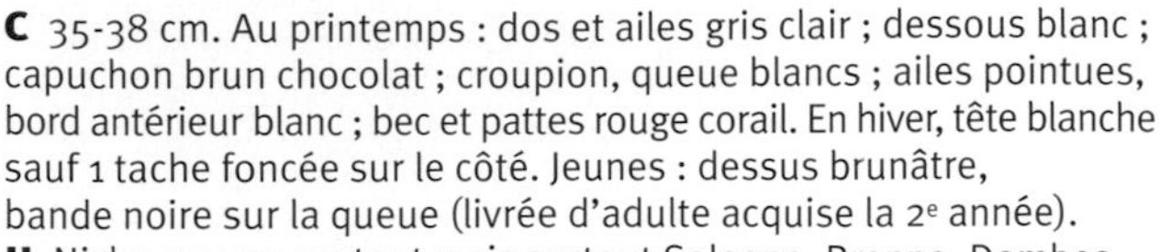

C 35-38 cm. Au printemps : dos et ailes gris clair ; dessous blanc ; capuchon brun chocolat ; croupion, queue blancs ; ailes pointues, bord antérieur blanc ; bec et pattes rouge corail. En hiver, tête blanche sauf 1 tache foncée sur le côté. Jeunes : dessus brunâtre, bande noire sur la queue (livrée d'adulte acquise la 2e année).
H Niche un peu partout mais surtout Sologne, Brenne, Dombes, Forez, Alsace ; au bord des étangs et sur les côtes basses. En hiver très fréquente dans champs, prairies...
P Sociable. Régime végétarien et carnivore, aussi déchets, cadavres. Cris rauques fréquents : « kriè ». Reproduction (avril-juillet) : les adultes couvent 3 œufs pendant 20-25 jours ; envol des jeunes à 26-28 jours.

Sterne pierregarin

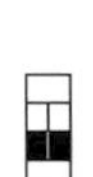

Sterna hirundo

C 34 cm. Hirondelle de mer. Svelte ; pattes très courtes ; bec en général rouge à pointe noire ; dessus gris clair ; dessous blanc ; calotte noire ; ailes étroites et pointues ; queue blanche, très fourchue ; pattes rouges.
H Niche sur les côtes de la Manche, de l'Atlantique, Languedoc, Provence et au bord de la Loire, Durance, Rhin, autres cours d'eau. Migratrice, hiverne dans l'hémisphère Sud.
P Vol souple, élégant ; pêche en piquant à la surface de l'eau ; régime : petits poissons, crustacés, larves d'insectes. Bruyante, cris fréquents : « kiri kiri krier ». Reproduction (mai-juillet) en colonies ; les adultes couvent 2 œufs pendant 20-22 jours ; poussins capables de nager à 2 jours ; envol à 20-28 jours.

Sterne arctique

Sterna paradisaea

C 34 cm. Semblable à la sterne pierregarin (ci-dessus) ; différences : bec tout rouge, queue plus longue, pattes plus courtes, plumes externes de la queue dépassant un peu les ailes chez l'oiseau posé. En plumage hivernal, bec noir, front blanc ; ailes vues par dessous : rémiges primaires toutes translucides.
H Niche très irrégulièrement en Bretagne (rare). De passage sur les côtes de l'Ouest en été. Migratrice, hiverne dans l'hémisphère Sud.
P Comme les autres sternes, nage à peine et ne marche guère. Capture ses proies en piquant à la surface de l'eau ; régime : petits poissons, crustacés, larves d'insectes. Cris comme ceux de la sterne pierregarin, en série (excitation). Reproduction (mai-août) en colonies. Les adultes couvent 3 œufs pendant 20-26 jours ; envol des jeunes à 23-27 jours.

Pigeon ramier, palombe

Columba palumbus

C 40-42 cm. Gris bleuté sauf ailes et queue en partie noirâtres ; tache blanche sur l'aile ; marque blanche au côté du cou.
H Forêts, parcs, champs, grosses haies ; plaine et jusque vers 1600 m. En hiver, nombreux migrateurs venus d'Europe centrale et du Nord (gros passages dans le Sud-Ouest).
P Chant : roucoulement rythmé. Parade nuptiale aérienne : le mâle monte, claque des ailes et redescend en plané. Régime : graines, fruits, bourgeons, feuilles. Reproduction (avril-septembre) : nid sommaire sur un arbre ; 2 œufs couvés par les adultes pendant 16-18 jours.

Tourterelle des bois

Streptopelia turtur

C 26-28 cm. Dessus brun ; tête gris-bleu ; poitrine rose vineux ; ailes grises, brun-noir et fauve ; marque noire et blanche au côté du cou ; queue brun-noir, blanche au bout ; pattes roses.
H Forêts de feuillus, bosquets, haies, champs. Migratrice.
P Chant : roucoulement monotone : « tour-tour ». Régime : graines. Reproduction (mai-août) : nid sur un gros buisson ; 2 œufs couvés par les adultes pendant 13-14 jours ; envol des jeunes à 18-23 jours.

Tourterelle turque

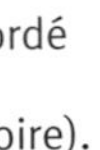

Streptopelia decaocto

C 31-33 cm. Plumage pâle, longue queue. Demi-collier noir bordé de blanc ; dessus fauve clair ; dessous un peu vineux ; ventre blanchâtre ; large bande blanche au bout de la queue (base noire).
H En France, niche depuis 1952 (originaire du sud-est de l'Europe).
P Roucoulement monotone, plaintif. Régime : graines, miettes, fruits. Sédentaire. Souvent en groupes. Reproduction (mars-septembre) : nid sur un arbre ; 3-6 pontes par an de 2 œufs couvés 14-18 jours par les adultes.

Coucou gris P

Cuculus canorus

C 32-34 cm. Dessus gris ; dessous blanc barré de noirâtre (femelle parfois rousse barrée de noir) ; longue queue légèrement dressée (oiseau posé) ; bec court, petites pattes.
H Forêts, campagne cultivée, haies, roselières, prairies (jusqu'à plus de 2 000 m). Migrateur, hiverne en Afrique tropicale.
P Le mâle chante en vol (ou posé) : « coucou » (parfois 3 sons). Régime : insectes et leurs larves. Reproduction (mai-juillet) : parasite, ne fait pas de nid ; 7-10 œufs pondus dans autant de nids d'une même espèce hôte ; le jeune coucou éclôt au bout de 11-13 jours et rejette hors du nid les oisillons ; il est nourri pendant 19-24 jours.

Chouette hulotte

Strix aluco

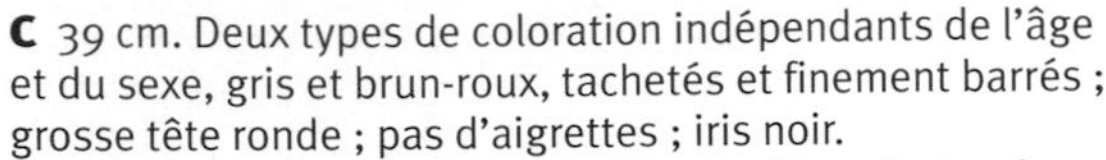

C 39 cm. Deux types de coloration indépendants de l'âge et du sexe, gris et brun-roux, tachetés et finement barrés ; grosse tête ronde ; pas d'aigrettes ; iris noir.
H Forêts et autres lieux boisés (parcs, allées d'arbres) ; campagne, ville, plaine et montagne. Sédentaire.
P Crépusculaire et nocturne ; cachée dans la journée. Défend un territoire. Régime très varié : rongeurs, batraciens, insectes, oiseaux. Cris : « kouitt » ; chante une grande partie de l'année (hululement typique : « ou-ou-ouououou » en trémolo). Reproduction (mars-juin) : ne fait pas de nid, pond dans un trou d'arbre, une grange, un vieux nid de rapace diurne, un nid de pic noir. La femelle couve 2-5 œufs pendant 28-30 jours. Les jeunes sortent du nid à 30-35 jours, mais incapables de voler ; leur duvet est blanchâtre barré de brun foncé ou gris ; ils volent à 7 semaines, indépendance à 10 semaines.

Hibou moyen-duc

Asio otus

C 35-37 cm. Dessus brun marbré ; dessous jaune roussâtre fortement tacheté en long et finement strié ; iris orange ; 2 longues aigrettes, dressées ou non.
H Forêts, bosquets. Sédentaire.
P Crépusculaire et nocturne. Caché le jour, dressé dans un arbre. Défend un territoire au printemps. Régime : rongeurs, musaraignes, passereaux. Chant du mâle : « ou ou », en longue série (émis en vol ou posé). Reproduction (mars-juin) : ne fait pas de nid. 3-7 œufs pondus dans un vieux nid de corneille ou de rapace diurne, couvés 27-28 jours ; les jeunes quittent le nid sans savoir voler à 23-26 jours et réclament bruyamment à manger pendant 2 mois encore.

Hibou grand-duc

Bubo bubo

C 60-75 cm. Plumage brun-noir et fauve jaunâtre, tacheté et barré de brun-noir ; dessous plus clair que le dessus ; iris orange ; grandes aigrettes.
H Niche : Provence, Pyrénées, Alpes, Massif central ; Vosges (rarissime). Sédentaire. Forêts avec parois de rocher, carrières. Crépusculaire et nocturne.
P Régime très varié : mammifères, oiseaux, poissons, reptiles, batraciens, insectes. Chant : hululement grave émis en automne et à la fin de l'hiver. Sensible aux dérangements en période de reproduction (février-juillet) ; 2-4 œufs couvés 31-37 jours par la femelle dans un petit creux du sol ; les jeunes restent 5-7 semaines sur place et volent à 9 semaines.

Chouette de Tengmalm

Aegolius funereus

C 24-26 cm. Grosse tête plutôt carrée ; dessus brun tacheté de blanc ; dessous blanc avec taches brunes ; queue barrée ; grands yeux jaunes ; pattes courtes, emplumées.
H Niche : montagnes et Bourgogne. Forêts de feuillus, mixtes et de résineux. Sédentaire.
P Crépusculaire et nocturne. Défend un territoire. Régime : rongeurs, petits oiseaux... Chant mélodieux, 5-7 sons : « pou pou pou ». Reproduction (mars-juin) : pond dans un nid de pic noir ou autre ; 3-7 œufs couvés 26-29 jours ; envol des jeunes à 28-36 jours.

Chouette chevêchette

Glaucidium passerinum

C 16-17 cm. Dessus brun tacheté de blanc et fauve ; dessous blanchâtre barré et strié de brun ; 5 barres claires sur la queue ; iris jaune.
H Niche : Vosges, Jura, Alpes. Forêts de résineux. Sédentaire.
P Crépusculaire, nocturne et diurne. Régime : petits oiseaux et mammifères. Chant monotone, 5-10 sons flûtés. Reproduction (avril-juin) : pond dans un trou de pic épeiche ; 3-7 œufs couvés 28-30 jours par la femelle ; les jeunes sortent à 30 jours.

Chouette chevêche P

Athene noctua

C 23 cm. Dessus brun tacheté de blanc ; dessous blanchâtre rayé de brun ; iris jaune.
H Absente en Corse. Campagne cultivée, vergers abords des villages. Devenue rare dans plusieurs régions.
P Crépusculaire nocturne et diurne. Perchée, fait souvent des courbettes. Régime : rongeurs, insectes, vers, mollusques. Cris fréquents le soir : « oui-ou ». Reproduction (avril-juillet) : pond dans un arbre creux 3-5 œufs couvés 25-30 jours ; les jeunes sortent à 35 jours.

Chouette effraie

Tyto alba

C 34 cm. Plumage très clair : dessus roussâtre et gris ; dessous blanc (roux orangé en Europe centrale) ; face en cœur (disques de plumes autour des yeux) ; iris noir.
H Villes, villages. Sédentaire. Dans greniers, clochers... Nocturne.
P Régime : rongeurs, musaraignes, gros insectes. Voix : ronflements, chuintements. Reproduction (mars-août) : ne fait pas de nid ; 4-7 œufs pondus dans un bâtiment (2 pontes régulières certaines années), couvés 30-34 jours ; envol des jeunes à 60 jours.

Pic noir

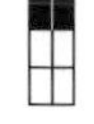

Dryocopus martius

C 45-47 cm. Tout noir sauf calotte rouge (mâle) ou nuque rouge (femelle) ; iris et bec blanchâtres. Le plus grand pic européen.
H Forêts de feuillus mixtes ou de résineux. Dans toutes les régions sauf Corse et Aquitaine ; plaine et montagne. Sédentaire. En expansion vers l'Ouest (niche jusqu'en Bretagne).
P En vol, trajectoire rectiligne. Cris sonores en vol : « kru kru kru » ; posé, cris plaintifs : « klieu ». Au printemps, « chant » sonore : « ouic ouic ouic » ; tambourinage long et fort. Régime : fourmis, larves de Coléoptères xylophages et corticoles. Reproduction (avril-juin) : nid creusé dans un hêtre ou autre arbre (résineux, feuillu) ; 2-5 œufs couvés 12-14 jours par les 2 sexes ; envol des jeunes à 26-28 jours.

Pic vert

Picus viridis

C 31-33 cm. Dos vert-jaune ; ailes et queue brun foncé et vert ; croupion jaune vif ; dessous vert clair ; dessus de la tête rouge ; mâle : moustaches rouges encadrées de noir ;
femelle : moustaches noires. Jeunes très tachetés dessus et dessous, croupion jaunâtre.
H Absent en Corse. Campagne cultivée, forêts claires, haies, parcs, vergers, allées d'arbres. Sédentaire.
P Tambourine rarement. Régime : surtout fourmis capturées à terre et autres insectes (aussi sur les arbres).
Chant : « tieu tieu tieu » descendant (sorte de rire).
Reproduction (avril-juillet) : nid creusé dans un arbre ; les adultes couvent 4-8 œufs pendant 15-17 jours ; envol des jeunes à 23-27 jours.

Pic cendré

Picus canus

C 25-27 cm. Plus terne que le pic vert et plus petit.
Croupion jaune moins vif ; rouge seulement sur le front du mâle, reste de la tête gris ; fines moustaches noires.
H Bretagne, Normandie, Île-de-France, Centre, Nord-Est.
Forêts de feuillus et mixtes, allées d'arbres. Sédentaire.
P Très discret. Tambourinage fréquent et long.
Chant : phrase descendante, plaintive, ralentie à la fin.
Régime : insectes, fruits, graines. Reproduction (mai-juillet) : nid creusé dans un arbre au bois tendre ou pourri ; les adultes couvent 7-9 œufs pendant 14-17 jours ; envol des jeunes à 24-28 jours.

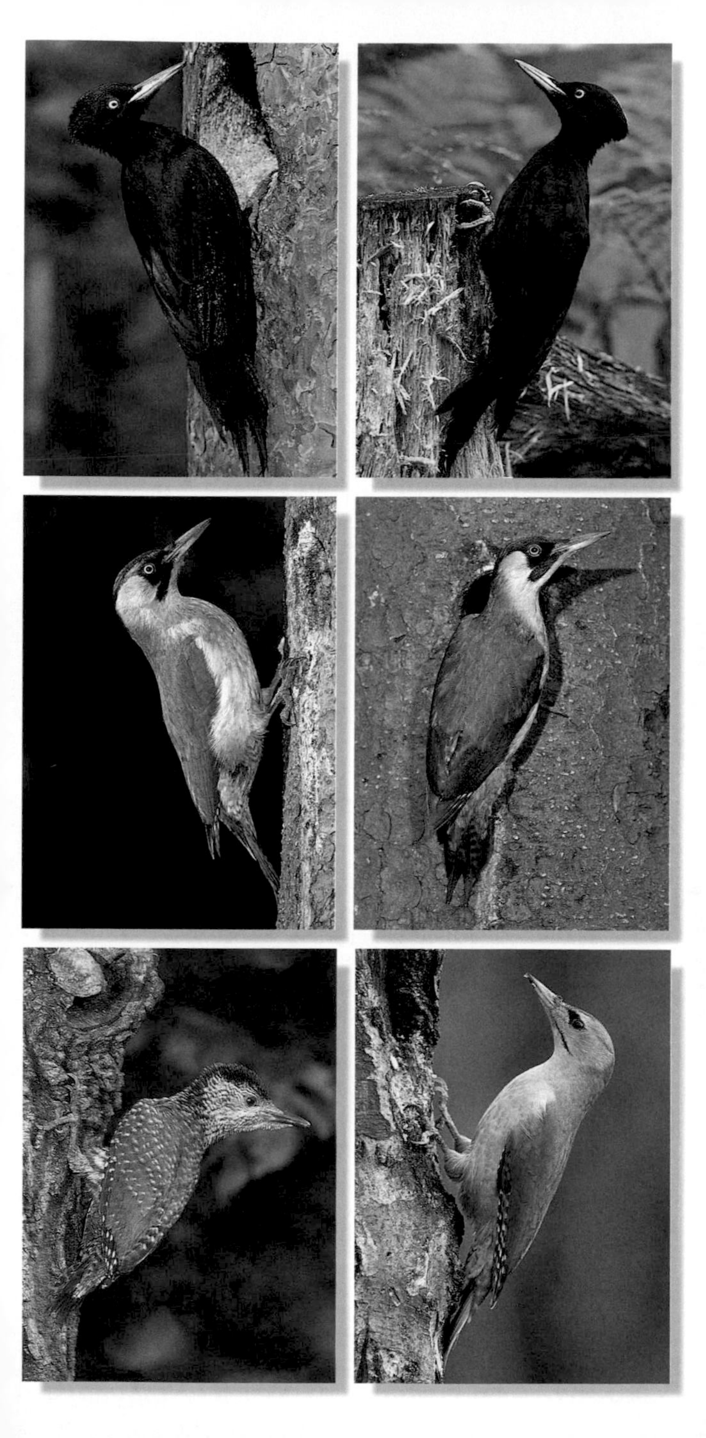

Pic épeiche

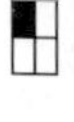

Dendrocopos major

C 22-23 cm. Pic bigarré, plumage noir, blanc et rouge.
Dos noir avec 2 grandes taches blanches ; sous-caudales rouges ; mâle : tache rouge sur la nuque ; femelle : sans rouge sur la nuque.
H Plaine et montagne. Lieux boisés (forêts, bosquets, parcs, jardins). Sédentaire. Rarement à terre (arboricole).
P Tambourinage bref, fréquent ; cris secs : « kik », souvent en série. Régime : insectes xylophages ; en hiver, graines de résineux. Reproduction (avril-juillet) : nid creusé dans un arbre ; 47 œufs couvés 11-14 jours ; envol des jeunes à 20-23 jours.

Pic épeichette

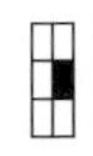

Dendrocopos minor

C 14 cm. Pic bigarré, noir, blanc et rouge (limité à la calotte du mâle) ; femelle sans rouge (front blanchâtre).
H Forêts, parcs, jardins. Absent notamment en Corse.
P Cris en série rapide aiguë. Tambourinage assez faible, mais plus long que celui de l'épeiche. Régime : insectes et leurs larves. Reproduction (mai-juillet) : nid creusé dans le bois mort ; 4-5 œufs couvés 11-12 jours ; envol des jeunes à 18-20 jours.

Torcol fourmilier P

Jynx torquilla

C 16,5 cm. Sexes semblables. Plumage couleur de l'écorce, gris et brun finement marqué de noir ; bande noire au milieu du dos ; dessous jaunâtre tacheté de noir ; queue arrondie.
H Surtout Centre, Est, Sud-Est, Sud-Ouest, Corse. Campagne cultivée, vergers, parcs. Migrateur (hiverne en Afrique tropicale).
P Passe inaperçu, mais chant nasillard : « couin couin couin » en avril-mai. Régime : fourmis et autres insectes. Reproduction (mai-juillet) : pond dans un trou d'arbre 5-12 œufs couvés 13-14 jours par les adultes ; envol des jeunes à 20-26 jours.

Martin-pêcheur P

Alcedo atthis

C 16-17 cm. Sexes semblables. Trapu ; queue très courte. Dessus bleu-vert brillant ; dessous roux orangé ; tache blanche au cou ; petites pattes rouges ; bec noir, en poignard.
H Bords des eaux. En hiver, visible sur les côtes. Sédentaire.
P Se nourrit de poissons qu'il pêche en plongeant ou en vol. Cris aigus. Reproduction (avril-août) : nid : galerie horizontale creusée dans une berge. Les adultes couvent 5-7 œufs pendant 18-21 jours.

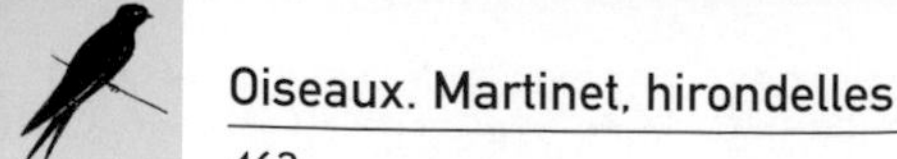

Martinet noir

Apus apus

C 17 cm. Sexes semblables. Brun-noir sauf gorge blanchâtre ; longues ailes recourbées ; queue échancrée ; pattes très petites.
H Villages, villes. Migrateur, hiverne en Afrique tropicale.
P Passe presque toute sa vie dans l'espace. Vol rapide. Cris perçants : « srii ». Insectivore. Reproduction (mai-juillet) : nid : débris végétaux, plumes, collés avec la salive ; sous un toit, dans un trou de muraille ; 2-3 œufs couvés 18-20 jours ; envol à 5-8 semaines.

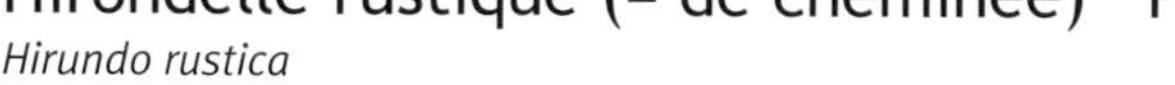

Hirondelle rustique (= de cheminée) P

Hirundo rustica

C 17-19 cm. Très svelte ; queue très fourchue, celle du mâle plus longue que celle de la femelle. Dessus bleu foncé métallique ; dessous blanc crème ; front et gorge roux ; très longues ailes pointues.
H Villages, bord des villes. Migratrice, hiverne en Afrique au sud du Sahara.
P Vol rapide et souple. Chasse des insectes en vol, tantôt assez haut, tantôt au ras du sol (par temps humide). Se perche sur fils électriques. Chant : gazouillis. Reproduction (mai-août) : nid en boue dans hangar, grange ; 4 (6) œufs couvés 15 jours ; sortie du nid à 21 jours.

Hirondelle de fenêtre

Delichon urbica

C 13 cm. Sexes semblables. Dessus bleu-noir ; dessous et croupion blancs ; queue peu fourchue.
H Villes, villages. Migratrice, hiverne au sud du Sahara.
P Vol moins direct que celui de l'hirondelle de cheminée. Insectivore. Gazouillis peu sonore. Fidèle aux sites de nidification ; généralement en petites colonies. Reproduction (mai-septembre) : nid en boue (demi-sphère), à l'extérieur des bâtiments ; 3-6 œufs couvés 14-16 jours ; envol des jeunes à 20-30 jours.

Hirondelle de rivage P

Riparia riparia

C 12 cm. Dessus brun terne ; dessous blanc avec bande pectorale brune. Sexes semblables. Ailes pointues.
H Localisée (niche dans sablières, gravières). Migratrice, hiverne en Afrique (sud-ouest).
P Insectivore, chasse souvent au-dessus de l'eau. Reproduction (mai-août). Niche en colonie ; creuse une galerie horizontale (plus de 50 cm) dans une paroi de sable ; les adultes couvent 4-6 œufs pendant 12-16 jours ; envol des jeunes à 16-22 jours.

Alouette des champs P

Alauda arvensis

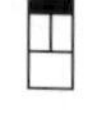

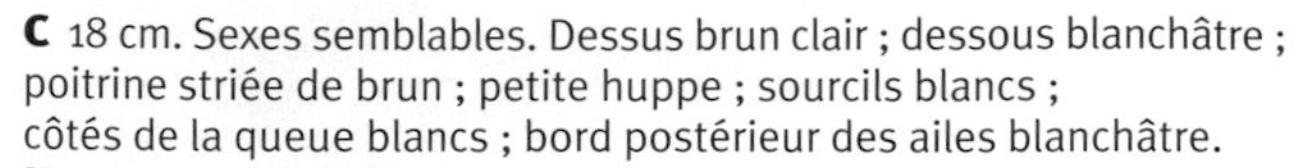

C 18 cm. Sexes semblables. Dessus brun clair ; dessous blanchâtre ; poitrine striée de brun ; petite huppe ; sourcils blancs ; côtés de la queue blancs ; bord postérieur des ailes blanchâtre.
H Campagne. En hiver, groupes venus d'Europe centrale.
P Court rapidement. Régime : insectes, vers, graines. Chant en vol sur place ou circulaire. Reproduction (avril-juillet) : nid à terre ; 4-5 œufs couvés par la femelle 10-14 jours ; les jeunes quittent le nid à 9-10 jours.

Cochevis huppé P

Galerida cristata

C 17 cm. Sexes semblables. Ressemble à l'alouette des champs ; différences : longue huppe dressée, côtés de la queue roussâtres.
H Absent en Corse et localement. Champs, terrains vagues, lieux secs. Sédentaire.
P Régime : insectes et graines. Chant plaintif, à phrases brèves, émis à terre ou sur un perchoir (toit). Reproduction (avril-juillet) : nid à terre ; 3-5 œufs couvés 12-14 jours ; souvent 2 pontes par an ; sortie du nid à 9-11 jours.

Pipit spioncelle

Anthus spinoletta

C 16,5 cm. Sexes semblables. Dessus gris-brun ; tête grise ; dessous rosé à peine strié en été, fortement tacheté en hiver ; pattes sombres.
H Montagnes et Corse. Alpages. Migrateur ; en hiver, descend en plaine au bord de l'eau.
P Chant sonore du haut d'un perchoir ou en vol horizontal. Régime : petits animaux et graines. Reproduction (mai-juin) : nid à terre, protégé par dessus ; 4-5 œufs couvés 14-16 jours par la femelle ; sortie du nid à 14-16 jours.

Pipit des arbres

Anthus trivialis

C 15 cm. Sexes semblables. Dessus brun strié de noirâtre ; poitrine crème, rayée ainsi que les flancs ; ventre blanc ; pattes roses.
H Absent en Corse. Forêts claires, coupes, lisières. Migrateur, hiverne en Afrique au sud du Sahara.
P Chant en vol typique : s'élance d'un perchoir, monte vite en lançant des « sisisi » et descend en plané, ailes relevées, en émettant des « tsia tsia », puis se perche à nouveau. Régime : insectes pris à terre ou sur les arbres. Reproduction (mai-juillet) : nid à terre ; 5-6 œufs couvés 12-14 jours ; sortie du nid à 12-13 jours.

Bergeronnette grise

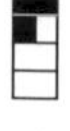

Motacilla alba

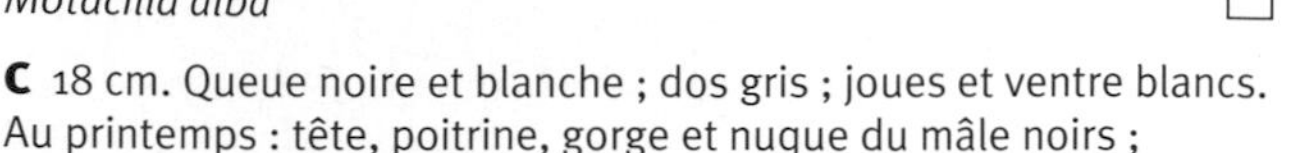

C 18 cm. Queue noire et blanche ; dos gris ; joues et ventre blancs. Au printemps : tête, poitrine, gorge et nuque du mâle noirs ; femelle : nuque grise. Jeunes brunâtres et gris.
H Absente en Corse. Villages, campagne cultivée ; au bord de l'eau ou à distance. Migratrice partielle.
P Marche à petits pas rapides. Hoche souvent la queue. Vol ondulé. Chant peu sonore ; cri fréquent : « tsisit ». Reproduction (mars-juillet) : nid dans une cavité peu profonde, trou de muraille, sous un toit ; 5-6 œufs couvés 12-14 jours ; sortie du nid à 13-16 jours.

Bergeronnette printanière P

Motacilla flava

C 17 cm. Mâle : dessus gris-vert ou vert olive ; dessous jaune ; tête grise ; sourcils clairs ; queue pas très longue.

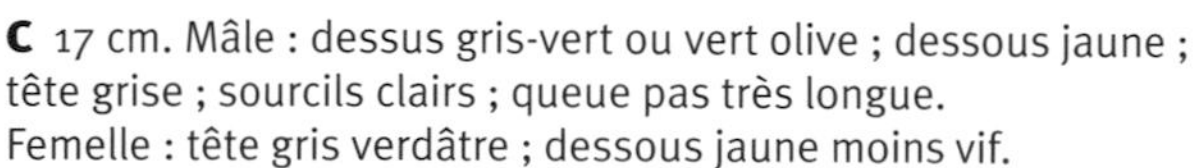

Femelle : tête gris verdâtre ; dessous jaune moins vif.
H Absente localement. Prairies humides, champs, proches d'eau courante, marais. Migratrice, hiverne en Afrique occidentale.
P Chasse des insectes en marchant ou en brèves envolées. Cri habituel : « psi » ; chant formé d'une série de cris, émis en vol ou du haut d'un perchoir. Reproduction (mai-juillet) : nid à terre, bien caché ; 5-6 œufs couvés 12-14 jours ; sortie du nid à 10-13 jours.

Bergeronnette des ruisseaux

Motacilla cinerea

C 18 cm. Très longue queue. Mâle : dessus gris ; dessous, croupion et bas-ventre jaunes ; sourcils blancs ; gorge noire (blanche en hiver). Femelle grise, dessous jaunâtre à blanc.
H Bords des torrents, rivières rapides, lacs (plaine et montagne). Migratrice partielle.
P Vol ondulé ; trottine ; queue constamment balancée comme chez les autres bergeronnettes. Régime : petits animaux pris au bord de l'eau. Reproduction : nid dans une petite cavité (berge), sous un pont, mur de soutènement, d'écluse, sous des racines ; 4-6 œufs couvés 12-14 jours ; sortie du nid à 11-14 jours.

Cincle plongeur

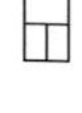

Cinclus cinclus

C 18 cm. Queue très courte souvent relevée ; trapu ; sexes semblables. Dessus brun-gris ; gorge et poitrine blanches ; ventre brun ou noir bien délimité.
H Plaine et montagne ; bord des ruisseaux rapides. Sédentaire.
P Fait souvent des courbettes. Cris secs : « Zitt-Zitt ». Régime : petits animaux pris dans l'eau. Le seul passereau européen capable de plonger. Reproduction (mars-juillet) : gros nid de mousse globuleux, près de l'eau, sous les ponts ; 5-6 œufs couvés 14-18 jours ; sortie du nid à 19-25 jours.

Troglodyte mignon

Troglodytes troglodytes

C 9 cm. Sexes semblables. Silhouette ronde. Brun-roux rayé de brun-noir ; courte queue souvent dressée et agitée.
H Forêts, parcs, jardins avec épais buissons.
P Se faufile dans les fouillis végétaux ; vole sur de brèves distances. Chant très puissant, scandé, stéréotypé. Régime : petits animaux. Reproduction (avril-juillet) : nid globuleux, en mousse, près du sol ; la femelle couve 5-7 œufs pendant 14-17 jours.

Accenteur alpin

Prunella collaris

C 18 cm. Sexes semblables. Tête et dessous gris ; gorge blanche tachetée de noir ; dessus gris-brun rayé en long ; flancs striés de roux ; queue brun foncé, petites taches blanches au bout.
H Montagnes, au-dessus de la limite des arbres
P Cris fréquents, aigus ; chant comme celui de l'alouette des champs (p. 464). Régime : insectes, araignées, graines. Migrateur partiel. Reproduction (mai-août) : nid à terre ou dans une fente de rocher ; 4-5 œufs couvés 13-15 jours ; sortie du nid à 16 jours.

Accenteur mouchet, traîne-buisson

Prunella modularis

C 15 cm. Sexes semblables. Dessus brun rayé de noir ; tête brune et grise ; dessous gris, stries foncées sur les flancs.
H Manque en Corse. Forêts, parcs, jardins ; plaine et montagne. Migrateur partiel. Souvent confondu avec le moineau domestique, mais bec fin, solitaire.
P Secoue souvent la queue. Régime : petits animaux, graines. Reproduction (avril-août) : nid bien caché dans un buisson ; 4-5 œufs couvés 12-14 jours ; sortie du nid à 12-14 jours.

Grive litorne

Turdus pilaris.

C 25-26 cm. Sexes semblables. Tête et croupion gris ; dos brun-marron ; dessous jaunâtre rayé de brun-noir sauf ventre blanc.
H Est et Sud-Est, Massif central, Bassin parisien.
Campagne cultivée avec bosquets, vergers, peupleraies. En hiver, de nombreuses litornes d'Europe du nord viennent en France.
P Sociable. Régime : vers, insectes, baies. Cris fréquents : « tia tia ». Chante en vol. Reproduction (avril-juillet) : niche en petites colonies sur des arbres ; 4-6 œufs couvés 13-14 jours ; sortie du nid à 14-15 jours.

Grive draine

Turdus viscivorus

C 26,5 cm. Sexes semblables. Dessus brun terne ;
dessous blanc jaunâtre tacheté de brun-noir.
H Forêts, parcs, vergers, prairies. De nombreux oiseaux issus d'Europe centrale viennent passer l'hiver en France.
P Régime : vers, insectes ; en hiver, baies de gui.
Cris secs : « dreeé » ; chant précoce, tonalité plaintive, phrases courtes. Reproduction (mars-juillet) : nid sur un arbre ; 4-6 œufs couvés 14 jours ; sortie du nid à 14-16 jours.

Grive musicienne

Turdus philomelos

C 21-23 cm. Sexes semblables. Dessus brun clair ;
dessous blanc et jaunâtre tacheté de brun-noir.
H Manque en Corse. Forêts, haies, parcs, jardins. L'hiver, de nombreux oiseaux d'Europe centrale viennent en France
P Chant typique, motifs répétés 2-4 fois : « tilip tilip tilip ».
Régime : vers, escargots, insectes, graines, fruits.
Reproduction (avril-juillet) : nid sur un petit arbre, coupe nue ; 4-6 œufs couvés 14 jours ; sortie du nid à 13 jours environ.

Merle à plastron

Turdus torquatus

C 24 cm. Mâle noir avec plastron blanc en croissant ; femelle brun à gris-noir ; dessous un peu plus clair, plastron gris pâle.
H Alpes, Pyrénées, Massif central, Nord, Ardennes,
Bretagne (localisé). Prés, bois en montagne. Migrateur.
P Chant : motifs courts, répétés, mêlés de sons rauques.
Vol rapide. Régime : vers, insectes, baies.
Reproduction (avril-août) : nid à faible hauteur sur un résineux ; 4-5 œufs couvés 14 jours ; sortie du nid à 14 jours.

Merle noir

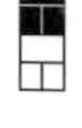

Turdus merula

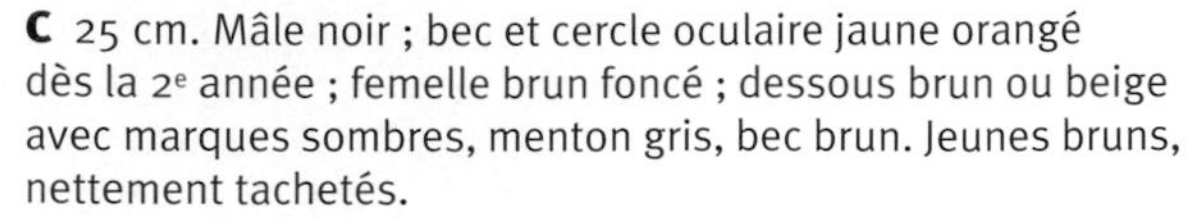

C 25 cm. Mâle noir ; bec et cercle oculaire jaune orangé dès la 2e année ; femelle brun foncé ; dessous brun ou beige avec marques sombres, menton gris, bec brun. Jeunes bruns, nettement tachetés.
H Forêts, parcs, jardins ; villes et villages. Sédentaire. Des sujets d'Europe centrale viennent hiverner en France ou y passent.
P Régime : vers, insectes, fruits. Chante matin et soir souvent du haut d'un perchoir, phrases très variées. Reproduction (mars-août) : nid sur un buisson, un arbre, contre un bâtiment ; 4-6 œufs couvés 12-15 jours ; sortie du nid à 12-13 jours.

Rossignol philomèle

Luscinia megarhynchos

C 16 cm. Sexes semblables. Dessus brun-roux ; dessous blanchâtre ; queue rousse, souvent redressée.
H Absent localement en Bretagne, Normandie. Bois de feuillus, fourrés, parcs, grands jardins avec buissons. Migrateur, hiverne au sud du Sahara.
P Chante jour et nuit (chant caractérisé par un long crescendo flûté) ; cris d'alarme : « ouis kra kra ». Régime : petits animaux et baies. Reproduction : nid proche du sol dans la végétation ; 4-6 œufs couvés 13 jours ; sortie du nid à 13-14 jours.

Rouge-gorge

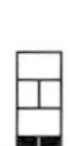

Erithacus rubecula

C 13-14 cm. Sexes semblables. Silhouette ronde ; grands yeux. Dessus brun olive ; ventre blanchâtre ; front et plastron roux orangé. Jeunes : dessus brunâtre, dessous crème, tacheté.
H Forêts, parcs, jardins, haies. En hiver, des migrateurs d'Europe centrale séjournent en France.
P Familier. Se nourrit, à terre, de petits animaux, baies. Chant très aigu, très varié, audible une grande partie de l'année. Reproduction (avril-juillet) : nid dans un creux du sol, entre des racines d'arbre, dans un trou de mur, un appentis, un lierre ; 5-7 œufs couvés 13-15 jours ; sortie du nid à 12-15 jours.

Rouge-queue noir

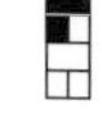

Phœnicurus ochruros

C 14-15 cm. Mâle noir et gris sauf croupion et queue roux, et marque alaire blanche. Femelle et jeunes gris-brun, queue et croupion roux.
H Villages, villes, rochers en montagne, vignobles. Migrateur partiel (en France, hiverne dans l'Ouest et le Sud-Ouest).
P Queue presque constamment agitée. Chant bref, aigu, dès l'aube, émis du haut d'un toit ou d'une antenne de TV. Régime : insectes, araignées, baies en automne. Reproduction (avril-juillet) : nid dans une cavité de mur, sous un toit ; 4-6 œufs couvés 13 jours ; sortie du nid à 16-20 jours.

Rouge-queue à front blanc P

Phœnicurus phœnicurus

C 14 cm. Mâle : front blanc ; joues et gorge noires ; poitrine rousse ; dos gris ; queue et croupion roux. Femelle : dessus gris-brun ; dessous roussâtre ; queue et croupion roux.
H Absent en Corse. Forêts claires, parcs, jardins. Migrateur, hiverne au sud du Sahara.
P Agite la queue, fait des courbettes. Souvent perché sur les arbres, poteaux, rarement sur les toits. Insectivore. Chant plus harmonieux que celui du rouge-queue noir, scandé, stéréotypé ; cri fréquent : « huit, tectec ». Reproduction (mai-juillet) : nid dans un trou d'arbre, de mur, un nichoir ; 5-7 œufs couvés 12-14 jours ; sortie du nid à 14-15 jours.

Tarier des prés P

Saxicola rubetra

C 13 cm. Queue courte. Se tient dressé. Dessus brun rayé de noir ; grands sourcils blanchâtres ; dessous orangé ; taches blanches à la base de la queue. Femelle : plus terne, sourcils roussâtres. Marque alaire blanche chez les 2 sexes.
H Prairies humides, tourbières plates, marais herbeux. Migrateur, hiverne en Afrique au sud du Sahara. En diminution.
P Perché sur un buisson, une clôture, fait des courbettes et agite la queue. Régime : insectes, vers, mollusques ; baies en automne. Chant : phrases courtes. Reproduction (mai-août) : nid à terre dans la végétation ; 4-7 œufs couvés 13-15 jours ; sortie du nid à 13-15 jours.

Locustelle tachetée

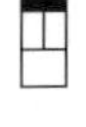

Locustella naevia

C 13 cm. Sexes semblables. Dessus brun olive finement strié ; dessous blanc jaunâtre faiblement rayé ; queue large et arrondie.
H Dans les 3/4 Nord, mais pas partout. Prairies humides, friches, coupes, landes, marais. Migratrice, hiverne en Afrique tropicale.
P Très peu visible (reste dans les buissons, la végétation épaisse). Insectivore. Chant monotone, long, émis jour et nuit.
Reproduction (mai-juillet) : nid bien caché à terre ;
4-6 œufs couvés 13-15 jours ; sortie du nid à 10-12 jours.

Rousserolle effarvatte

Acrocephalus scirpaceus

C 13 cm. Sexes semblables. Dessus brun clair ; dessous crème. Diffère de la rousserolle verderolle (ci-dessous) surtout par sa voix.
H Essentiellement dans les 2/3 Nord, mais aussi en Corse. Migratrice. hiverne en Afrique centrale. Au bord des étangs...
P Grimpe bien sur les tiges de roseau. Chant rythmé, peu sonore, rapide, avec répétition des motifs (2-3 fois). Surtout insectivore. Reproduction (mai-juillet) : nid en corbeille, profond, accroché à quelques tiges de roseau ; 3-5 œufs couvés 11-12 jours.

Rousserolle verderolle

Acrocephalus palustris

C 12-13 cm. Sexes semblables. Dessus brun olive ; dessous crème ; gorge blanche ; pattes roses. Diffère de la rousserolle effarvatte surtout par son chant.
H Nord, Est et Sud-Est ; manque ailleurs. Prairies humides, champs de céréales... Migratrice, hiverne en Afrique au sud de l'Équateur.
P Chant mélodieux (jour et nuit), varié, comportant des imitations d'autres oiseaux. Insectivore. Reproduction (mai-juillet) : nid accroché à des tiges de végétaux herbacés, jamais au-dessus de l'eau ; 3-5 œufs couvés 12 jours ; sortie du nid à 10-14 jours.

Hypolaïs ictérine

Hippolais icterina

C 13 cm. Sexes semblables. Dessus gris-vert ; dessous jaune ; pattes bleu clair ; sourcils jaunes.
H Nord, Lorraine, Alsace, Jura, nord de la Champagne ; se raréfie. Parcs, bois clairs... Migratrice, hiverne en Afrique tropicale.
P Chant comportant des motifs répétés et des imitations d'oiseaux. Régime : petits animaux. Reproduction (mai-juillet) : nid dans une enfourchure d'arbre ; 4-5 œufs couvés 12-14 jours.

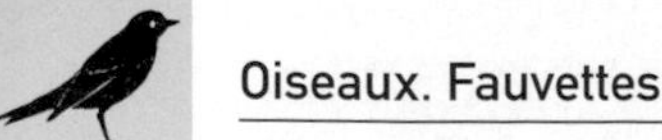

Fauvette à tête noire

Sylvia atricapilla

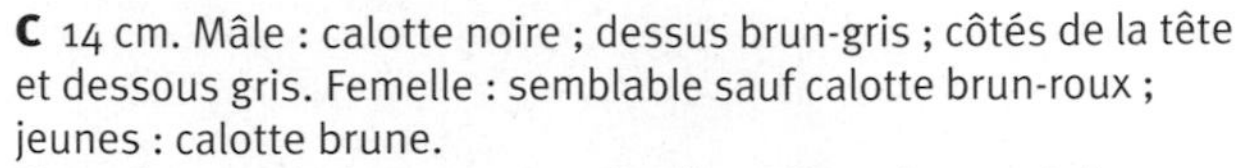

C 14 cm. Mâle : calotte noire ; dessus brun-gris ; côtés de la tête et dessous gris. Femelle : semblable sauf calotte brun-roux ; jeunes : calotte brune.
H Forêts avec buissons, parcs, jardins. Migratrice partielle, hiverne dans l'Ouest et le Midi.
P Régime : insectes et autres petits animaux ; baies en automne. Cri fréquent : « tac tac ». Chant mélodieux, d'abord faible, puis allant crescendo. Reproduction (avril-juillet) : nid à faible hauteur dans un buisson ; 4-6 œufs couvés 13-15 jours ; séjour au nid : 10-14 jours.

Fauvette des jardins

Sylvia borin

C 14 cm. Sexes semblables. Plumage terne, gris-brun, un peu plus clair dessous, sans marque particulière.
H Absente en Corse et près de la Méditerranée. Forêts avec sous-bois dense, taillis. Malgré son nom, ne vit pas dans les jardins. Migratrice, hiverne en Afrique tropicale.
P Discrète, présence signalée par son chant semblable au début de celui de *sylvia atricapilla* (ci-dessus), mais plus fort et plus long. Régime : insectes, autres petits animaux ; baies en automne. Reproduction (mai-juillet) : nid caché dans un buisson ; 3-5 œufs couvés 11-12 jours ; sortie du nid à 9-12 jours.

Fauvette babillarde

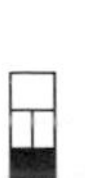

Sylvia curruca

C 13 cm. Sexes semblables. Dessus brun-gris ; masque foncé autour des yeux ; dessous blanc crème ; pattes sombres ; queue assez courte.
H Nord, Est et localement Nord-Ouest et Sud-Est, manque ailleurs et en Corse. Lisières, grosses haies. Migratrice, hiverne en Afrique orientale.
P Très discrète. Régime : insectes ; mange moins de baies que les autres fauvettes. Cri : « tset » sec ; chant finissant par une note plus forte, répétée. Reproduction (mai-juillet) : nid bien caché ; les adultes couvent 3-5 œufs 11-15 jours ; sortie du nid à 10-15 jours.

Pouillot siffleur

Phylloscopus sibilatrix

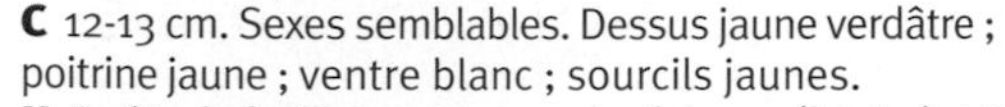

C 12-13 cm. Sexes semblables. Dessus jaune verdâtre ; poitrine jaune ; ventre blanc ; sourcils jaunes.
H Forêts de feuillus, mixtes ou de résineux (futaies). Migrateur, hiverne en Afrique tropicale. Surtout dans les 3/4 Nord, manque en Corse.
P Insectivore. Chant émis perché ou en vol bref : 2 parties, phrase finissant par un trille et 6-8 notes plaintives, descendantes. Reproduction (mai-juillet) : nid à terre, en forme de four ; 5-7 œufs couvés 13-14 jours ; sortie du nid à 11-12 jours.

Pouillot véloce

Phylloscopus collybita

C 11 cm. Sexes semblables. Dessus brun verdâtre clair ; dessous blanchâtre teinté de jaune ; pattes foncées (en principe). Diffère du *pouillot fitis (P. trochilus)*, proche, par son chant.
H Forêts, parcs. Migrateur partiel.
P Très remuant. Régime : insectes et autres petits animaux pris sur les feuilles des arbres. Chant typique : répétition de 2 notes : « tsip tsap ». Reproduction (avril-juillet) ; nid à terre ou juste au-dessus ; 4-6 œufs couvés 13-14 jours ; sortie du nid à 13-14 jours.

Gobe-mouches gris

Muscicapa striata

C 13,5 cm. Sexes semblables. Dessus brun, front strié ; dessous blanchâtre finement strié sur la poitrine ; ailes et queue assez longues.
H Lisières des forêts, parcs, grands jardins, allées d'arbres. Migrateur, hiverne en Afrique tropicale.
P Agite souvent ailes et queue. Insectivore, vols de chasse brefs, revient sur son perchoir. Chant monotone, faible. Reproduction (mai-juillet) : nid dans une cavité ; 4-6 œufs couvés 12-15 jours.

Gobe-mouches noir

Ficedula hypoleuca

C 13 cm. Mâle au printemps : tête et dos noirs ; ailes et queue noires et blanches ; front et dessous blancs. Femelle : noir remplacé par du gris-brun ; pas de blanc au front.
H Nord, Est, Sud-Est et Centre ; ailleurs, de passage. Migrateur, hiverne en Afrique tropicale. Forêts, vergers, parcs.
P Vols de chasse brefs. Insectivore. Chant : phrase rythmée, notes répétées : « titi-tiutiti »; cris brefs : « pitt pitt ». Reproduction (mai-juillet) : nid dans un trou d'arbre, un nichoir ; 4-7 œufs couvés 13-15 jours ; sortie du nid à 12-17 jours.

Roitelet huppé

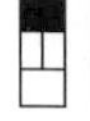

Regulus regulus

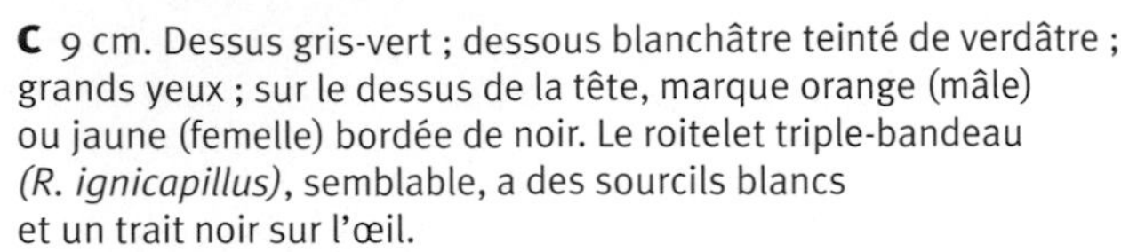

C 9 cm. Dessus gris-vert ; dessous blanchâtre teinté de verdâtre ; grands yeux ; sur le dessus de la tête, marque orange (mâle) ou jaune (femelle) bordée de noir. Le roitelet triple-bandeau *(R. ignicapillus)*, semblable, a des sourcils blancs et un trait noir sur l'œil.
H Forêts de résineux, parcs. Migrateur partiel en Europe.
P Chasse insectes et araignées en vol papillonnant dans la cime des arbres. Chant très aigu, phrase montante et descendante. Reproduction (avril-juillet) : nid accroché à un rameau de résineux ; 8-11 œufs couvés 16 jours ; sortie du nid à 14-20 jours.

Orite, « mésange » à longue queue

Aegithalos caudatus

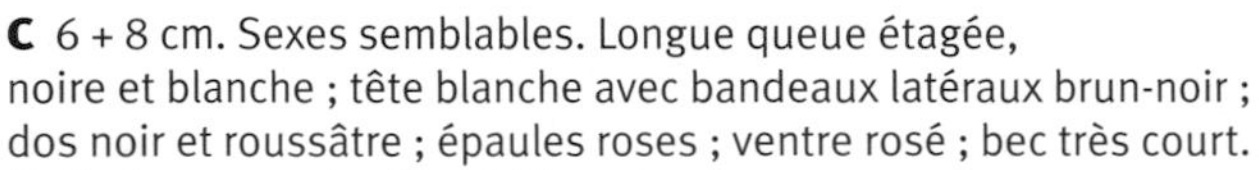

C 6 + 8 cm. Sexes semblables. Longue queue étagée, noire et blanche ; tête blanche avec bandeaux latéraux brun-noir ; dos noir et roussâtre ; épaules roses ; ventre rosé ; bec très court.
H Forêts, parcs, jardins. Sédentaire.
P Chasse les insectes dans arbres et buissons. Après la reproduction, en groupes, dont les membres crient souvent : « sisisi » et « trett trett ». Chant, faible. Reproduction (mars-juin) : nid ovoïde artistement tissé en mousse, garni de plumes, à hauteur variable sur un arbre ; 6-12 œufs couvés 12-13 jours ; sortie du nid à 15-16 jours.

Mésange nonnette

Parus palustris

C 12 cm. Sexes semblables. Dessus brun-gris ; joues et dessous blanc-gris ; flancs brunâtres ; calotte et menton (petit carré) noirs. Diffère de la mésange boréale (*P. montanus*), localisée, surtout par sa voix.
H Absente : Corse, Midi méditerranéen. Forêts, parcs, jardins. Sédentaire.
P Régime : insectes, araignées, autres petits animaux ; graines stockées dans des fentes d'écorce. Cris : « sidiésidiédié » ; chant, répétition rapide d'un motif. Reproduction (avril-juin) : nid dans un trou d'arbre, un nichoir ; la femelle couve 6-10 œufs pendant 12-15 jours ; sortie du nid à 17-20 jours.

Mésange charbonnière

Parus major

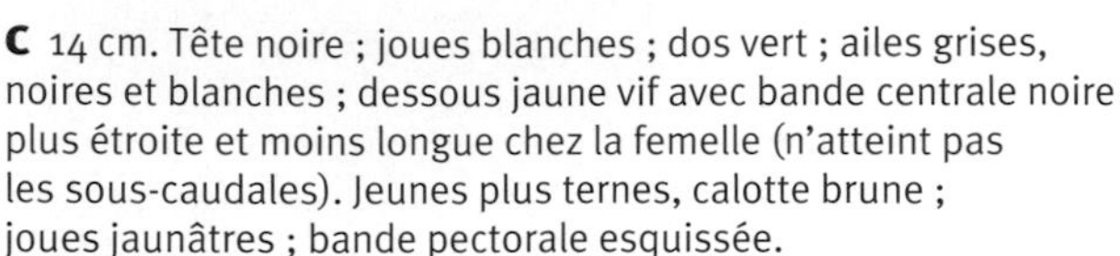

C 14 cm. Tête noire ; joues blanches ; dos vert ; ailes grises, noires et blanches ; dessous jaune vif avec bande centrale noire plus étroite et moins longue chez la femelle (n'atteint pas les sous-caudales). Jeunes plus ternes, calotte brune ; joues jaunâtres ; bande pectorale esquissée.
H Forêts, parcs, jardins. Sédentaire.
P Très vive. Se nourrit sur les arbres, buissons (insectes, graines). Chant scandé : « titi-u titi-u », audible dès la fin de l'hiver. Reproduction (mars-juin) ; nid dans un trou d'arbre, un nichoir, une boîte aux lettres ; 8-12 œufs couvés 13-14 jours ; sortie du nid à 15-22 jours.

Mésange bleue

Parus caeruleus

C 12 cm. Sexes semblables. Femelle un peu plus terne que le mâle. Tête bleue sauf joues blanches entourées de noir ; dos verdâtre ; ailes et queue bleu clair ; dessous jaune. Jeunes : dessus brun verdâtre ; joues jaunes.
H Forêts, parcs, jardins. Sédentaire.
P Aussi agile que les autres mésanges (examine les branches en prenant toutes sortes de positions). Régime : insectes, graines. En hiver, souvent en compagnie de la mésange charbonnière. Chant aigu : « trirrr » descendant. Reproduction (avril-juin) : nid dans un trou d'arbre, de mur, un nichoir, une boîte aux lettres ; 7-13 œufs couvés 14-15 jours par la femelle ; sortie du nid à 15-20 jours.

Mésange noire, petite charbonnière

Parus ater

C 11,5 cm. Sexes semblables. Dessus, ailes et queue gris (2 barres alaires blanches) ; dessous blanchâtre ; joues blanches ; tache blanche sur la nuque ; tête noire.
H Forêts de résineux et mixtes, parcs et jardins. Sédentaire.
P Agile. Régime : insectes pris sur feuilles, écorces ; en hiver, graines d'épicéa. Chant scandé, formé de cris bisyllabiques répétés : « titiu titiu ». Reproduction (mars-juin) : nid dans un trou d'arbre, de mur, de pic ; 7-10 œufs couvés 12-16 jours.

Mésange huppée

Parus cristatus

C 12 cm. Sexes semblables. Dessus brun-gris ; dessous blanchâtre et roussâtre ; joues blanches avec un croissant noir ; huppe pointue, noire et blanche.
H Absente : Corse et ici et là. Forêts de résineux et mixtes, parcs. Sédentaire
P Régime : insectes, araignées, graines de résineux. Cri typique : « sisitrre » ; chant, répétition des cris. Reproduction (avri1-juin) : creuse un trou dans du bois pourri ; 5-9 œufs couvés 13-15 jours ; sortie du nid à 20-22 jours.

Grimpereau des jardins

Certhia brachydactyla

C 13 cm. Sexes semblables. Dessus brun strié ; dessous blanchâtre ; flancs brunâtres ; long bec fin, arqué. Diffère du grimpereau familier *(C. familiaris)*, très proche, surtout par son chant.
H Absent en Corse. Forêts, parcs, jardins. Sédentaire.
P Escalade le tronc et les branches des arbres. Insectivore (aussi graines en hiver). Reproduction (avril-juillet) : 4-7 œufs couvés 14-15 jours ; sortie du nid à 15-16 jours.

Sittelle torchepot

Sitta europaea

C 14 cm. Sexes semblables. Dessus gris-bleu ; gorge blanche ; poitrine roussâtre pâle ; flancs marron ; trait noir sur l'œil ; queue très courte ; bec robuste.
H Absente en Corse. Forêts, parcs, jardins avec arbres. Sédentaire.
P Excellent grimpeur. Insectivore et granivore en hiver. Cris sonores : « tuit tuit ». Chant printanier : « ririrwww » en roulade. Reproduction (avril-juin) : occupe un trou d'arbre et, avec de la boue, en réduit l'entrée à sa taille ; 5-8 œufs couvés 15-18 jours.

Moineau domestique, pierrot

Passer domesticus

C 14,5-15 cm. Mâle : dessus de la tête gris, bordé de marron ; joues blanchâtres ; gorge noire ; dos brun-roux strié de noir ; croupion gris. Femelle : dessus gris-brun ; dessous gris-beige.
H Absent en Corse où vit le moineau cisalpin, parfois considéré comme une sous-espèce du moineau domestique.
Seulement villes et villages. Sédentaire.
P Très sociable toute l'année. Régime : insectes, graines, fruits, pique des fleurs, déchets. Voix : pépiements variés, notamment « schilp schilp ». Reproduction (avril-juillet) : nid dans une cavité de bâtiment, sous un toit, dans un lampadaire ; 4-6 œufs couvés 11-14 jours ; sortie du nid à 14-16 jours.
Les adultes couvent et nourrissent les jeunes.

Moineau friquet P

Passer montanus

C 13,5-14 cm. Sexes semblables. Dessus brun-marron ; tête marron ; joues blanches avec tache noire ; petit collier blanc ; dessous gris clair.
H Campagne cultivée ; villages, champs, haies. Sédentaire.
P Sociable, souvent en troupes après la reproduction.
Cris plus brefs que ceux de *Passer domesticus* (ci-dessus).
Granivore et insectivore. Reproduction (avril-juillet) ; nid dans un trou d'arbre ou de mur, un nichoir ; 4-6 œufs couvés 11-14 jours ; sortie du nid à 14-16 jours.

Niverolle P

Montifringilla nivalis

C 18 cm. Sexes semblables. Dessus brun ; dessous blanc crème ; tête grise ; gorge noire : ailes blanches et noires ; queue blanche, noire au centre ; bec noirâtre au printemps, jaune à pointe noire en hiver. Fait partie de la même famille que les moineaux (Passéridés).
H Alpes, Pyrénées, Corse ; entre 2 000 et 2 800 m (étage alpin).
Près des stations de ski.
P Granivore et insectivore. Migratrice partielle. Cris : « psi » ; chant : gazouillis aigu, peu varié. Reproduction (avril-juillet) : nid dans une fente de rocher ; 5-6 œufs couvés 13-14 jours ; sortie du nid à 21 jours environ.

Pinson des arbres

Fringilla coelebs

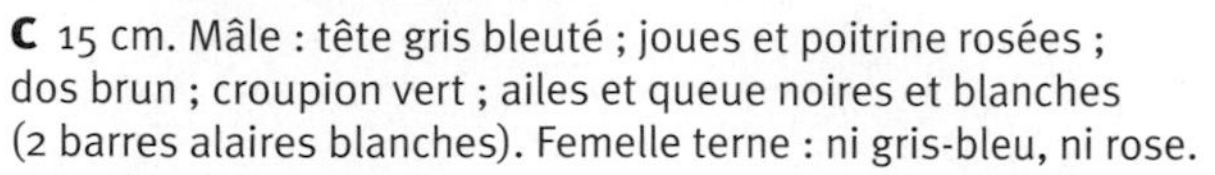

C 15 cm. Mâle : tête gris bleuté ; joues et poitrine rosées ; dos brun ; croupion vert ; ailes et queue noires et blanches (2 barres alaires blanches). Femelle terne : ni gris-bleu, ni rose.
H Forêts. bosquets, parcs, jardins. Migrateur partiel : en hiver, nombreux oiseaux venus d'Europe centrale (en grandes troupes).
P Cris : « pink pink », « huit » ; chant bref, stéréotypé, descendant. Se nourrit surtout à terre (insectes en été, graines en hiver). Reproduction (avril-juillet) : nid sur un arbre, bien camouflé ; 3-6 œufs couvés 12-14 jours ; sortie du nid à 13-18 jours.

Pinson du Nord

Fringilla montifringilla

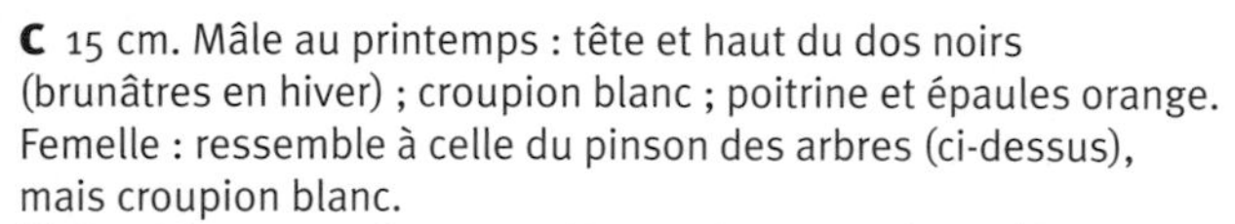

C 15 cm. Mâle au printemps : tête et haut du dos noirs (brunâtres en hiver) ; croupion blanc ; poitrine et épaules orange. Femelle : ressemble à celle du pinson des arbres (ci-dessus), mais croupion blanc.
H Ne niche pas en France, y vient seulement en hiver (dortoirs parfois gigantesques) ; hêtraies, chênaies, champs. Plus ou moins abondant selon la rigueur de l'hiver.
P Chez nous, se nourrit en grande partie de faînes (insectivore au printemps). Reproduction (mai-juillet en Suède, Norvège, Finlande) : nid sur bouleaux, résineux ; 5-7 œufs couvés 11-13 jours ; sortie du nid à 11-13 jours.

Verdier

Carduelis chloris

C 15 cm. Bec robuste. Mâle : vert olive ; du jaune au croupion sur les ailes et la queue. Femelle plus grise.
H Bosquets, jardins, parcs, cimetières, champs, vergers.
P Cris : « tsuit », « gugu » répétés. Le mâle chante en vol (trille) ou sur un perchoir. Régime : bourgeons, fleurs, graines, baies, insectes. Reproduction (avril-août) : nid bien caché dans un buisson ; la femelle couve 4-6 œufs 13-14 jours ; sortie du nid à 13-16 jours.

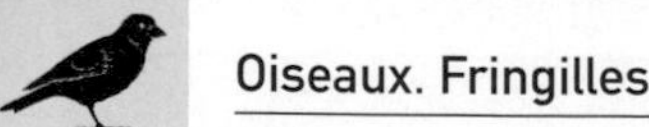

Linotte mélodieuse

Carduelis cannabina

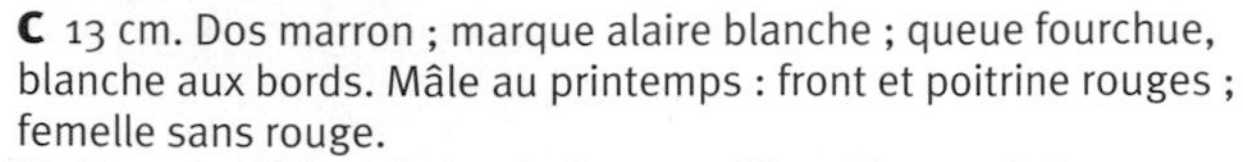

C 13 cm. Dos marron ; marque alaire blanche ; queue fourchue, blanche aux bords. Mâle au printemps : front et poitrine rouges ; femelle sans rouge.
H Champs, friches, haies, buissons... Migratrice partielle.
P Sociable, en petites troupes après la nidification.
Chant varié, aigu (gazouillis mélodieux), émis du haut d'un perchoir.
Reproduction (avril-juillet) : nid dans un buisson épais ;
4-6 œufs couvés 12-15 jours ; sortie du nid à 12-15 jours.

Chardonneret élégant

Carduelis carduelis

C 12 cm. Sexes semblables. Tête rouge, noire et blanchâtre ; ailes noires, blanches et jaunes ; dos brun ; queue noire et blanche ; poitrine blanchâtre avec 2 taches roussâtres.
H Vergers, jardins, haies, terrains vagues. Migrateur partiel.
P Régime : graines. Chant : gazouillis aigu ; cris : « tiglit tiglit ».
Reproduction (mai-août) : nid sur un arbre ; 4-6 œufs couvés 11-13 jours.

Tarin des aulnes

Carduelis spinus

C 12 cm. Mâle : dessus de la tête et menton noirs ; dos verdâtres rayé de noir ; croupion jaune verdâtre ; queue jaune et brun-noir ; barre alaire jaune. Femelle : pas de noir sur la tête ;
ventre rayé (blanc chez le mâle).
H Montagnes, Ardennes et Corse. Forêts de résineux, bouleaux ; en hiver, aulnes près des cours d'eau. Migrateur partiel.
P Très discret au printemps ; en petites troupes l'hiver.
Granivore. Chant : gazouillis aigu ; cris plaintifs : « tsui ».
Reproduction (avril-juillet) : nid dans un résineux (épicéa) ;
3-5 œufs couvés 11-14 jours ; sortie du nid à 13-17 jours.

Gros-bec casse-noyaux

Coccothraustes coccothraustes

C 17-18 cm. Trapu, queue courte ; très gros bec gris-bleu au printemps, couleur corne en hiver. Dos brun ; tête roussâtre ; côtés du cou gris ; ailes brunes, noir violacé et blanches.
H Absent çà et là ; peu abondant (Ouest). Forêts, parcs, jardins. Migrateur partiel. Se tient surtout dans la cime des arbres.
P Cris secs : « tsik tsik ». Avec son bec puissant, ouvre des noyaux (cerises, etc). Reproduction (avril-juin) ; nid sur un arbre ;
4-5 œufs couvés 12-13 jours ; sortie du nid à 12-14 jours.

Serin cini

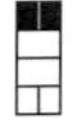

Serinus serinus

C 12 cm. Queue courte, échancrée ; petit bec conique.
Mâle : front, gorge, poitrine, croupion jaune vif ;
dessus brun jaunâtre strié ; ailes et queue brun noirâtre ;
stries brun-noir aux flancs. Femelle plus terne, très striée.
H Vergers, jardins, parcs, bosquets. Migrateur.
Hiverne dans le sud de l'Europe.
P Chant : long trille très aigu, émis en vol papillonnant ou perché.
Régime : graines d'arbres et de végétaux herbacés.
Reproduction (avril-juillet) : petit nid sur un arbre, un buisson ;
3-5 œufs couvés 12-14 jours ; sortie du nid à 14-16 jours.

Bouvreuil pivoine

Pyrrhula pyrrhula

C 15-16 cm. Mâle : bec, tête noirs ; dos gris ; ailes noires
(barre blanche) ; queue noire ; dessous rose-rouge.
Femelle : rose remplacé par du beige. Croupion blanc
chez les 2 sexes. Jeunes, bruns, pas de calotte noire.
H Absent : Corse, Midi méditerranéen. Forêts, parcs, jardins.
Sédentaire.
P Très discret. Régime : graines, bourgeons, baies.
Cris plaintifs : « diu » ; chant faible. Reproduction (avril-juillet) ;
couples paraissant souvent durables ; nid sur un petit arbre ;
4-5 œufs couvés 13-14 jours ; sortie du nid à 15-17 jours.

Bec-croisé des sapins

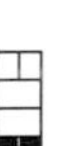

Loxia curvirostra

C 16,5 cm. Courte queue ; bec crochu, aux mandibules croisées.
Mâle : rouge brique et brun ; femelle : gris-vert à vert jaunâtre,
croupion jaunâtre.
H Montagnes et localement (Nord, Ardennes, Normandie, etc.).
Forêts de résineux (épicéas, pins). Sédentaire, mais « invasions »
périodiques venues d'Europe du nord et orientale ; dans ce cas,
visible un peu partout.
P Sociable. Ouvre les cônes des résineux pour obtenir
les graines. Cris forts : « kip kip » ; chant : gazouillis, trilles.
Reproduction possible presque toute l'année s'il y a des cônes
de résineux en abondance ; nid haut placé sur un résineux ; la femelle
couve 2-4 œufs pendant 14-16 jours ; sortie du nid à 14-16 jours.

Bruant jaune

Emberiza citrinella

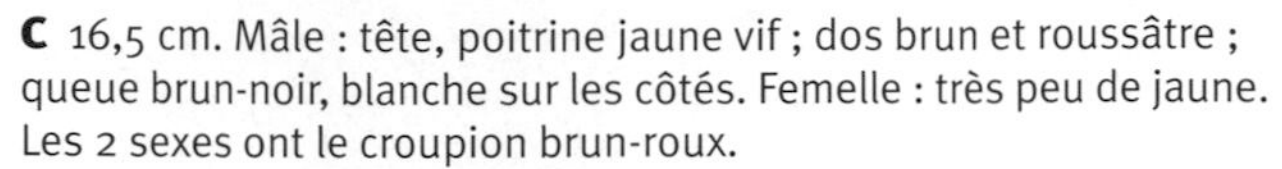

C 16,5 cm. Mâle : tête, poitrine jaune vif ; dos brun et roussâtre ; queue brun-noir, blanche sur les côtés. Femelle : très peu de jaune. Les 2 sexes ont le croupion brun-roux.
H Absent : Corse, Midi méditerranéen. Champs, haies, bosquets, coupes, lisières. Sédentaire.
P Régime : insectes et graines pris à terre ; en hiver, souvent en compagnie d'autres petits passereaux. Le mâle chante du haut d'un perchoir ; chant : phrase courte, très aiguë, stéréotypée ; cri : « tzitt ». Reproduction (avril-juillet) ; nid à terre ou à faible hauteur dans un buisson ; 3-5 œufs couvés 11-13 jours ; sortie du nid à 9-14 jours.

Bruant proyer

Emberiza calandra (= Miliaria calandra)

C 17,5 cm. Sexes semblables. Brun clair avec stries foncées dessus et dessous ; pas de blanc sur la queue. Bec robuste.
H Campagne cultivée, prairies avec buissons, lignes électriques servant de perchoirs. Migrateur partiel.
P Insectivore et granivore. Chant typique : trille aigu, accéléré. Reproduction (mai-juillet) : nid près du sol, bien caché ; la femelle couve 4-6 œufs pendant 12-14 jours ; sortie du nid à 9-12 jours (les jeunes ne volent pas encore).

Bruant des roseaux

Emberiza schœniclus

C 15 cm. Mâle : tête et gorge noires ; collier et moustaches blancs ; dos brun foncé strié de noir, croupion grisâtre. Femelle : tête brune ; moustaches blanchâtres et noires ; croupion brunâtre ; dessous brun roussâtre (gris-blanc chez le mâle).
H Dans les 2/3 Nord et côtes jusqu'aux Pyrénées et Languedoc. Bords des rivières, étangs avec phragmites, saules, buissons. Migrateur partiel, hiverne dans la région méditerranéenne.
P Souvent perché sur un phragmite. Insectivore et granivore. Chant : phrase comportant généralement 5 notes accélérées. Reproduction (mai-août) ; nid dans la végétation herbacée ; 4-6 œufs couvés 12-14 jours ; sortie du nid à 12-14 jours.

Pie-grièche écorcheur P

Lanius collurio

C 17-18 cm. Mâle : tête et croupion gris ; bandeau noir sur les yeux ; dos roux ; dessous blanc rosé ; queue noire et blanche.
Femelle : dessus brun ; dessous crème, finement barré de brunâtre.
H Toutes les régions, mais localisée dans une partie du Nord-Ouest. Haies, bosquets, broussailles, lisières. Migratrice, hiverne en Afrique orientale et méridionale.
P Souvent perchée en haut des buissons. Empale ses proies (insectes, petits vertébrés) sur des épines. Chant très faible, avec imitations. Reproduction (mai-juillet) : nid souvent dans un buisson épineux ; 4-6 œufs couvés par la femelle 14-16 jours ; sortie du nid à 12-16 jours.

Loriot d'Europe

Oriolus oriolus

C 23-25 cm. Mâle : tête et corps jaune d'or ; ailes et queue noires avec marques jaunes ; bec rosé. Femelle jaune-vert dessus ; ailes et queue vert olive foncé ; dessous grisâtre strié de brun foncé.
H Absent dans une partie de la Bretagne. Forêts de feuillus, bosquets, parcs, peupleraies. Migrateur, hiverne en Afrique équatoriale.
P Insectivore et frugivore. Se nourrit dans la cime des arbres (difficilement visible). Chant bref, flûté : « duolio » ; cris : grincements. Reproduction (mai-juin) : nid en hamac dans une enfourchure d'arbre ; 3-4 œufs couvés 14-16 jours ; sortie du nid à 14-17 jours

Étourneau sansonnet

Sturnus vulgaris

C 21 cm. Queue courte ; ailes triangulaires. Sexes semblables. Au printemps, plumage noir à reflets violacés et verts, un peu tacheté ; bec jaune. Automne-hiver : très tacheté de blanc et beige ; bec foncé. Jeunes brun clair, dessous plus gris, bec foncé.
H Absent en Corse. Partout : campagne, ville (lieux boisés). Migrateur partiel. En hiver, de nombreux oiseaux d'Europe centrale séjournent en France.
P Régime varié : insectes, vers, araignées, mollusques, fruits, déchets. À terre, marche à petits pas. Chant bizarre (grincements, imitations, notes scandées), émis du haut d'un perchoir. Reproduction (avril-juillet) : nid dans un trou d'arbre, de mur, un nichoir ; 4-6 œufs couvés 13-15 jours ; sortie du nid à 18-22 jours.

Pie bavarde

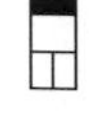

Pica pica

C 45 cm. Sexes semblables. Plumage noir et blanc, à reflets métalliques ; longue queue noire à reflets.
H Absente en Corse. Campagne cultivée, jardins, haies, bosquets, parcs. Sédentaire.
P À terre, sautille et marche ; vol peu soutenu. Voix : jacassements sonores. Régime très varié, végétaux, animaux, déchets, cadavres. Reproduction (avril-juin) : nid en branchettes et terre, avec un toit, sur un arbre ; 5-8 œufs couvés 17-18 jours ; sortie du nid à 22-28 jours.

Geai des chênes

Garrulus glandarius

C 32-34 cm. Sexes semblables. Brun rosé ; moustaches noires ; croupion blanc ; ailes noires et blanches avec espace bleu clair barré de noir.
H Forêts, parcs. Migrateur partiel.
P Discret en période de nidification, autrement, très bruyant (cris d'alarme rauques). Régime : petits animaux ; en automne, fruits, glands, faînes, noix ; enterre de nombreux glands. Reproduction (avril-juin) ; 4-6 œufs couvés 16-18 jours ; sortie du nid à 19-20 jours.

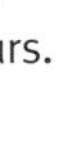

Casse-noix moucheté

Nucifraga caryocatactes

C 29-36 cm. Sexes semblables. Plumage brun chocolat tacheté de blanc ; queue noire (bout blanc) ; sous-caudales blanches ; bec assez long. Silhouette trapue.
H Nord des Ardennes, Vosges, Jura, Alpes. Forêts de résineux. Sédentaire.
P Discret. Cris perçants : « kre kre kre ». En automne, fait des provisions de noisettes ou de graines de pin arole et les mange en hiver. Reproduction (mars-juillet) : nid sur un résineux ; 3-4 œufs couvés 16-18 jours ; sortie du nid à 21-28 jours.

Chocard à bec Jaune

Pyrrhocorax graculus

C 38 cm. Sexes semblables. Plumage noir ; pattes rouges ; bec jaune, court.
H Alpes, Pyrénées, Corse. Alpages, parois rocheuses. Sédentaire.
P Sociable toute l'année ; fréquente les stations de sports d'hiver. Régime : insectes, fruits, déchets. Vol acrobatique. Reproduction (mai-juillet) ; nid dans une crevasse de rocher ; souvent en colonie ; 3-6 œufs couvés 17-21 jours ; sortie du nid à 21-23 jours.

Choucas des tours

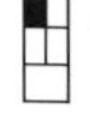

Corvus monedula

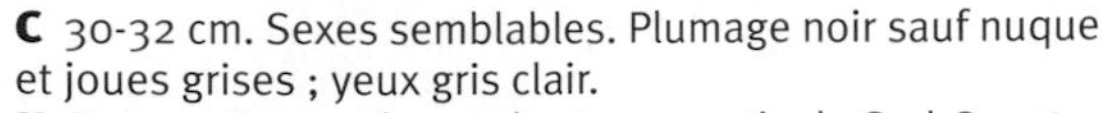

C 30-32 cm. Sexes semblables. Plumage noir sauf nuque et joues grises ; yeux gris clair.
H Rare en Corse, absent dans une partie du Sud-Ouest. Villes et villages (clochers, châteaux, ruines), carrières, allées d'arbres. Migrateur partiel.
P Très sociable. Cris aigus : « tiak tiak ». L'hiver, en troupes associées à celles du corbeau freux. Vol léger. Régime : insectes, vers, mollusques, fruits, déchets. Reproduction (avril-juin) : niche en colonie ; 3-6 œufs couvés 16-18 jours ; sortie du nid à 28-35 jours.

Corbeau freux

Corvus frugilegus

C 46 cm. Sexes semblables. Plumage noir ; chez l'adulte, base du bec nue et grise, plumes du haut des pattes pendantes.
H 2/3 Nord. Campagne cultivée ; villes (où il niche). Sédentaire en France, mais de nombreux oiseaux d'Europe centrale hivernent chez nous.
P Très sociable. Cris graves, moins rauques que ceux de la corneille noire (ci-dessous). Carnivore et granivore. Reproduction (mars-mai) niche sur de grands arbres, en colonies (peupliers, platanes, etc.) ; nid en branches ; 3-6 œufs couvés 17-20 jours ; sortie du nid à 29-35 jours.

Corneille noire

Corvus corone

C 47 cm. Sexes semblables. Entièrement noire. Bec robuste, noir.
H Manque en Corse où vit la corneille mantelée *(C. corone cornix)*, qui a le dos et le dessous gris, le reste noir. Campagne cultivée, forêts, côtes, montagnes, villes.
P Omnivore. Peu sociable sauf en hiver. Reproduction (mars-mai) ; niche par couples séparés sur un arbre ; 4-6 œufs couvés 18-20 jours ; sortie du nid à 31-36 jours.

Grand corbeau

Corvus corax

C 64 cm. Sexes semblables. Entièrement noir. Bec très puissant. Queue en forme de coin.
H Montagnes, Corse, côtes rocheuses (Bretagne, Cotentin). Sédentaire.
P Cris graves : « korr ». Omnivore. Reproduction (février-juin) ; nid sur un arbre ou dans une paroi de rocher ; 4-6 œufs couvés 20-21 jours ; sortie du nid à 5-6 semaines.

Musaraigne carrelet

Sorex araneus

C 7 + 4,5 cm. Tricolore : dessus brun foncé à brun-noir ; flancs brun clair ; ventre grisâtre ou brunâtre.
H Forêts, prairies, tourbières, jardins. Absente : Corse, Midi méditerranéen.
P Diurne et surtout crépusculaire. S'abrite dans un terrier de rongeur ou qu'elle a creusé. Régime : vers de terre, insectes et leurs larves, escargots. Cris stridents, aigus. Nid sous la terre, en feuilles, mousse, herbes, entre des racines d'arbre, dans une touffe d'herbe ; 3-4 portées par an de 4-10 petits, allaités 21-23 jours.

Crocidure leucode P

Crocidura leucodon

C 7,5 + 3,5 cm. Dessus gris-brun nettement délimité par rapport au dessous jaunâtre-blanchâtre à gris-blanc.
H Champs, haies, jardins ; en hiver, aussi dans les bâtiments. Manque : Pyrénées, Corse.
P Nid en herbes, souvent dans un tas de compost ; 2-5 portées annuelles de 3-9 jeunes, allaités 26 jours ; indépendants à 40 jours.

Taupe

Talpa europaea

C 14 + 2,5 cm. Corps cylindrique ; pelage velouté, gris-noir, plus clair dessous ; museau en forme de trompe ; pas de pavillons auditifs ; yeux minuscules ; larges pattes antérieures, en forme de pelles.
H Champs, prairies, forêts de feuillus, jardins.
P Diurne, mais vit presque tout le temps dans les galeries souterraines qu'elle creuse ; rejette les déblais à l'extérieur (taupinières). Régime : vers de terre, insectes et leurs larves, millepattes et mollusques. Nid souterrain, en feuilles et mousse ; 1-2 portées de 2-6 jeunes par an.

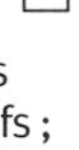

Hérisson d'Europe

Erinaceus europaeus

C 22-28 + 3 cm. Corps massif ; museau pointu ; petits yeux ; courtes oreilles rondes ; dessus du corps couvert de piquants rayés de brun et de blanc.
H Forêts, jardins, parcs, haies, broussailles.
P Crépusculaire et nocturne ; le jour, dans un nid d'herbes et mousse. Régime : escargots, limaces, vers, arthropodes, petits mammifères, fruits. Hiberne d'octobre à mars. Reproduction, généralement 1-2 portées de 4-5 petits allaités 18-20 jours.

Grand murin P

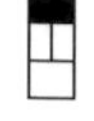

Myotis myotis

C 7,5 + 5 cm. Dessus gris-brun ; dessous blanc-gris ; patagium (ailes) et oreilles gris fumée ; fourrure rase ; tragus pointu.
H Près de l'homme et à la campagne (forêts, parcs).
P Vole lentement, en général à moins de 10 m de haut. En été, dort dans des greniers sombres, en hiver dans des grottes, galeries, caves. Chasse des insectes en vol, les repère par écholocation. Déplacements : jusqu'à 250 km. Accouplements en automne et au printemps ; gestation : 60-70 jours ; en général, 1 petit, qui vole à 45 jours et est indépendant à 2 mois.

Petit rhinolophe P

Rhinolophus hipposiderus

C 4,5 + 2,5 cm. Dessus gris roussâtre ; dessous gris blanchâtre ; oreilles assez petites, sans tragus ; feuille nasale.
H Milieux boisés et ouverts, parcs.
P Vol lent, coups d'ailes rapides. L'été, généralement dans des bâtiments, rarement dans des grottes ; en hiver, grottes et galeries. Déplacements courts entre ces 2 types de site. Accouplements en automne et au printemps ; généralement 1 seul petit, qui grandit avec beaucoup d'autres dans des colonies de reproduction formées par les femelles avec leurs petits. Indépendance à 7-8 semaines.

Noctule P

Nyctalus noctula

C 8 + 4,5 cm. Dessus brun-roux ; dessous brun jaunâtre ; tragus en forme de champignon ; larges oreilles arrondies. Forte odeur musquée.
H Forêts, parcs à proximité de l'homme.
P Vol rapide, rectiligne, à 5-25 m de haut, souvent avant le coucher du soleil. Régime : insectes volants. Le jour, dans un trou d'arbre, un grenier. Hiberne dans un grenier (jusqu'à 1 000 sujets) ou trou d'arbre. Déplacements jusqu'à 1 500 km pour rejoindre les quartiers d'hiver. Cris perçants. 2 petits en mai-juin qui volent à 4-6 semaines.

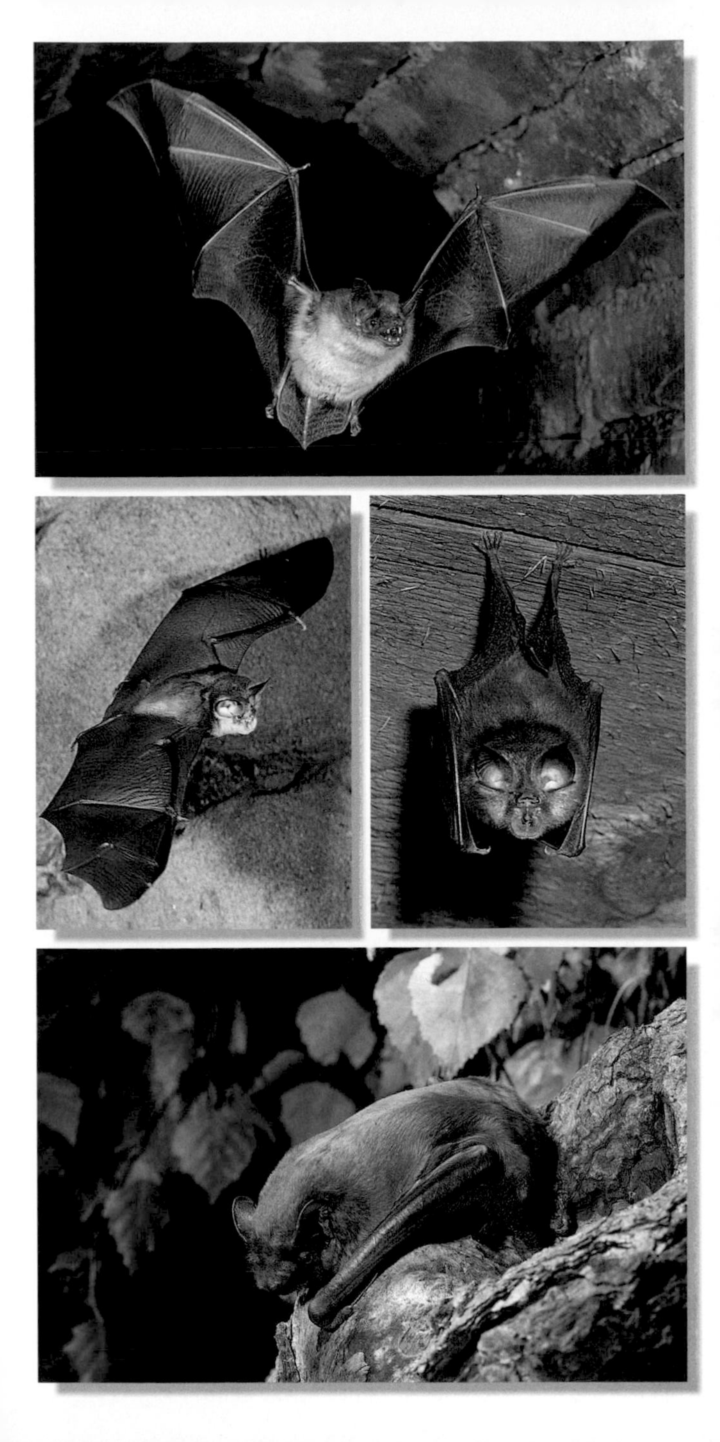

Mulot, mulot gris

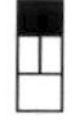
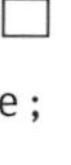

Apodemus sylvaticus

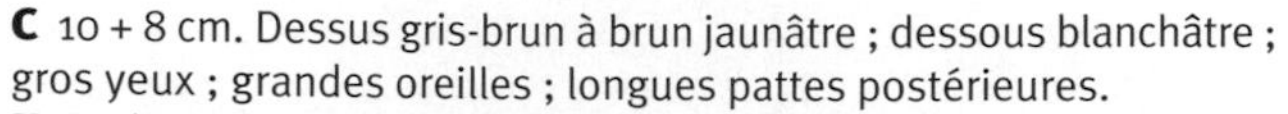

C 10 + 8 cm. Dessus gris-brun à brun jaunâtre ; dessous blanchâtre ; gros yeux ; grandes oreilles ; longues pattes postérieures.
H Forêts, bosquets, haies, jardins, champs.
P Crépusculaire et nocturne. Court et grimpe bien. Creuse de profonds terriers (orifice oblique). Régime : graines, fruits, insectes.
Cris aigus. 3-4 portées, de 3-9 petits indépendants à 21 jours.

Souris grise, souris domestique

Mus musculus

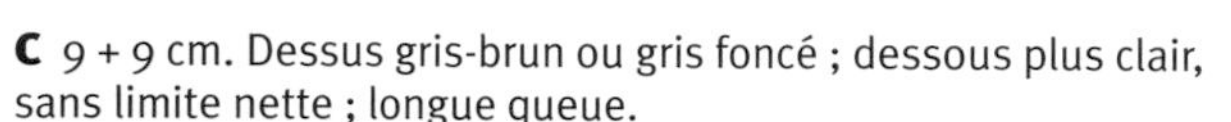

C 9 + 9 cm. Dessus gris-brun ou gris foncé ; dessous plus clair, sans limite nette ; longue queue.
H Maisons, granges ; en été, aussi en dehors des bâtiments.
P Active jour et nuit. Grimpe et saute bien. Omnivore. Peut se reproduire toute l'année ; nid dans un recoin, près de sources de nourriture. Gestation 18-24 jours ; 3-8 petits, indépendants à 30 jours.

Campagnol des champs

Microtus arvalis

C 11 + 4,5 cm. Dessus gris-brun ; dessous gris clair jaunâtre ; courtes oreilles, très velues à l'intérieur ; courte queue ; museau relativement arrondi.
H Champs, prairies, digues enherbées, talus. Absent : Provence, Corse.
P Actif jour et nuit. Généralement en colonies. Creuse des galeries ramifiées, peu profondes, à nombreux orifices. L'hiver, galeries sous la neige. Régime : graminées, céréales et autres plantes cultivées, trèfle, luzerne, graines. Nid en herbe, souterrain ; 2-4 portées (gestation 16-24 jours) de 2-6 (10) petits, indépendants à 3 semaines.

Campagnol terrestre, rat-taupier

Arvicola terrestris

C 16,5 + 9 cm. Coloration variable : dessus en général brun clair à foncé ; dessous gris ; petites oreilles arrondies ; museau court.
H Prairies, vergers, jardins et aussi près de l'eau.
Absent : moitié Ouest, Midi méditerranéen, Corse.
P Solitaire ; diurne et nocturne. Creuse un réseau de galeries (déblais rejetés en surface : « taupinières »). Régime : racines des arbres, autres végétaux terrestres ou aquatiques.
2-4 portées de 4-5 petits (en moyenne), allaités 12-15 jours (gestation : 21-22 jours). Deux types : l'un terrestre et l'autre aquatique, ce dernier souvent appelé « rat d'eau ».

Rat musqué, ondatra

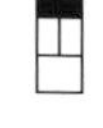

Ondatra zibethicus

C 30 + 22 cm. Dessus brun à brun-noir ; dessous blanchâtre (gorge) et brun clair ; queue aplatie latéralement ; orteils partiellement palmés.
H Étangs, lacs, canaux, rivières lentes, marais.
Absent en montagne. Originaire d'Amérique du Nord.
P Crépusculaire et nocturne. Nage et plonge très bien.
Creuse des galeries dans les berges et fait des « huttes » en végétaux aquatiques. Végétarien. 2 portées de 4-7 petits (parfois plus), allaités 18 jours, indépendants à 30 jours.

Grand Hamster P

Cricetus cricetus

C 25 + 5 cm. Massif. Pelage tricolore : dessus roux et blanc, dessous noir ; petits yeux ; courtes oreilles arrondies.
H Champs, steppes. N'existe plus que dans 3 communes du Bas-Rhin (jadis répandu dans une grande partie de l'Alsace). Europe centrale et orientale.
P Crépusculaire et nocturne. Creuse des terriers (galeries à nombreux orifices) et y entasse des provisions transportées dans ses abajoues. Hiberne d'octobre à mars, mais réveils fréquents pour manger.
1-2 (3) portées de 4-12 petits, indépendants à 25 jours.

Muscardin

Muscardinus avellanarius

C 8 + 7 cm. Famille des Gliridés (loirs). Dessus roux orangé ; dessous blanc jaunâtre ; queue velue, rousse.
H Forêts de feuillus et de résineux avec sous-étage de buissons, arbustes. Absent : une partie du Midi, de l'Ouest et Corse.
P Crépusculaire et nocturne. Grimpe agilement. Fait un nid globuleux dans les buissons. Régime : graines, fruits, insectes Hiberne.
Voix : gazouillis (inquiétude). 1-2 portées de 3-5 (9) petits, indépendants à 5-6 semaines.

Loir gris

Glis glis

C 16 + 13 cm. Dessus gris ; dessous blanc ; cercles noirs autour des grands yeux ; courtes oreilles arrondies ; queue touffue.
H Forêts de feuillus et mixtes, parcs, vergers.
Absent dans une partie de l'Ouest.
P Crépusculaire et nocturne. Vit en familles. Grimpe et saute bien.
Hiberne d'octobre à mai. Régime : feuilles, bourgeons, écorces, fruits...
1 portée de 4-6 petits, indépendants à 4-6 semaines.

Écureuil roux

Sciurus vulgaris

C 21-25 + 15-20 cm. Dessus variant du brun-noir au roux ; dessous blanchâtre ; queue très touffue ; longs poils au bout des oreilles.
H Forêts, parcs. Absent en Corse.
P Diurne. N'hiberne pas. Grimpe et saute très agilement (descend la tête en bas) ; aussi à terre. Nid en herbes, feuilles, mousse, branches, en haut d'un arbre ou dans un trou d'arbre, un vieux nid d'oiseau. Régime : graines d'arbres, noisettes, baies, bourgeons, œufs et oisillons, insectes. 1-2 portées de 3-5 petits (aveugles) ; gestation : 38 jours ; allaitement 9-12 semaines.

Marmotte des Alpes P

Marmota marmota

C 55 + 15 cm. Dessus gris-brun à brun-noir (extrémité des poils claire) ; flancs gris jaunâtre ; dessous jaune roussâtre ; tête plate ; petites oreilles arrondies ; queue touffue, noire au bout.
H Alpes (introduite : Massif central, Pyrénées, Préalpes). Entre 800 et 3 200 m. Alpages ensoleillés.
P En colonies. Diurne. Creuse des terriers jusqu'à 2 m sous la surface, galeries atteignant 10 m ; chambre garnie de foin. Se chauffe au soleil ; inquiète, lance des sifflements sonores. Régime : graminées et autres végétaux herbacés, racines. Hiberne. 1 portée annuelle (gestation : 34 jours) ; 2-7 petits (nus et aveugles, ouvrent les yeux à 23-28 jours), allaités 6 semaines, indépendants à 2 mois.

Castor d'Eurasie P

Castor fiber

C 85 + 35 cm. Corps massif ; queue nue, aplatie, large (12-16 cm), écailleuse. Pelage dense, brun foncé ; courtes oreilles ; pattes postérieures palmées ; griffe spéciale pour la toilette sur le 2e orteil.
H Eaux stagnantes, marais, rivières et fleuves bordés de saules, peupliers, trembles, frênes, aulnes, forêts riveraines.
P Nocturne. Nage et plonge très bien (seule la tête émerge quand il nage). Frappe l'eau avec sa queue s'il est inquiété. Creuse des terriers reliés à l'eau ou fait des huttes en branchages, roseaux et boue ; les digues qu'il édifie localement régulent le niveau de l'eau. Régime : végétaux aquatiques, écorces, pousses. Abat des arbres pour ronger leur écorce. En couples. Gestation 105-107 jours ; 1 portée en mai de 3-4 petits, indépendants à 2 ans. Réintégré dans 14 départements.

Lièvre brun P

Lepus europaeus

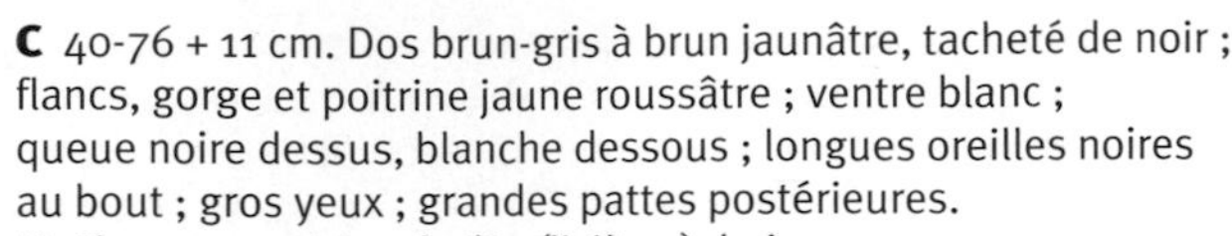

C 40-76 + 11 cm. Dos brun-gris à brun jaunâtre, tacheté de noir ; flancs, gorge et poitrine jaune roussâtre ; ventre blanc ; queue noire dessus, blanche dessous ; longues oreilles noires au bout ; gros yeux ; grandes pattes postérieures.
H Champs, prairies, forêts (lisières), haies.
P Solitaire. Crépusculaire. Court très vite, saute, fait des crochets. Excité, frappe le sol avec ses pattes postérieures. Se repose dans un gîte (= forme) simple creux du sol. Régime : végétaux herbacés, écorces, pousses, fruits, champignons. 3-4 portées (mars-octobre) de 1-4 petits qui sont velus, ont les yeux ouverts et peuvent se déplacer ; allaités, 3 semaines, indépendants à 4-5 semaines.

Lapin de garenne

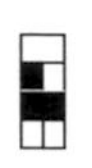

Oryctolagus cuniculus

C 34-45 + 4-8 cm. Dos gris-brun ; nuque roussâtre ; dessous gris-blanchâtre ; oreilles dressées, plus courtes que la tête.
H Terrains vagues, champs, prairies, bois, dunes, garrigues, plantations en forêt.
P Crépusculaire et aussi diurne. Creuse des terriers et y vit en groupes familiaux (jusqu'à 25 sujets environ). Court sur de brèves distances, peut sauter. Régime : végétaux herbacés, écorces, racines, tiges, feuilles. Menacé, frappe le sol avec les pattes postérieures. 2-4 portées par an ; gestation 28-31 jours ; 3-7 petits nus et aveugles à la naissance (différence avec les levrauts) ; ils naissent dans un terrier spécial (rabouillère) garni d'herbes et de poils ; allaités 3 semaines, indépendants à 4-5 semaines.

Lièvre variable, blanchon P

Lepus timidus

C 46-65 + 4-8 cm. En été, brun roussâtre à gris-brun ; ventre gris-blanc. En hiver, tout blanc sauf pointe des oreilles noire ; pelage des pattes très dense, qui les élargit (raquettes à neige).
H Alpes ; introduit : Pyrénées. De 650 à 3 700 m. Alpages, forêts ; plus bas en hiver qu'en été.
P Solitaire. Régime : végétaux herbacés, bourgeons, écorces, fruits. Se repose dans un gîte (creux du sol). Se laisse plus ou moins recouvrir par la neige. Gestation 48-51 jours ; 1-2 portées annuelles de 1-5 petits, velus, aux yeux ouverts à la naissance ; indépendants à 4-5 semaines. Hybridation avec le lièvre brun rare.

Renard roux

Vulpes vulpes

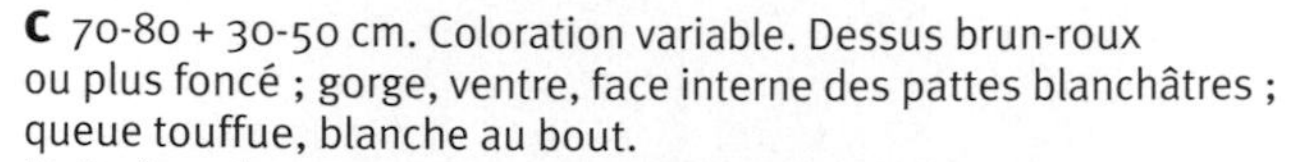

C 70-80 + 30-50 cm. Coloration variable. Dessus brun-roux ou plus foncé ; gorge, ventre, face interne des pattes blanchâtres ; queue touffue, blanche au bout.
H Forêts, champs, parcs ; localement, dans les villes.
P Diurne et nocturne. Vit dans un terrier qu'il a creusé, comportant galeries et chambres, ou dans un ancien terrier de blaireau. Régime : surtout petits rongeurs ; autres vertébrés, œufs, ordures. Gestation 52-53 jours ; 1 portée de 3-6 petits (mars-avril), allaités 4 semaines, sortent du terrier après ; indépendants à 3-4 mois.

Martre, martre des pins P

Martes martes

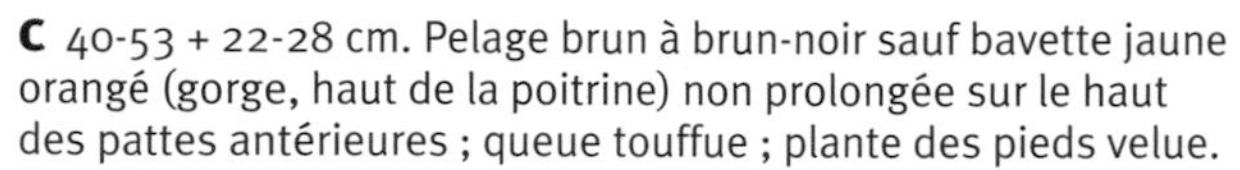

C 40-53 + 22-28 cm. Pelage brun à brun-noir sauf bavette jaune orangé (gorge, haut de la poitrine) non prolongée sur le haut des pattes antérieures ; queue touffue ; plante des pieds velue.
H Forêts, grands parcs.
P Crépusculaire et nocturne. Grimpe et saute très bien. Le jour, dans un trou d'arbre, un vieux nid. Peu visible. Régime : rongeurs, oiseaux, fruits. Gestation différée ou non (2-10 mois), 1 portée en avril de 2-5 petits ; indépendants à 3 mois.

Fouine

Martes foina

C 42-50 + 23-36 cm. Dessus gris-brun ; bavette blanche souvent divisée en 2 ; dessous des pattes nu. Ressemble à la Martre (ci-dessus).
H Absente en Corse. Plaine et montagne. Vergers, voisinage des habitations, carrières ; pénètre dans les greniers, granges.
P Régime : oiseaux, petits mammifères, fruits. Gestation différée ou non (2-9 mois) ; 1 portée (avril) de 2-4 petits, aveugles et nus, allaités 6-8 semaines, indépendants à 3 mois.

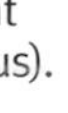

Putois P

Mustela putorius

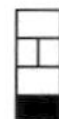

C 31-45 + 12-19 cm. Pelage brun foncé à noirâtre ; sur les flancs, zone jaunâtre ; dessous, noir ; museau et bord des oreilles blanchâtres ; yeux et oreilles très petits.
H Forêts, voisinage des marais, étangs et aussi en terrain sec. Absent en Corse.
P Surtout nocturne. Régime : petits mammifères, oiseaux, grenouilles, reptiles, mollusques. Nage. Gestation 6 semaines ; 1 portée de 3-8 petits allaités 6 semaines, indépendants à 3 mois.

Hermine

Mustela erminea

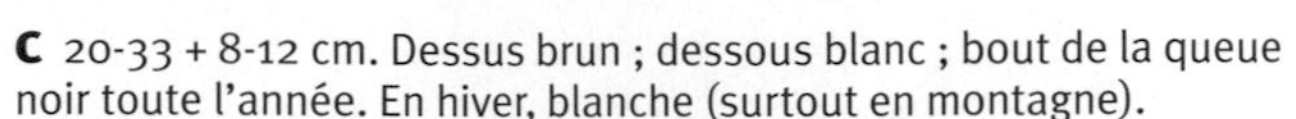

C 20-33 + 8-12 cm. Dessus brun ; dessous blanc ; bout de la queue noir toute l'année. En hiver, blanche (surtout en montagne).
H Absente en Corse. Forêts, broussailles, friches.
P Nocturne. Grimpe saute et nage. Souvent dans des terriers, y compris ceux du campagnol terrestre, qu'elle chasse ainsi que d'autres rongeurs (mange aussi grenouilles, oiseaux, lézards). Gestation différée (7 semaines ou 9-11 mois) ; en avril, 1 portée de 5-6 petits, allaités 7 semaines, indépendants à 5 mois.

Blaireau européen

Meles meles

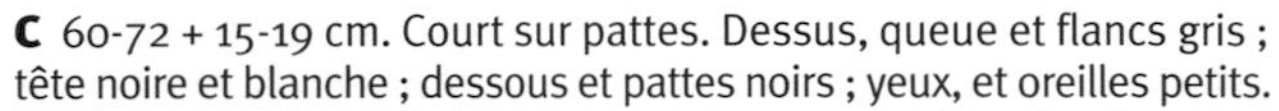

C 60-72 + 15-19 cm. Court sur pattes. Dessus, queue et flancs gris ; tête noire et blanche ; dessous et pattes noirs ; yeux, et oreilles petits.
H Absent en Corse. Bois, paysages de parcs, prairies, landes.
P Crépusculaire et nocturne. Terriers à nombreux orifices. Vit en couples et en groupes familiaux. Régime : vers, grenouilles, petits mammifères, fruits, blé. Gestation différée (7-13 mois) ; 1 portée (entre janvier et mai) de 2-4 petits, allaités 2 mois, indépendants à 6 mois.

Raton laveur

Procyon lotor

C 46-70 + 20-30 cm. Long pelage brun roussâtre ou gris et noir ; dessous gris clair ; masque noir et blanc ; queue touffue, annelée de noir.
H Forêts de feuillus et mixtes, rives boisées des cours d'eau. France : très rare (Nord) ; originaire d'Amérique du Nord, introduit en Europe.
P Crépusculaire et nocturne. Grimpe et nage bien. Arboricole, aussi dans un terrier. N'hiberne pas. Régime : petits animaux, œufs, fruits. Généralement en couple. Gestation 63 jours ; en avril, 1 portée de 4-5 petits ; aveugles, ouvrent les yeux à 18-23 jours.

Phoque veau-marin   P

Phoca vitulina

C 1,40-2 m. Gris jaunâtre avec taches foncées ; tête ronde ; museau court ; grands yeux ; pas de pavillons auditifs ; pattes transformées en nageoires palmées ; oreilles et narines obturables.
H Côtes Mer du Nord, Manche, Atlantique.
Observé sur les côtes françaises de la Manche. Rare, menacé.
P Plonge et nage longuement ; à terre, se traîne gauchement. Cris aigus des jeunes. Régime : poissons. Sociable, en petits groupes. Gestation 11 mois ; en juin naît 1 petit allaité 6-8 semaines.

Chevreuil

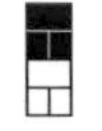

Capreolus capreolus

C 95-135 + 2-3 cm. Hauteur 60-80 cm. Brun-roux en été, gris-brun en hiver ; fesses blanches. Jeunes tachetés de blanchâtre les 6 premiers mois. Le mâle (brocard) a des « bois » chacun à 3 pointes ; ils tombent en octobre-novembre et repoussent en janvier ; femelle (chevrette) sans « bois ».
H Forêts de tous les types et champs (chevreuil « de plaine »).
P Crépusculaire. Sédentaire. En hiver, souvent en petits groupes. Aboie s'il est inquiété. Régime : végétaux herbacés, feuilles, pousses, bourgeons, fruits, champignons. Accouplements en juillet-août ou novembre-décembre ; gestation différée (290 jours) ; naissance en mai de 1-2 petits allaités 3 mois.

Cerf noble, cerf élaphe, bête rouge

Cervus elaphus

C 1,60-2,50 m + 12-15 cm. Hauteur 1-1,50 m. Brun-roux en été, gris-brun en hiver. Faon (petit) tacheté de blanc. « Bois » des mâles (jusqu'à 8 kilos au total) : tombent en février-mars (vieux) ou avril-mai (jeunes adultes) ; nouveaux bois couverts de velours (peau).
H Sédentaire dans les grandes forêts (au moins 5 000 ha). Vit en hardes, mais vieux mâles solitaires.
P Régime : écorces, pousses, végétaux herbacés, fruits, champignons. Les mâles brament en période de rut (septembre-octobre). Gestation 8 mois ; naissance en mai-juin, 1 faon, indépendant à 1 an environ.

Daim

Dama dama

C 1,30-1,70 m + 15-22 cm ; hauteur 80-110 cm. Gris-brun en hiver, brun-roux en été avec taches blanches ; ventre plus clair ; fesses blanches bordées de noir ; queue noire et blanche. Sujets albinos fréquents dans les enclos. Bois palmés des mâles tombant en avril-mai.
H Une petite population sauvage en Alsace (Bas-Rhin), ailleurs, vit dans des enclos (parcs).
P Crépusculaire. Forme des hardes. Régime : végétaux herbacés, pousses, champignons, fruits. En rut, les mâles grognent. Accouplements en octobre-novembre ; gestation 7-8 mois, en mai-juillet, 1 petit (rarement 2), allaité 8 mois.

Mouflon

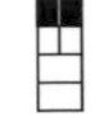

Ovis ammon musimon

C 1,10-1,30 m + 3,5-8 cm. Hauteur 65-80 cm. Mâle brun-roux dessus avec une grande marque blanchâtre sur le dos ; femelle entièrement brune ; cornes annelées du mâle très longues (jusqu'à 80 cm), incurvées ; celles de la femelle courtes (15 cm), peu courbées.
H Corse. A été introduit en France continentale (Sud).
P Diurne et nocturne. Court et saute bien. Voix : comme celle du mouton domestique. Régime : végétaux herbacés, pousses, feuilles d'arbres. Rut en octobre-décembre ; gestation 5,5 mois ; 1-2 jeunes naissent en mars-avril.

Bouquetin des Alpes P

Capra ibex

C 1,15-1,40 m + 15 cm. Hauteur 70-100 cm. Gris roussâtre en été ; brun jaunâtre en hiver. Mâle : grandes cornes annelées (dépassent 1 m), celles de la femelle ont moins de 20 cm.
H Alpages entre 2 000 et 3 500 m. Alpes.
P Diurne. En dehors du rut, généralement en hardes d'un seul sexe ; vieux mâles solitaires. Grimpe et saute très bien dans le rocher. Régime : végétaux herbacés, mousse, lichens, feuilles. Rut en novembre-décembre ; 1-2 petits allaités 6 mois.

Chamois (Isard dans les Pyrénées)

Rupicapra rupicapra

C 1,10-1,40 m + 3-8 cm. Hauteur 70-85 cm. En été, brun jaunâtre avec ligne noire sur le dos ; en hiver, pelage plus long, brun-noir ; cornes crochues au bout.
H Alpes, Pyrénées, Jura ; introduit : Vosges, Cantal. Forêts de montagne, alpages (en été au-dessus de la limite des arbres).
P En petites hardes ; vieux mâles solitaires. Grimpe et saute bien. Régime : végétaux herbacés. Accouplements en octobre-novembre ; gestation 24-27 semaines ; 1-2 jeunes en avril-mai, allaités 6 mois.

Sanglier, bête noire, cochon

Sus scrofa

C 1,10-1,80 m + 15-25 cm. Hauteur 60-115 cm. Très grosse tête. Pelage raide, gris-noir à brun roussâtre. Mâle : défenses inférieures visibles. Marcassins roux à rayures crème.
H Forêts de feuillus et mixtes, maquis, champs, prairies.
P Diurne et nocturne. vit en « compagnies », vieux mâles solitaires. Retourne le sol pour trouver racines, tubercules, larves. Grogne. Rut en novembre-janvier. En avril-mai, 3-12 petits allaités 3 mois.

P. 37

P. 41

P. 37

P. 47

P. 39

P. 45

P. 39

P. 51

P. 51
P. 55
P. 51
P. 45
P. 67
P. 43
P. 49
P. 57

P. 49
P. 57
P. 55
P. 69
P. 53
P. 65
P. 53
P. 87

P. 63
P. 75
P. 63
P. 87
P. 81
P. 85
P. 81
P. 69

P. 69
P. 75
P. 59
P. 65
P. 61
P. 71
P. 83
P. 71

P. 73
P. 59
P. 83
P. 59
P. 67
P. 79
P. 73
P. 61

P. 77
P. 151
P. 87
P. 231
P. 41
P. 191
P. 79
P. 135

P. 149
P. 151
P. 193
P. 187
P. 137
P. 157
P. 231
P. 121

P. 217
P. 189
P. 187
P. 137
P. 231
P. 109
P. 157
P. 173

Larves des insectes

Chenilles des papillons

P. 355
P. 357
P. 357
P. 359
P. 353
P. 365
P. 351
P. 375

P. 375
P. 367
P. 371
P. 367
P. 369
P. 373
P. 369
P. 371

P. 379
P. 379
P. 381
P. 385
P. 381
P. 383
P. 377
P. 387

Jeunes oiseaux

P. 415
P. 441
P. 419
P. 441
P. 419
P. 449
P. 423
P. 451

P. 443
P. 455
P. 445
P. 455
P. 439
P. 459
P. 453
P. 461

P. 467
P. 485
P. 473
P. 485
P. 473
P. 491
P. 475
P. 499

Jeunes mammifères

P. 505
P. 517
P. 513
P. 521
P. 515
P. 521
P. 515
P. 523

Index

Index des noms français

Index des noms latins

Crédits photographiques

Buchner/Limbrunner: 495ol
Eisenbeiss: 29ul, 33m, 35ol, 39ml, 41u, 51ul, 53ur, 75o, 75ml, 85ol, 91ul, 97o, 97ml, 99o, 99ml, 99mr, 103ol, 103ur, 109ol, 115u, 117ol, 117m, 119or, 123u, 129mr, 131m, 133or, 141or, 143or, 145u, 153ol, 157ur, 159o, 165u, 167o, 169m, 173m, 173ur, 181m, 185ol, 185or, 185ur, 187ml, 191o, 201o, 203ol, 203ml, 203ul, 211o, 211ml, 211u, 213or, 217m, 219ur, 221ul, 231ol, 233ul, 347mu, 405o, 524mul, 525ol, 528or, 530mul
Eisenreich: 2/3, 27(toutes), 69ul, 83u, 89mr, 105o, 121u, 125m, 147u, 171ul, 171ur, 179ml, 179mr, 181ul, 187mr, 187ul, 189or, 193ul, 203or, 203mr, 209o, 209u, 221ur, 225m, 225ul, 229ul, 229ur, 231ul, 231ur, 235mr, 237(toutes), 249o, 249m, 265o, 275ol, 275mr, 275u, 279mr, 281mul, 281mur, 283u, 285mo, 285mur, 287o, 287mor, 287mur, 287mul, 287u, 289o, 289mul, 291o, 291mo, 291ur, 313mo, 313mur, 313ul, 313ur, 315o, 315mr, 317ol, 317or, 319m, 331m, 331u, 339mr, 341(toutes), 343o, 343ml, 343ul, 343ur, 345(toutes), 347o, 347mor, 351mu, 351u, 353mol, 353mul, 355mol, 355mul, 355u, 357mol, 357mor, 359o, 359mol, 359mor, 361mul, 361u, 363mur, 363u, 365ol, 365or, 365mol, 365mor, 365ur, 367(toutes), 369(toutes), 371(toutes), 373o, 373mol, 373mor, 373mu, 373ul, 375(toutes), 377mu, 377ul, 377ur, 379(toutes), 381o, 381mol, 381mor, 381mul, 381mur, 383m, 383ul, 385ml, 385mr, 385ul, 387ul, 387ur, 407mol, 407mor, 409ml, 419mur, 419u, 423o, 425u, 427ol, 427u, 443(toutes), 445mu, 445ul, 445ur, 449 (toutes), 451mol, 451mor, 451mur, 455ml, 457or, 475o, 475mor, 531mor, 531ul, 534or, 534mor, 534mur, 535ol, 535or, 535mol, 535mor, 535mul, 535ul, 535ur, 536(toutes), 537ol, 537or, 537mol, 537mor, 537mul, 537mur, 537ul, 538mur, 538ur, 539ol, 539or, 539mol
Gerhardt: 9–25(toutes)
Hagen: 335u
Hecker: 51mul, 85ur, 87or, 137or, 169or, 171o, 195ul, 215mr, 215u, 221m, 235ml, 245ml, 251u, 253o, 261mr, 269m, 271m, 273mo, 275or, 279or, 281o, 281u, 287mol, 289mo, 299or, 301u, 303mo, 305mul, 307mo, 307mu, 307u, 309ul, 313mul, 329u, 333m, 357or, 385ol, 389o, 391m, 395u, 403u, 407mul, 411mu, 411u, 415o, 417ol, 431ol, 431ul, 431ur, 439mu, 453ur, 477ml, 483mr, 489or,

285or, 285mul, 289u, 291mul, 291ul, 293u, 295o, 297mur, 299mo, 301ml, 303mu, 305mor, 307o, 309mo, 309mu, 311u, 313o, 317m, 321ol, 321ml, 321u, 323o, 327o, 327ml, 327u, 329mo, 335ol, 335or, 337o, 339o, 347mol, 349mol, 349mor, 349mu, 351o, 351mol, 353mur, 355mor, 355mur, 357ol, 373ur, 381u, 383ur, 385ur, 387o, 403o, 405u, 415u, 425ol, 437mo, 441mo, 441u, 455ol, 455or, 455mr, 461ml, 467u, 479ml, 489m, 505mor, 505mu, 511u, 519mo, 524ol, 525ul, 526or, 527ol, 528mol, 528mor, 529or, 529mul, 530or, 533ol, 533ul, 534mol, 539mor, 539ur

Wothe: 49ul, 67mr, 75mr, 87ol, 91ur, 93ol, 93or, 95ol, 103or, 103ul, 113ol, 115or, 127u, 135ur, 163ol, 183ul, 191mr, 197m, 215or, 219o, 225ur, 233ur, 241ul, 251o, 265ur, 267u, 275ml, 291mur, 311o, 319u, 323ul, 333u, 363mol, 411mo, 419o, 423u, 429mo, 431mul, 439mor, 461ol, 469m, 469ur, 471u, 473o, 473mu, 473ul, 477u, 481ol, 481or, 495or, 515mor, 515mol, 515ul, 517mor, 521ul, 525mul, 527or, 540mul, 541ol, 541mul, 541ul

Zeininger: 79u, 111ml, 117u, 119u, 133m, 135o, 141u, 149mr, 157mr, 159u, 169u, 175u, 183ml, 185ul, 191ul, 195ml, 197ur, 199ur, 209m, 221o, 225o, 229o, 277ur, 283o, 283mo, 285u, 293mo, 293mu, 295m, 295u, 303o, 305o, 305mol, 319or, 321mr, 325ml, 325mr, 347ur, 349o, 351mor, 355o, 357mul, 357mur, 359mul, 359mur, 359u, 361o, 361mol, 361mor, 361mur, 363mor, 363mul, 365mu, 365ul, 397o, 397mo, 397mu, 399o, 399mu, 399u, 401mo, 401mu, 401u, 403mo, 407mur, 407u, 409mr, 415mur, 417or, 425mur, 427mor, 433ul, 433ur, 435u, 437mu, 439o, 441o, 445o, 445mol, 447o, 447u, 453mor, 453mu, 457ol, 459ol, 459ml, 459mr, 459ur, 461or, 461mr, 461ur, 463u, 465ml, 465u, 467o, 467mol, 467mor, 467mu, 469o, 469ul, 471mr, 473mor, 473ur, 475mol, 475mu, 475ul, 475ur, 477o, 477mr, 479o, 479u, 481mr, 481ml, 481u, 483o, 483u, 485o, 485ur, 487o, 487m, 487ur, 489u, 491mor, 491mur, 493or, 493ml, 493mr, 493u, 495mo, 495mu, 497o, 497ml, 497mr, 499or, 499mur, 499u, 501o, 501ur, 503ol, 503ml, 503mr, 505mol, 507u, 509ml, 523mu, 530mur, 530ul, 533or, 533mul, 545mur, 540ol, 540ul, 541mol.

Titre de l'édition en langue allemande :
Der Tier- und Pflanzenführer für unterwegs,
publié en 2003 par
BLV Verlagsgesellschaft mbH,
Munich.

N° d'édition : FT 0963-01
ISBN : 2-0820-0963-7
Dépôt légal : avril 2003

Imprimé en Allemagne

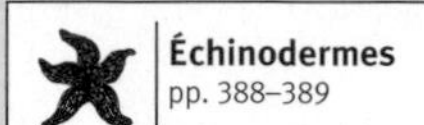

Poissons

Amphibiens (Batraciens)

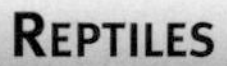

Reptiles

Oiseaux